AUTORITARISMO E CULTURA POLÍTICA

Pontifícia Universidade Católica
do Rio Grande do Sul

AUTORITARISMO E CULTURA POLÍTICA

Luciano Aronne de Abreu
Rodrigo Patto Sá Motta
(Organizadores)

FGV EDITORA
ediPUCRS

Porto Alegre, 2013

CAPA Shaiani Duarte

EDITORAÇÃO ELETRÔNICA Jardson Corrêa

REVISÃO DE TEXTO Caren Capaverde

IMPRESSÃO E ACABAMENTO Gráfica Epecê

Edição revisada segundo o novo Acordo Ortográfico da Língua Portuguesa.

Direitos desta edição reservados a

EDITORA FGV
Rua Jornalista Orlando Dantas, 37
22231-010 – Rio de Janeiro, RJ – Brasil
Fones: 0800-021-7777 – 21-3799-4427
Fax: 21-3799-4430
E-mail: editora@fgv.br – pedidoseditora@fgv.br
www.fgv.br/editora

EDIPUCRS
Av. Ipiranga, 6681 – Prédio 33
Caixa Postal 1429 – CEP 90619-900
Porto Alegre – RS – Brasil
Fone/fax: (51) 3320 3711
E-mail: edipucrs@pucrs.br
www.pucrs.br/edipucrs

Dados Internacionais de Catalogação na Publicação (CIP)

A939 Autoritarismo e cultura política / org. Luciano Aronne de Abreu, Rodrigo Patto Sá Motta. – Porto Alegre : FGV : Edipucrs, 2013.
348 p.

ISBN 978-85-397-0311-1 (EDIPUCRS)
ISBN 978-85-225-1415-1 (FGV)

1. Autoritarismo – América Latina. 2. Política – História. 3. Cultura Política. I. Abreu,

CDD 321.9

Ficha Catalográfica elaborada pelo Setor de Tratamento da Informação da BC-PUCRS.

SUMÁRIO

APRESENTAÇÃO

AUTORITARISMO E CULTURA POLÍTICA

Rodrigo Patto Sá Motta
Luciano Aronne de Abreu

A aproximação analítica entre os temas *Autoritarismo* e *Cultura Política*, abrangendo o Brasil e outros países latino-americanos (Argentina, Chile e Uruguai), pode gerar chaves interpretativas e explicativas inovadoras para a história da região. Com efeito, tais nações passaram por experiências autoritárias recentes que, em boa parte, contribuíram para a sua configuração atual, quer seja pela ação direta na moldagem de suas estruturas econômico-sociais contemporâneas, quer seja pela própria reação adversa que geraram na forma de movimentos de combate a esses regimes e suas heranças ainda atuantes, em especial no campo da construção da memória.

O enfoque ganha especial pertinência quando consideramos que, em alguns desses países, como o Brasil, o autoritarismo não é um fenômeno político recente, mas possui uma vasta História. Não apenas porque tais países já tenham passado por regimes não democráticos anteriormente, mas porque também eles foram palco da elaboração de toda uma tradição teórica autoritária, ou seja, de intelectuais que pensaram e projetaram a sociedade (brasileira e latino-americana) como incompatível com a democracia liberal. E muitos elementos desse pensamento autoritário eram compartilhados ou apropriados por outras correntes de pensamento – mesmo à esquerda do espectro político-intelectual – e, inclusive, pelos grandes meios de comunicação, alcançando uma abrangência maior que o restrito círculo dos intelectuais. Dessa maneira, torna-se muito pertinente procurar associar o autoritarismo à cultura política, na medida em que as bases do pensamento autoritário contribuíram difusamente na própria maneira como a realidade política dessas sociedades vem sendo concebida ao longo das últimas décadas.

Por outro lado, há que se considerar também a manifestação de determinados traços de cultura política tanto nos períodos de governo autoritário quanto nas fases consideradas democráticas. Tendo em vista especialmente o caso brasileiro, podemos mencionar como exemplos o reiterado recurso à conciliação entre setores da elite, a reprodução de práticas clientelistas, o arraigado corporativismo e a tradicional personalização das relações políticas.

Sob a inspiração desses pressupostos teóricos, selecionamos e convidamos os autores que contribuem para esta coletânea, na expectativa de oferecer reflexões úteis à compreensão da história política do Brasil e de países do Cone Sul.

RUPTURA E CONTINUIDADE NA DITADURA BRASILEIRA:
A INFLUÊNCIA DA CULTURA POLÍTICA

Rodrigo Patto Sá Motta

Fundamenta este trabalho o propósito de analisar o fenômeno autoritário com o distanciamento crítico possível, evitando posições passionais e maniqueístas, que podem toldar a visão. O objetivo é tentar compreender as motivações e os impulsos que levaram as forças autoritárias à ação, sem que isso implique perdoar-lhes os crimes cometidos. O texto resulta de pesquisas sobre as políticas universitárias do Regime Militar, que geraram livro ainda inédito, assim como de reflexões que venho realizando sobre a categoria cultura política e sua aplicação à história do Brasil.[1] Trata-se de inscrever a Ditadura na duração, procurando percebê-la como fruto do encontro entre fatores conjunturais e estruturais. Nessa direção, a mobilização do conceito *cultura política* pode oferecer contribuição significativa, lançando luz sobre a influência de comportamentos arraigados nas tradições políticas do país.

O ponto central do argumento é que o influxo da cultura política pode explicar peculiaridades do autoritarismo brasileiro, inclusive do Regime Militar recente. Tais características peculiares são mais bem observadas quando se adota olhar comparativo com foco nas experiências dos países vizinhos. Entre os pontos que distinguem o Regime Militar brasileiro podem ser destacados: o projeto econômico nacional-desenvolvimentista, a manutenção em vigor (embora de

---

[1] Para o debate sobre cultura política, ver MOTTA, Rodrigo P. S. Desafios e possibilidades na apropriação de cultura política pela historiografia. In: *Culturas Políticas na História: Novos Estudos*. Belo Horizonte: Argvmentvm, 2009, p. 13-37.

modo precário) de instituições liberais, o menor número de mortes e desaparecimentos provocados pela repressão política, uma taxa mais elevada de absolvições nos julgamentos de crimes políticos[2] e uma maior tolerância com intelectuais e valores culturais de esquerda[3], que continuaram a circular durante a Ditadura. O texto vai centrar o foco nas experiências ditatoriais, especificamente o Regime Militar, entretanto, e de maneira coerente com a categoria *cultura política*, é claro que relações autoritárias podem ser encontradas em outros momentos da história do país.

Antes de prosseguir, é indispensável conceituar cultura política, categoria de análise desenvolvida por cientistas sociais norte-americanos nos anos 1950 e 1960 e que tem sido apropriada seletivamente pela historiografia. O quadro teórico originalmente desenvolvido por Almond & Verba foi submetido a severas críticas por sua proximidade ideológica com os preceitos da Guerra Fria e por hierarquizar, embora sutilmente, as diferentes culturas políticas. Em anos recentes, o conceito tem sido apropriado pela historiografia, sob o impacto da "virada culturalista". Influenciados pela força ascendente do paradigma culturalista e interessados em renovar o enfoque da História Política, alguns historiadores redescobriram a categoria cultura política, entre eles os franceses Jean-François Sirinelli e Serge Berstein[4],

[2] Cf. trabalho de Anthony Pereira, que fez cuidadosa comparação do funcionamento da justiça política das ditaduras do Brasil, Argentina e Chile. No entanto, Pereira não considera a cultura política fator relevante para explicar por que no Brasil os réus políticos foram absolvidos em maior proporção, nesse ponto divirjo do autor. **Political (in) justice. Authoritarianism and the rule of law in Brazil, Chile and Argentina.** Pittsburgh: University of Pittsburgh Press, 2005.

[3] Sobre as relações paradoxais entre o Estado autoritário e os produtores culturais e artistas de esquerda, ver RIDENTI, Marcelo. *Brasilidade revolucionária: um século de cultura e política*. São Paulo: UNESP, 2010, pp.103-106. Ver também: NAPOLITANO, Marcos. "Vencer Satã só com orações": políticas culturais e cultura de oposição no Brasil dos anos 1970. In: ROLLEMBERG, Denise; QUADRAT, Samantha (Org.). *A construção social dos regimes autoritários – Legitimidade, consenso e consentimento no século XX. Brasil e América Latina*. Rio de Janeiro: Civilização Brasileira, 2010, pp. 145-174.

[4] Suas obras principais são: BERSTEIN, Serge. A cultura política. In: RIOUX; SIRINELLI (Org.). *Para uma história cultural*. Lisboa: Estampa, 1988; BERSTEIN, Serge (Org.). *Les cultures politiques en France*. Paris: Éditions du Seuil, 1999; BERSTEIN, Serge. Culturas políticas e historiografia. In:

que propuseram apropriação que exclui os elementos funcionalistas e eventualmente etnocêntricos presentes na formulação original.

Embora a categoria seja utilizada em acepção diferente da versão dos cientistas sociais norte-americanos, em um ponto central a inspiração teórica é a mesma: o entendimento de que a cultura – em sentido antropológico – influencia as decisões e ações políticas. Tal compreensão implica certa crítica ao paradigma liberal-racionalista, que vê os agentes políticos como seres movidos essencialmente por ideias e interesses. A perspectiva culturalista, portanto a aplicação do conceito cultura política, supõe a convicção de que os homens agem também movidos por paixões e sentimentos, como medo, ódio e esperança; são mobilizados por meio de representações e imaginários que constroem mitos e heróis exemplares, bem como inimigos odientos; e tomam decisões por influência de valores construídos em torno da família, nação ou religião. Assim, a atuação política dos homens não decorre apenas da apreensão racional de interesses e/ou da aceitação de ideias e projetos sistemáticos e coerentes, mas por determinação também de fatores culturais. No entanto, isso não implica estabelecer uma espécie de determinismo culturalista, desprezando a importância do interesse e da escolha individual. A abordagem cultural é valiosa e inspiradora, mas, se for encarada de maneira absoluta, pode empobrecer, em lugar de enriquecer o conhecimento. No momento da decisão, os agentes têm à disposição um leque de opções, e os fatores culturais (sentimentos, identidades, valores) podem exercer maior ou menor influência, a depender do contexto e dos atores em cena.

Nessa perspectiva, pode ser adotada a seguinte definição para cultura política, sem a pretensão de excluir outras acepções possíveis para um conceito que é, evidentemente, polissêmico: conjunto

---

AZEVEDO, Cecília *et al.* *Cultura Política, Memória e Historiografia*. Rio de Janeiro: FGV, 2009. A argumentação principal de ALMOND & VERBA pode ser encontrada em *The civic culture: political attitude and democracy in five nations*. Boston: Little-Brown, 1965.

de valores, tradições, práticas e representações políticas partilhado por determinado grupo humano, expressando identidade coletiva e fornecendo leituras comuns do passado, assim como inspiração para projetos políticos direcionados ao futuro. Vale ressaltar que se trata de "representações" em sentido amplo, configurando conjunto que inclui ideologia, linguagem, memória, imaginário e iconografia, implicando a mobilização de mitos, símbolos, discursos, vocabulários e diversificada cultura visual (cartazes, emblemas, caricaturas, filmes, fotografias, bandeiras etc). Reiterando, trata-se de conceito de cultura próximo à perspectiva antropológica, mas que comporta também, e as integra, expressões artísticas e manifestações estéticas.

Tal conceituação de cultura política pode ser utilizada tanto no plural quanto no singular, ou seja, pode ser aplicada tanto a conjuntos nacionais (cultura política brasileira, por exemplo) quanto a projetos políticos específicos, em matriz pluralista: comunismo, liberalismo, conservadorismo, fascismo etc.[5] A proposta aqui, portanto, é considerar a existência de uma cultura política brasileira que convive e interage com culturas políticas específicas, como o liberalismo ou o socialismo que, por sua vez, são influenciados por traços da cultura nacional.

No entanto, a existência de padrões e valores gerais não significa que todas as pessoas aderem e se comportem de modo uniforme; trata-se apenas de uma orientação geral que, não obstante, é suficientemente influente ao ponto de configurar traço cultural marcante. Por outro lado, não se trata de comportamentos inexoravelmente determinados por estruturas culturais preexistentes. O campo da política supõe o protagonismo de agentes que fazem escolhas: há sempre margem para a opção entre diferentes caminhos de ação. O argumento é que as escolhas podem sofrer a influência da cultura

[5] Cf. MOTTA, *Op.cit.*

política, que oferece aos agentes alguns padrões de ação já inscritos nas tradições, mais atraentes e viáveis por terem gerado sucesso em ocasiões anteriores. Assim, não há porque supor oposição entre a influência de padrões culturais e o arbítrio dos agentes políticos. Defendo que a cultura política exerce influência efetiva, porém, não por implicar algum tipo de atavismo, mas por indicar aos atores caminhos e estratégias com maiores chances de sucesso (aparentemente, ao menos), tornando-se escolhas interessantes para os agentes envolvidos.

Uma última observação para esclarecer o sentido atribuído à cultura política, enfatizando o cuidado para evitar generalizações excessivas. Propor a existência de traços culturais específicos no campo político não implica a postulação de uma excepcionalidade brasileira. Alguns dos elementos característicos de tal cultura política podem ser encontrados em outros espaços nacionais. Nessa direção, os debates já clássicos em torno do "iberismo" devem ser considerados, pois teriam marcado a formação nacional brasileira, apontando para laços de afinidade cultural em relação a algumas nações europeias e latino-americanas.[6] No entanto, defende-se que o legado de outros povos combinou-se no desenrolar da experiência histórica nacional e gerou resultado original, melhor percebido quando se compara a história política brasileira com a de países em situação semelhante.

Discussões sobre o tema são tão antigas quanto a formação nacional brasileira, já que a identificação de características distintivas entre os povos é parte do processo de imaginação nacional. Tais debates mobilizaram tanto motivação acadêmica quanto impulsos folclorizantes que, particularmente no último caso, se prestaram a manipulações políticas. Desde o século XIX, vários traços foram apontados

[6] Cf FAORO, Raymundo. *Os donos do poder: a formação do patronato político brasileiro*. 2. ed. Porto Alegre: Globo, 1975; BARBOZA FILHO, Rubem. *Tradição e artifício. Iberismo e barroco na formação americana*. Belo Horizonte: UFMG, 2000.

como singularidades brasileiras, tanto por viajantes quanto por pensadores sociais destacados, a exemplo de Gilberto Freire, Sérgio Buarque de Hollanda, Oliveria Vianna, Raymundo Faoro e Roberto DaMatta.[7] Esses autores, entre outros, apontaram características ou comportamentos políticos típicos dos brasileiros, embora sem mobilizar cultura política, até porque, na maioria dos casos, suas reflexões antecederam o debate acadêmico sobre o conceito. Não obstante, é interessante destacar a situação excepcional de Oliveira Vianna, que fez uso pioneiro de cultura política em obra publicada em 1949. No livro *Instituições políticas brasileiras*, Oliveira Vianna usou cultura política para denominar o conjunto de costumes e tradições políticas brasileiras e, embora não tenha apresentado definição precisa, o sentido é próximo do que foi desenvolvido posteriormente pelas Ciências Sociais.[8]

Pois bem, a proposta é perceber nesse conjunto de características uma unidade (embora descartando quaisquer determinismos) que constitui e dá forma a uma cultura política, em outras palavras, um repertório de representações e práticas que influenciam os comportamentos políticos de muitos brasileiros. Passo a apresentar um esboço dos elementos centrais de tal cultura política para, em seguida, enfatizar alguns de seus aspectos e o modo como incidiram no período do Regime Militar, sobretudo em sua política universitária.

[7] Vale mencionar que alguns *brazilianistas* argutos também se interessaram pelo tema, como Philippe Schmitter, que mencionou o pioneirismo de Oliveira Vianna no uso do conceito cultura política. Cf. SCHMITTER, Philippe C. *Interest conflict and political change in Brazil*. Stanford: Stanford University Press, 1971.

[8] VIANNA, Francisco José de Oliveira. *Instituições políticas brasileiras*. São Paulo: José Olympio, 1949. É importante considerar que a expressão já circulava no Brasil desde a famosa publicação do Estado Novo *Cultura Política*, iniciada em 1941. Os editores não definiram o sentido da expressão, mas pode-se inferir que ela expressava o desejo da elite estadonovista de oferecer cultura política a um povo considerado "inculto" e incapaz de autogoverno. A propósito, é importante destacar que não partilho o pessimismo de Vianna acerca das virtudes políticas do povo brasileiro, tampouco suas conclusões autoritárias, embora reconheça a relevância de sua contribuição para o tema da cultura política.

Primeiramente, para caracterizar uma cultura política enquanto tal, é necessária a existência de um imaginário, no caso em tela, um imaginário nacional, um conjunto de representações capaz de instituir o grupo como comunidade política. Desse conjunto fazem parte heróis, vilões, eventos marcantes, guerras etc., uma gama de representações construídas por meio de imagens mentais ou visuais que é preservada, reproduzida e reapropriada ao longo do tempo, processo em que atuam tanto a memória como a historiografia, além da literatura, a cultura visual e as diferentes mídias. Existem excelentes estudos dedicados ao campo do imaginário político brasileiro, mas trata-se de tema ainda não esgotado e carente de obras de síntese.[9]

Além do imaginário, outro ponto essencial para identificar uma cultura política é a presença de comportamentos e valores políticos típicos do grupo. Os ensaístas e pesquisadores que visitaram o tema destacaram uma série de questões, que será elencada a seguir sem a preocupação de analisar (e criticar) a todas de maneira aprofundada. Nas obras desses autores, um dos temas mais fortes é o patrimonialismo, ou seja, a tendência a confundir os bens públicos e os privados, supostamente uma herança ibérica, questão analisada, sobretudo, por Raimundo Faoro. Outro nome clássico do nosso pensamento político, Oliveira Vianna, propôs que o personalismo (ou o privatismo) seria elemento central da cultura política, marcada, portanto, pela primazia dos laços pessoais em detrimento das relações impessoais. Trocando em miúdos, na sua atuação política, os cidadãos privilegiariam a fidelidade a laços de parentesco, amizade, compadrio ou patronagem, à revelia de normas universais, com baixa adesão a projetos

---

[9] Um das contribuições mais relevantes é a de José Murilo de Carvalho, notadamente em *A Formação das Almas. O imaginário da República no Brasil*. São Paulo: Companhia das Letras, 1990. Entre os textos de referência para o estudo dos imaginários políticos podem ser citados: ANSART, Pierre. *Ideologias, conflitos e poder*. Rio de Janeiro: Zahar 1978; BACZKO, Bronislaw. A imaginação social In: Leach, Edmund *et al.*Anthropos-Homem. Lisboa, Imprensa Nacional/Casa da Moeda, 1985; GIRARDET, Raoul. *Mitos e mitologias políticas*. São Paulo: Companhia das Letras, 1987.

políticos impessoais. Essa descrição empreendida por Oliveira Vianna não está muito distante do homem cordial enxergado por Sérgio Buarque de Hollanda, embora esse autor não tenha ultrapassado a fase de esboço do seu *insight*. Em linha parecida, também, podem ser situadas as análises de Roberto DaMatta sobre a "Casa e a Rua", que apontam igualmente para a tradicional prevalência de laços sociais privados (Casa) em detrimento dos espaços e instituições públicas (Rua).

Vale a pena notar que a influência do "personalismo" analisado por Oliveira Vianna permanece presente nos dias atuais. A maioria dos cidadãos brasileiros ainda faz suas escolhas eleitorais privilegiando pessoas em detrimento de instituições e acolhe bem líderes carismáticos, depositando neles suas esperanças e anseios. Pesquisas recentes de cientistas políticos que trabalham com a categoria *cultura política*, baseadas em surveys e estudos comparativos com outros países da América Latina, mostram como tais comportamentos políticos continuam arraigados entre os brasileiros. Em artigo publicado em 2008, por exemplo, J. A. Moisés analisou pesquisas de opinião com dados referentes a 18 países latino-americanos. A conclusão é que a maioria dos brasileiros mantém atitudes ambivalentes diante das instituições liberal-democráticas: a desconfiança em relação às instituições se combina com a manifestação formal de apreço por valores democráticos, o que sugere a adesão de muitos a uma espécie de democracia sem partidos ou congresso. De acordo com os dados da pesquisa, o percentual de cidadãos adeptos de valores democráticos é um dos mais baixos da América Latina, enquanto o grupo dos ambivalentes (que combinam valores democráticos e autoritários) no Brasil é o mais alto da região.[10]

---

[10] A proposta do autor é combinar as abordagens culturalista e institucionalista. Nessa linha, o argumento de Moisés é que elementos da cultura política se combinam com o baixo desempenho de partidos e instituições, o que vem a reforçar a tradicional desconfiança social contra as instituições, deixando o campo aberto para projetos políticos personalistas e autoritários. MOISÉS, José Álvaro.

Além dos temas já apontados, poderíamos incluir como elementos integrantes da cultura política brasileira o clientelismo, o elitismo (e seu par inseparável, a exclusão popular dos espaços de decisão), a frágil identificação dos cidadãos com os partidos, o pouco apreço e a escassa participação nos espaços públicos. Alguns autores apontaram que a fraca participação popular na política institucional não significa ignorância e pode representar, bem ao contrário, a sagaz percepção de que o universo da "grande" política exclui os setores sociais subalternos. Seria o bilontrismo, uma disposição popular para perceber o caráter elitista da política brasileira e recusar-se à participação, para evitar o logro.[11] Entretanto, cabe questionar, tal forma de sagacidade não significaria, ao mesmo tempo, uma manifestação de impotência? A recusa à participação, ainda que inspirada por um olhar sagaz, não contribuiria para a manutenção das desigualdades políticas e sociais?

Tal linha interpretativa sofreu muitas críticas, acusada de pretender aplicar ao Brasil modelos de cidadania criados em outros centros, o que levaria à sobrevalorização de inevitáveis ausências. Apontar tais características implicaria análises que desvalorizam a capacidade do povo brasileiro, rebaixam-no, ao passo que a mudança de foco na direção de outras dimensões da vida social, deixando de lado a política institucional, revelaria manifestações pujantes. Não interessa agora entrar em tais polêmicas, pois não se trata de exaltar ou rebaixar a cultura política brasileira. No entanto, ainda que a cultura popular tenha diversas expressões de força e vivacidade, segue o problema da frágil participação nos temas de maior interesse

Cultura política, instituições e democracia. Lições da experiência brasileira. *Revista Brasileira de Ciências Sociais*. São Paulo, vol. 23, n. 66, 2008, pp.11-43.

[11] Cf. CARVALHO, José Murilo de. *Os bestializados. O Rio de Janeiro e a República que não foi*. São Paulo: Companhia das Letras, 1987 (sobretudo o capítulo 5).

coletivo, que têm relação com outros problemas estruturais, como as taxas de desigualdade social, ainda entre as maiores do mundo.

Passo a analisar com mais cuidado uma característica tradicionalmente considerada parte da cultura brasileira, enfatizando sua incidência no campo político. Refiro-me à tendência à flexibilidade, à conciliação, ou à negociação de conflitos, cuja incidência no Regime Militar pretendo demonstrar nas páginas seguintes. Trata-se de tema clássico entre ensaístas e pensadores sociais, mobilizando tanto defensores como críticos, e que está em pauta pelo menos desde Gilberto Freire, tendo merecido um livro de José Honório Rodrigues.[12] Temos larga história de grandes conciliações políticas (1822, 1853, 1889, 1961, 1979, 1985), quando arranjos foram mobilizados para evitar conflitos graves e encontrar saídas políticas aceitáveis para os grupos envolvidos. Tais estratégias tendem a encontrar maior sucesso quando o jogo político não inclui segmentos sociais subalternos, portanto, quando se trata de arranjos entre grupos pertencentes às elites sociais e políticas. Nos momentos em que ocorrem episódios de maior mobilização popular, a tendência a soluções violentas é mais provável (como o caso de Canudos, por exemplo), com menores chances para a mobilização de iniciativas conciliatórias.

Especulando mais, pode-se dizer que tal fenômeno guarda relação com certos aspectos da cultura brasileira já apontados por outros autores: a tendência a negar/escamotear conflitos, diferenças e distâncias sociais, com boa disposição para a incorporação (do estrangeiro, *p.e.*), a tolerância/flexibilidade (religiosa, *p.e.*) e a mistura racial. Evidentemente, não se trata de aceitar o velho mito da democracia racial, que esconde o racismo peculiar ao Brasil. No entanto, como todo mito poderoso, esse também se assenta em certos elementos "reais", como a alta taxa de mestiçagem e a possibilidade do "bran-

[12] RODRIGUES, José Honório. *Conciliação e reforma no Brasil: um desafio histórico-cultural*. Rio de Janeiro: Nova Fronteira, 1965.

queamento" e ascensão social para alguns indivíduos "não brancos". A propósito, a larga aceitação do mito da democracia racial entre os brasileiros[13], inclusive muitos cidadãos negros, serve de comprovação ao argumento defendido aqui: ela confirma que a disposição para aceitar fórmulas negadoras/escamoteadoras dos conflitos sociais é muito forte no Brasil, contribuindo para atenuar uma das questões com maior potencial de gerar conflitos políticos no país.

Antes de representar um caráter bondoso dos brasileiros ou qualquer adjetivo moral equivalente, a acomodação de diferenças e conflitos representa uma estratégia inteligente. Escamotear e conciliar conflitos têm sido meios eficientes para reduzir tensões sociais e, com isso, manter o poder político e privilégios sociais, facilitando a manutenção do *status quo*. Entretanto, é necessária a presença de disposição cultural favorável, pois apenas o cálculo estratégico não é suficiente para explicar a adesão a tal comportamento. Claro, na história brasileira houve violência política, tanto mais intensa quanto maior a presença de grupos populares, e o nosso quadro de violência social "comum" é muito elevado, como qualquer habitante das grandes cidades bem sabe. Não obstante, temos uma tendência forte para a conciliação política, fenômeno difícil de negar dada sua ampla recorrência.

Chegando ao ponto principal deste trabalho, pretendo mostrar que tendências conciliatórias também se manifestaram no Regime Militar, apesar do autoritarismo intrínseco e maior disposição para a violência política. Centenas de pessoas morreram naqueles anos em

---

[13] Uma evidência estatística da dificuldade dos brasileiros para perceberem conflitos raciais: em maio de 1963, o IBOPE realizou uma pesquisa de opinião com 1.010 entrevistados na Guanabara. Vários temas foram explorados na entrevista, mas interessa aqui destacar uma pergunta: "Na sua opinião, o Brasil tem algum problema racial?". O resultado foi que 60% responderam "não" e apenas 34% "sim". Curiosamente, e significativamente, a pergunta seguinte explorou a opinião dos cariocas sobre o racismo nos Estados Unidos, e a maioria opinou que as relações entre brancos e negros naquele país eram ruins. A pesquisa se encontra em National Archives and Records Administration II, RG 306, # 1015, caixa 15, pasta 2. College Park, MD, EUA.

luta contra a Ditadura, e um número maior foi torturado, removido de cargos públicos (houve demissões por motivação política também na iniciativa privada) ou partiu para o exílio. Ainda assim, a influência da cultura política se fez presente, e jogos de acomodação e estratégias conciliatórias ocorreram simultaneamente à violência. É fundamental analisar tais questões para termos "retrato" mais completo do quadro, com a convicção de que sua adequada compreensão tem importância tanto acadêmica quanto política.[14]

As ambiguidades e os paradoxos da Ditadura brasileira podem ser explicados, em parte ao menos, pelo influxo de elementos da cultura política. Nessa linha, o primeiro aspecto a considerar é o caráter simultaneamente modernizador e conservador do Regime Militar, que conciliou tendências por vezes contraditórias e abrigou agentes com ideias discrepantes, desde liberais a fascistas, passando por conservadores e nacionalistas autoritários. Por isso, o regime de 1964 hesitou entre uma ditadura clássica e o liberalismo autoritário e manteve casas parlamentares abertas, ainda que manietadas, assim como os partidos e o aparato judiciário, embora eles tenham sido expurgados nos momentos de crise. Pela mesma razão, a imprensa gozou de momentos de relativa liberdade de expressão, alternados por fases de censura intensa, sendo que mesmo nesses algumas críticas ao Estado foram publicadas nos jornais mais independentes.

As tendências conciliatórias se manifestaram também no arranjo entre políticas econômicas liberais e nacional-desenvolvimentistas e, igualmente, na incorporação de parte dos projetos reformistas anteriores ao Golpe. No que se refere ao último aspecto, merece

[14] O foco está centrado no Regime Militar, mas é interessante considerar que também no Estado Novo ocorreram jogos de acomodação. Um aspecto a ser destacado foi a estratégia do governo Vargas de abarcar tanto intelectuais conservadores como modernistas em seus quadros, o que gerou políticas culturais e educacionais paradoxais. José Antonio Giusti Tavares (*A estrutura do autoritarismo brasileiro*. Porto Alegre: Mercado Aberto, 1982) e Kenneth Serbin (*Diálogos na sombra: bispos e militares, tortura e justiça social na ditadura*. São Paulo: Companhia das Letras, 2001) utilizaram a categoria cultura política para analisar certos aspectos do Regime Militar.

destaque a reforma universitária implantada pela Ditadura a partir de 1966, cujo ponto de culminância foi a Lei 5.540 de 1968. O desenho geral do projeto foi adaptado das propostas reformistas do início da década de 1960, depois de devidamente extirpados os anseios socialistas. A reforma universitária da Ditadura produziu rápida expansão do setor universitário (tanto público como privado) ao longo dos anos 1970, com aumento de vagas para graduação, criação do sistema de pós-graduação, construção de *campi* universitários e fortalecimento da infraestrutura da pesquisa. Tudo isso ocorreu simultaneamente à implantação de sistema de informações e vigilância para reprimir os adversários e suspeitos, muitos dos quais foram expelidos do sistema universitário.[15] Assim, as Universidades foram local privilegiado do projeto modernizador-conservador da Ditadura, processo em que se combinaram impulsos destrutivos e construtivos, por vezes contraditoriamente. Exemplificando: o mesmo Estado que tornou mais atraente a carreira de professor universitário, com melhores salários e condições de pesquisa, visando impulsionar o desenvolvimento, inutilizou parte desse esforço ao expurgar alguns influentes líderes acadêmicos, lançando a insegurança e o desânimo entre outros pesquisadores.

Além de incidir no formato geral das políticas modernizadoras e conservadoras do regime autoritário, eivadas de paradoxos, a influência da cultura política se fez sentir também nas relações entre o Estado e os pesquisadores acadêmicos, gerando peculiares combinações nos interstícios dos polos da repressão e resistência. O argumento defendido aqui é que estratégias de conciliação/acomodação incidiram tanto nas políticas modernizadoras quanto nas ações repressivas do Regime Militar. No primeiro eixo, houve uma combina-

[15] No caso dos professores, o principal meio de expurgo foram os Atos Institucionais, tanto o primeiro, de 1964, quanto o AI5, de fins de 1968. Os estudantes foram expelidos por meio do decreto 477, de fevereiro de 1969, ou através de medidas punitivas previstas nos regimentos internos das Universidades.

ção de desenvolvimento nacionalista (à base de estruturas corporativistas prévias) com postulados liberais, e a incorporação pelo Regime Militar, de maneira autoritária e marcadamente elitista, de parte da agenda reformista, incluindo aí alguns quadros esquerdistas mantidos na máquina estatal. No eixo da repressão, a violência deslanchada contra acadêmicos e intelectuais foi temperada com estratégias de moderação e acomodação, à base de laços pessoais e interesses pragmáticos.

Pretendo demonstrar a consistência dessas afirmações na análise seguinte, baseada em pesquisa para livro ainda inédito, voltado para as relações entre o Estado autoritário e as universidades brasileiras.[16] Diferentemente de outros países, no Brasil a Ditadura preocupou-se em atrair os intelectuais acadêmicos, ou ao menos tentou desmobilizar seu empenho crítico. Nos outros países do Cone Sul, a dimensão repressiva predominou: as Universidades foram vistas antes como alvos da repressão e redutos inimigos a serem destruídos. Por isso, tradicionais instituições públicas saíram das ditaduras enfraquecidas, após anos de cortes de verbas e de pessoal.[17]

No Brasil, as instituições superiores foram reformadas e modernizadas, com base em objetivos tanto econômicos (alavancar o desenvolvimento) quanto políticos (aplacar críticas da oposição e arrefecer a rebeldia dos meios acadêmicos). O orçamento federal para o Ensino Superior se ampliou no período, e empréstimos externos foram captados para investir em infraestrutura. Isso resultou em grande expansão das Universidades públicas entre 1968 e 1979, com saltos no número de alunos de graduação e pós-graduação, enquanto

[16] A argumentação teórica foi desenvolvida com mais cuidado e refinamento no livro, por questões de espaço.

[17] O caso mais dramático foi o argentino, em que a ditadura militar deixou um rastro de destruição. Quando os militares entregaram o poder, havia diminuído o corpo discente universitário, e muitos cursos na área de ciências sociais tinham sido extirpados. No Chile, após os anos iniciais de repressão, a ditadura implantou uma reforma liberal no Ensino Superior, com o estabelecimento de cobrança de mensalidades inclusive nas instituições públicas.

o corpo docente federal foi triplicado, com salários melhores e o início da implantação do regime de trabalho de tempo integral (a chamada dedicação exclusiva). O setor privado teve um salto expansivo ainda maior, tornando-se o principal responsável por matrículas no Ensino Superior brasileiro nos anos 1970, beneficiado pelo crescimento econômico e por incentivos indiretos oferecidos pelo Estado. Porém, as instituições privadas não fizeram investimentos em infraestrutura semelhantes aos realizados nas Universidades públicas.

A tipologia da violência que atingiu a comunidade acadêmica dos países sob as ditaduras militares foi semelhante: morte e tortura, demissões e expulsões dos quadros universitários, instalação de sistemas de informação e repressão. A peculiaridade do caso brasileiro foi que a violência foi temperada por jogos de acomodação e arranjos baseados em laços pessoais, que atenuaram os efeitos da repressão para algumas pessoas. A hipótese é que tais ações tiveram origem em iniciativas locais e pessoais, mas encontravam abrigo nas tradições do país, e só foram possíveis devido à tolerância de certas autoridades, pragmaticamente interessadas nos resultados, quais sejam: reduzir a tensão entre o Estado e os meios acadêmicos; contar com o trabalho de intelectuais, pesquisadores ou técnicos talentosos. Na maioria dos casos, as pessoas beneficiadas por tais arranjos não pertenciam à oposição armada, cujos militantes tinham tratamento mais duro e menores chances de escapar à repressão. Ainda assim, alguns opositores ideológicos do regime, inclusive professores com convicções socialistas, foram mantidos nos quadros, ou contratados durante a Ditadura, apesar da orientação anticomunista e antimarxista do Estado.

Tais situações foram viáveis porque nos meios acadêmicos predominavam indivíduos pertencentes às elites sociais, que podiam mobilizar recursos de negociação com agentes do Estado à base de laços familiares, de amizade ou de pertencimento aos mesmos espaços de socialização (escolas, clubes etc). Os membros da comunidade acadêmica, com frequência, estudaram nas mesmas escolas frequentadas por lideranças políticas e militares, ou mantinham com elas relação de parentesco. Seria encontrada situação diferente se o objeto da análise fosse o movimento sindical, por exemplo, cujos líderes eram provenientes dos estratos sociais mais baixos, com pouco acesso aos lugares de sociabilidade da elite e das classes médias.

Muitos exemplos foram encontrados no decorrer da pesquisa, registrados na documentação escrita[18], mas, sobretudo, nas 50 entrevistas realizadas para o trabalho. Vários intelectuais perseguidos tinham contatos pessoais em posições de poder, a quem poderiam recorrer nas horas difíceis: um tio general; uma esposa aparentada do governador ou de um deputado federal; um amigo de infância que se tornara agente do SNI; um primo que tinha amizade estreita com influente militar da reserva; o pai amigo de juízes importantes; um parente bem relacionado com o diretor do DOPS estadual; um amigo capaz de mobilizar um bispo, entre outros exemplos colhidos nas fontes. Cerca de metade dos entrevistados para essa pesquisa relataram algum episódio do gênero, envolvendo a si mesmo ou terceiros. Para contornar os efeitos da repressão, as pessoas usaram os recursos possíveis, ou parentes e amigos o fizeram em seu nome, configurando arranjo tradicional na cultura brasileira. Era natural e conforme os costumes do país recorrer às relações sociais naquelas circunstâncias, e muitos dos que tiveram chance fizeram-no. Em geral, os parentes e amigos os ajudavam mesmo discordando das suas ideias políticas, por entender que o vínculo pessoal falava mais alto que considerações político-ideológicas, mesmo ao custo de algum risco. Não está sendo proposto o julgamento moral de tais ações, afinal,

[18] Um exemplo: em 1975, o SNI investigou o Secretário de Segurança do Maranhão, que era Coronel do Exército e tentava anular os registros políticos negativos existentes sobre o seu irmão, candidato a professor na Universidade Federal do Maranhão. ACE 93193/75, Fundo SNI, Arquivo Nacional-COREG.

terríveis eram as expectativas de quem caía na malha repressiva. Além disso, algumas vezes esses expedientes eram utilizados à revelia dos beneficiários, por seus parentes e amigos. Trata-se apenas de esclarecer melhor o impacto efetivo da estrutura repressiva sobre grupo cujos integrantes, na maioria, pertenciam à elite social.

O objetivo de quem usava tais estratégias era reduzir os efeitos das ações repressivas: evitar a prisão, conseguir a libertação de presos, liberar passaportes retidos, desbloquear contratações no serviço público vetadas pelos órgãos de segurança, contornar atos de censura, entre outras. O grande número de exemplos identificados na pesquisa revela que não se tratou de casos isolados, mas de situações frequentes: negociações envolvendo os meios acadêmicos e agentes do Estado autoritário foram comuns. A disposição cultural favorável à flexibilidade política, associada a cálculos pragmáticos, permitiu a constituição de espaço intermediário entre o par binário resistência x colaboração. Entre os dois polos, resistir ou apoiar, para os membros da comunidade universitária (notadamente dirigentes e professores), havia um leque de possibilidades intermediárias. Muitos procuraram maneiras de conviver e se acomodar com o novo sistema de poder, sem que isso significasse, aos seus olhos, qualquer compromisso com a Ditadura. Pessoas que não desejavam aderir, por não partilhar dos valores dominantes, mas que também não tinham intenção de resistir frontalmente ao Estado autoritário – seja por medo da punição, seja por achar inútil –, buscaram estratégias de conviver com ele, inclusive para reduzir os efeitos da repressão. Desse ponto de vista, tratava-se de explorar possibilidades abertas pelo próprio Regime Militar, lançando mão das "brechas" disponíveis, sobretudo as que os paradoxos e contradições da Ditadura ofereciam. Proponho chamar de "acomodação" esse tipo de prática, que representava estratégia de lidar com o Estado autoritário nos interstícios entre a resistência e a colaboração/adesão.

Para compreender adequadamente esse quadro, uma observação se faz necessária. Alguns pesquisadores já notaram a ambiguidade e a ambivalência de certos personagens diante do Estado autoritário, que adotaram posições tanto de apoio quanto de oposição ao regime.[19] Entretanto, é fundamental perceber que as estratégias de acomodação implicavam via de mão dupla, ou seja, *o Estado também era ambíguo*. Os atores sociais aceitavam conviver com o Regime Militar, mas este, também, precisava fazer concessões, de outro modo, o arranjo não seria possível. Do lado dos intelectuais e profissionais acadêmicos, alguns aceitavam a convivência com o regime autoritário e repressor; na outra "ponta", do lado do Estado, certos agentes toleravam a presença de intelectuais ideologicamente "suspeitos" em cargos públicos, bem como arranjos para flexibilizar algumas prescrições legais. Tratava-se de jogo em que o Estado procurava cooptar o intelectual/professor e este precisava moderar suas opiniões e comportamento. Entretanto, o Estado igualmente cedia ao transigir com os valores do "inimigo" (por vezes, contrários aos seus) e, também, ao permitir sua circulação, ainda que em versões mitigadas. A flexibilidade estava presente nos dois lados. Para compreender esse processo, é imprescindível perceber que se tratava de jogo de mão dupla, e o foco da análise deve voltar-se não apenas para os atores sociais, no

[19] Cf. REIS FILHO, Daniel Aarão. *Ditadura militar, esquerdas e sociedade*. Rio de Janeiro: Jorge Zahar, 2000; ROLLEMBERG, Denise. As trincheiras da memória. A Associação Brasileira de Imprensa e a ditadura (1964-1974). In: ROLLEMBERG; QUADRAT, *Op cit.*, 2010, pp. 97-144. Esses autores ofereceram importante contribuição ao conhecimento do tema, ao apontar que atores sociais significativos mantiveram relações ambivalentes com a ditadura, apoiando-a e criticando-a, o que procuraram esquecer no momento da transição democrática, quando se tornou mais conveniente enfatizar apenas a "resistência". Entretanto, é preciso considerar também a atuação e o prisma dos agentes estatais, sem os quais o quadro fica incompleto. Defendo que a aceitação de jogos políticos ambíguos faz parte da cultura política, o que implica, naturalmente, também os grupos ocupantes do poder. Se os agentes do Estado não aderissem também às práticas ambíguas e paradoxais, por vezes assumindo posturas próximas à contradição, os líderes e as organizações sociais não teriam motivação forte para agirem de modo ambíguo. Fizeram-no porque percebiam no Estado autoritário a existência de paradoxos e ambiguidades, ou seja, a existência de autoridades com quem era possível dialogar e negociar.

presente caso, intelectuais e acadêmicos, mas incluir também a perspectiva dos atores estatais.

Como foi dito, a flexibilidade que permitiu tais estratégias de acomodação se devia, em parte, à heterogeneidade do Regime Militar, que contava com alas favoráveis à moderação no uso da violência. Entretanto, foi importante também a influência da cultura política brasileira, marcada por tradicional propensão à conciliação e à acomodação. Os agentes envolvidos aceitavam colocar em prática tais estratégias porque elas faziam parte do repertório à sua disposição, com bons resultados em situações pregressas. Por exemplo, durante a ditadura anterior, o Estado Novo, regime igualmente anticomunista, o governo também tolerou a presença de intelectuais de esquerda no cenário público, alguns ao seu serviço direto ou indireto.[20]

Graças a tais estratégias de acomodação, as iniciativas repressivas, às vezes, eram suavizadas por meios indiretos, subterfúgios, negociações, arranjos, protelação burocrática etc. O funcionamento de tais estratégias quase sempre passava pelo estabelecimento de compromissos pessoais, elemento também integrante do repertório da cultura brasileira. Por um lado, a motivação para lançar mão de compromissos pessoais, muitas vezes, decorria da presença de laços sociais entre os agentes envolvidos, ligações que para muitos superavam a fidelidade aos preceitos formais. De outro lado, a lealdade pessoal era indispensável para o sucesso de acordos informais, construídos à revelia das normas. Era necessário ter confiança pessoal no interlocutor quando se tratava de estabelecer arranjos informais que implicavam "driblar" os preceitos legais.

[20] Vale lembrar os trabalhos de Sérgio Miceli (2001) sobre cooptação de intelectuais pelo Estado nas primeiras décadas do século XX. Entretanto, está sendo destacado ponto não considerado por aquele autor: para compreender o quadro, não basta focar o lado do "cooptado", é preciso incluir também a atitude do Estado. Tratava-se de relação de duas vias, os dois lados precisavam fazer concessões, e os intelectuais "cooptados" ganhavam espaço para divulgar suas ideias, mesmo que suavizadas para evitar problemas políticos. Ou seja, para o jogo funcionar, o Estado precisava transigir com alguns valores e com a pauta repressiva.

Claro, esse tipo de situação nem sempre foi viável, seja porque certos agentes não estavam inclinados a compromissos, seja porque, obviamente, algumas transgressões e inimigos o Regime Militar não estava disposto a tolerar. Nem todos tiveram a chance de tentar negociações/acomodações, tampouco essas iniciativas sempre geraram bons frutos. Quaisquer possibilidades de tolerância ou flexibilidade por parte de agentes do Estado repressivo estavam limitadas pela percepção da gravidade dos atos, ou da "periculosidade" das pessoas envolvidas. Assim, os suspeitos de participação em atividades de grupos revolucionários eram tratados com mais rigor, tornando difícil estabelecer arranjos para livrar os acusados. Os casos de professores detidos por mais tempo e, sobretudo, os que sofreram torturas físicas, em geral envolviam suspeita de participação ou apoio a grupos revolucionários clandestinos, armados ou não.[21] Ainda assim, chama a atenção o número de situações em que estratégias de acomodação ou negociação foram tentadas, muitas vezes com sucesso.

A pesquisa revelou situação ainda mais paradoxal no Regime Militar brasileiro, pouco provável em países que experimentaram sistema político semelhante[22]: o caso de intelectuais com origem na esquerda contratados para cargos no próprio Estado autoritário. A situação é realmente curiosa, pois muitos desses intelectuais ou técnicos foram perseguidos nos anos iniciais da Ditadura: sofreram demissão, às vezes prisão, ou tiveram passaportes bloqueados e demais tipos de restrição. E quando foram contratados, ressaltando que não se tratava apenas de cargos de docência, mas posições em Ministérios e empresas públicas, eles continuaram sob a vigilância dos órgãos de

[21] O mesmo se aplica aos professores universitários mortos pelos agentes de repressão, como Ana Rosa Kucinski e Wladimir Herzog, suspeitos de pertencerem a partidos marxistas clandestinos (ALN e PCB, respectivamente).

[22] A propósito, nos anos 1970, alguns professores universitários argentinos e uruguaios perseguidos em seus países por razões políticas foram contratados por universidades e instituições de pesquisas brasileiras, apesar da pressão contrária das agências de repressão.

informação, que vez ou outra estrilavam contra a "infiltração comunista" nos governos da "Revolução".[23] Nessa cota de cargos públicos, podem-se incluir também as funções de direção universitária, que eram indicações oficiais implicando compromisso, formal ao menos, de respeito às normas vigentes, aí incluídas as repressivas.

Esses professores não esposavam ideias radicais nem desejavam derrubar a Ditadura pelas armas. Porém, tampouco partilhavam dos valores políticos do grupo dominante no Regime Militar. Eles simpatizavam com a facção "liberal" ou moderada do Estado, ou seja, com os líderes que apostavam no retorno à democracia, com todas as ambiguidades características desse processo. Para além de considerações político-ideológicas, da perspectiva de quem aceitava os cargos, tratava-se de realizar trabalho em benefício do país, como registrou José Leite Lopes sobre sua passagem pela Diretoria do Instituto de Física da UFRJ, entre 1967 e 1969: ele pretendia ajudar a formação de jovens cientistas e participar do processo de reforma da Universidade.[24] Além disso, alguns dos que aceitaram cargos sem ter afinidade ideológica com o regime fizeram-no por perceber a natureza paradoxal do Estado, que tinha figuras influentes não compromissadas com a máquina repressiva e mobilizadas por projeto modernizador com rasgos "cordiais" (ou seja, mais acomodação e menos violência).

Nessa visão, portanto, as pessoas envolvidas não se consideravam cúmplices de estratégia de cooptação tramada pelo Estado, mas agentes sagazes que percebiam os paradoxos do Regime Militar e os utilizavam para provocar ações úteis e de interesse público (prote-

[23] A exemplo do episódio célebre da lista do General Sylvio Frota, ministro do Exército demitido pelo presidente Ernesto Geisel, que fez publicar na imprensa, em outubro de 1977, os nomes de aproximadamente 70 funcionários públicos considerados comunistas pelos órgãos de informação.

[24] Ele havia sido preso em 1964 e buscara exílio na Europa, mas voltou em 1967 a convite do Reitor da UFRJ para assumir a Direção do recém-criado Instituto de Física. LOPES, José Leite. *Ciência e libertação*. Rio de Janeiro: Paz e Terra, 1969, p. 171.

ger perseguidos, fomentar o desenvolvimento nacional). A propósito, a economista Maria da Conceição Tavares fez registro interessante. Ela era visada pelos órgãos de informação e chegou a ser presa, mas manteve o cargo de professora em Universidades públicas e, em 1975, foi contratada como pesquisadora da FINEP (Financiadora de Estudos e Projetos), órgão estratégico do Estado para planejamento econômico. Ela fez declaração curiosa em entrevista publicada nos anos 1980, uma excelente manifestação dos paradoxos tratados aqui: "Veja as contradições do Estado brasileiro: você luta apoiado por estruturas do próprio Estado. [...] Nós somos o único país da América Latina em que se lutou de dentro da universidade, com dinheiro do governo, contra o próprio governo".[25]

Referindo-se aos cargos docentes em geral, e não apenas aos cargos de confiança, a declaração da professora aponta para o viés da luta contra o autoritarismo, da resistência. De fato, muitos professores e pesquisadores trabalhando em instituições oficiais fizeram críticas às políticas do governo, principalmente depois da "distensão" de meados dos anos 1970, e participaram de atos de resistência. Entretanto, nesse jogo havia também a dimensão da acomodação, pois críticas muito agudas e públicas poderiam gerar ações repressivas, e a tal lógica estavam particularmente sujeitos os ocupantes de cargos de confiança. Quem detinha cargos oficiais, ainda que sem afinidade ideológica com o regime, precisava se portar de maneira discreta, sob o risco, evidentemente, de perder a posição.

* * * * * * * * * *

Tais estratégias e relações ambíguas envolvendo segmentos do Estado autoritário e dos meios acadêmicos que, sem surpresa, geraram resultados paradoxais, fizeram parte de um processo complexo,

[25] Cf. http://www.canalciencia.ibict.br/notaveis/txt.php?id=38. Consultado em: 17 maio 2011.

cujos contornos foram apenas esboçados. Em outros regimes autoritários também ocorreram relações ambivalentes entre a máquina repressiva e os intelectuais, mas postulo a existência de singularidades marcantes no caso brasileiro, que serão mais bem compreendidas com o aprofundamento das pesquisas e reflexões comparativas.

Chamar a atenção para a existência desses jogos de acomodação, tentar compreendê-los, não implica reduzir a importância das ações violentas cometidas pelo Regime Militar brasileiro e, tampouco, a responsabilidade dos agentes que as praticaram. Porém, levá-los em conta é fundamental para uma análise mais acurada dos impactos da repressão, e também para entender outra das singularidades do caso brasileiro. Refiro-me aos acordos para a saída da Ditadura, que geraram uma transição particularmente lenta e segura para os agentes autoritários.

Apesar de vozes dissonantes, em 1979 foi aprovada uma anistia recíproca, ainda em vigor e intocada pelos governos do período pós-autoritário, cujo pilar principal, na ótica da Ditadura, era garantir a impunidade dos agentes da máquina repressiva. Essa grande conciliação, que no serviço público civil[26] permitiu a volta dos expurgados sem provocar choques notáveis com os antigos apoiadores do Regime Militar, foi influenciada pelas tradições da cultura política, de que a Ditadura também foi tributária.

Considerando os países do Cone Sul, o Brasil é o único em que os agentes repressivos da Ditadura continuam impunes, apesar das pressões em contrário. Tradicionalmente receptiva a acordos e acomodações, mais uma vez, a força da cultura política se faz valer. E as ações de alguns integrantes do Regime Militar que aceitaram arranjos para diminuir o impacto da repressão contribuíram para esse

[26] A referência ao serviço civil é porque nos ministérios militares houve um bloqueio à reintegração das centenas de oficiais e subalternos expurgados durante a ditadura, a maioria deles afastada pouco após o Golpe de 1964.

quadro, pois, ao reduzir a escala dos atingidos, eles aumentaram, no campo das antigas oposições, o número de lideranças dispostas a negociar e a se acomodar com seus antigos inimigos.

LA SEGURIDAD INTERNA COMO POLÍTICA DE ESTADO EM LA ARGENTINA DEL SIGLO XX

Marina Franco[1]

I.

En la Argentina, desde la transición a la democracia a comienzos de los años ochenta, se ha ido consolidando un relato sobre la violencia estatal que hoy tiene características hegemónicas y que es resultado tanto del impacto social y cultural de esa violencia como de los contextos políticos y memoriales de la transición. Si bien esa narrativa ha sufrido cambios, en sustancial, define la última dictadura militar (1976-1983) como un momento de corte brutal en la historia nacional debido al ejercicio de la represión estatal clandestina sobre amplios sectores políticos y sobre la sociedad en su conjunto, así como por las transformaciones profundas que produjo en la estructura social y económica.

Este corte político y memorial en torno a 1976 no estaba de ninguna manera consolidado en los primeros años luego de la dictadura, sino que terminó de definirse en las decisiones y negociaciones políticas del período de transición. Así, el flamante presidente electo en 1983, el radical Raúl Alfonsín, al crear la CONADEP (Comisión Nacional sobre la Desaparición de Personas)

[1] Agradezco a Rodrigo Patto Sá Motta y a Luciano Aronne de Abreu por la invitación para participar en el Seminario sobre "Autoritarismo y cultura política". Este texto fue preparado para su presentación oral, por lo tanto, en su versión escrita he optado por mantener cierto estilo propio de la oralidad para la cual fue concebido.

se negó a que las indagaciones sobre la represión tocaran las responsabilidades del peronismo – partido en el gobierno que fue derrocado por el golpe de Estado de 1976 – y de otras fuerzas políticas. También el informe sobre desaparecidos, el *Nunca Más*, publicado como libro en 1985 y leído por millones de argentinos, se centró en la violencia militar estatal a partir del golpe de Estado, colocando en el centro de su atención a los desaparecidos y la represión en centros clandestinos de detención, excluyendo así otras formas previas de violencia estatal y paraestatal que se articularon directamente con la violencia militar luego de 1976.[2]

Así, el corte "1976" fue tácitamente reafirmado por la política de investigación y justicia del gobierno de Alfonsín, que centró las responsabilidades penales en el actor castrense.[3] Acorde con ello, desde el discurso estatal, la matriz que constituyó el pasaje del Estado autoritario al Estado de derecho en 1983 fue la construcción de una oposición binaria entre dictadura y democracia. La dictadura quedó asociada a la "violación a los derechos humanos" y la democracia a la tolerancia, los consensos y opuesta a la violencia como algo anormal.

En síntesis, aún con versiones encontradas, estos relatos colocaron el acento en el actor militar como único agente *estatal* con responsabilidad en la generación de la violencia; silenciaron la participación del gobierno democrático peronista en la represión antes de 1976; silenciaron el consenso favorable a la represión de los movimientos armados que se dio entre amplios sectores con responsabilidad política, y reforzaron el "olvido" sobre el llamado

[2] Sobre la CONADEP y la política alfonsinista vinculada al pasado, véase Crenzel, 2008; y desde luego CONADEP, 1985. El peronismo gobernó entre 1973 y 1976, protagonizando una escalada de políticas represivas estatal y paraestatales que luego se articularon directamente con la violencia represiva de la dictadura militar.

[3] Esto se plasmó en la investigación de la CONADEP y en el Juicio a las Juntas Militares llevado a cabo en 1985. El proceso justicia se detuvo luego con las leyes de "Punto final" (1986) y "Obediencia debida" (1987), bajo el gobierno de Alfonsín y luego con los decretos de indulto del presidente Carlos Menem (1989). Esta legislación fue derogada durante la gestión de Néstor Kirchner, etapa en la que recomenzaron los juicios por crímenes de lesa humanidad.

que buena parte de la sociedad y de los actores con responsabilidad política hicieron a las fuerzas militares para la tarea represiva. Con estas selecciones de la memoria del período postautoritario se construyó toda la narración contemporánea argentina del pasado reciente.

Sin embargo, esto no significa que la dictadura militar haya sido vista como un paréntesis, tal como pudo ser vista en el caso chileno o uruguayo. La sucesión de golpes militares a lo largo de la mayor parte del siglo XX argentino impide que prospere una lectura de ese tipo. De hecho, muchos autores han insistido en la compleja articulación entre continuidad y ruptura que une a la última dictadura militar con la historia argentina previa (cfr. VEZZETTI, 2002 y CALVEIRO, 1998). Por lo tanto, las interpretaciones públicas e historiográficas sobre el pasado inmediato combinan y superponen una interpretación de la última dictadura como un punto de llegada y como un punto de ruptura a la vez. Esa impresión se funda en varios supuestos: 1) la idea vaga y general de que hubo una violencia creciente del juego político argentino desde los más diversos actores y desde mediados del siglo XX; 2) el carácter cada vez más represivo de los sucesivos golpes de estado y la responsabilidad militar por ello; 3) una visión de las prácticas represivas de origen civil como algo aislado y separado de las conductas militares.

Desde luego, es imposible no acordar con esta idea compleja de ruptura y continuidad, pero creo que para explicar el terrorismo estatal de la última dictadura militar desde la perspectiva del Estado – que desde luego no es la única ni es suficiente –, hay que considerar un proceso más largo y más complejo que se extendió a lo largo de tres décadas, hasta el fin el modelo de alternancia cívico-militar en 1983. Ese proceso implicó varias dimensiones: a) una construcción progresiva y creciente de lógicas *institucionales* autoritarias y de excepción tendientes a la resolución de los conflictos internos a través de la construcción de enemigos internos de creciente peligrosidad; b) la identificación entre el mantenimiento del orden interno con la defensa nacional incluso durante los gobiernos democráticos; c) el involucramiento de actores y períodos tanto de gobiernos de facto militares como civil-democráticos; y d) el involucramiento de los actores en el poder tanto como de otros muchos actores políticos y sociales que sostuvieron y legitimaron estas prácticas de Estado autoritarias. Estas dinámicas convergentes y retroalimentadas crearon las *condiciones de posibilidad del terrorismo de Estado,* sin ellas y sin ese proceso largo, de varias décadas, muy acelerado en algunos momentos, es inentendible la violencia militar desatada en 1976.

II.

Antes de avanzar, es importante recordar algunos datos sobre la historia argentina del siglo XX que son significativos para los argumentos que aquí quiero desarrollar. En 1930, con el derrocamiento del presidente radical Hipólito Yrigoyen se produjo el primer golpe de estado militar de la historia contemporánea argentina y se inició un ciclo de alternancia entre gobiernos democráticos y gobiernos militares dictatoriales – con colaboración civil –. Este ciclo estuvo caracterizado por un fuerte pretorianismo militar y la insubordinación permanente de las Fuerzas Armadas al poder civil. Esto respondió a un nuevo patrón militar donde la corporación militar se asumió como garante y salvadora de la nación y el orden, pero también a la constante apelación de las fuerzas políticas civiles para que la corporación castrense resolviera los conflictos y los juegos de fuerzas a través del desplazamiento del sector gobernante. Si bien este patrón se inició en 1930, un ciclo específico y particularmente violento se inició en 1955 con el derrocamiento de Juan Domingo Perón, presidente democráticamente electo en 1946 y reelecto en 1952. En 1955 se inició un subproceso distinto porque la irrupción del peronismo en la escena política desde los años cuarenta planteó conflictos de una tensión y polarización extremas, cuya irresolución permanente atravesó todo el juego político hasta el final del terrorismo de Estado en los años ochenta. Es decir, entre 1955 y 1983, buena parte del conflicto, de las tensiones intramilitares, militares-civiles e interpartidarias, pasaron por la no resolución del "problema del peronismo" y la progresiva radicalización de las posiciones al respecto. Desde 1955, el peronismo estuvo electoralmente proscripto y eso dio lugar a democracias limitadas y a un juego político en el que se mezclaban las lógicas institucionales y las presiones extrainstitucionales de los actores dejados fuera del juego electoral (CAVAROZZI, 1983; TCACH, 2003).

En síntesis, tras la caída del peronismo, la situación se caracterizó por la imposibilidad de construir un orden estable, ya que ningún bloque de poder lograba mantenerse en la gestión gubernamental para construir un modelo político durable, fuera el que fuese. Esta situación en que las diversas fuerzas políticas usaban su poder de veto para impedir la continuidad de los proyectos de otras pero no contaban con recursos suficientes para imponer sus propios proyectos ha sido denominada por Juan Carlos Portantiero como "empate". Es este "empate" el que explica la alternancia cívico militar durante casi treinta años entre 1955 y 1983. En ese período, ningún gobierno constitucional terminó su mandato y se alternaron gobiernos civiles democráticos y golpes de estado militares, en situaciones cada vez más graves de polarización ideológica de derecha y de izquierda – propias también del contexto internacional de Guerra Fría y de emergencia de los modelos revolucionarios armados.[4]

[4] Portantiero, 1977; 0'Donnell, 1972 y 1982. La lista de golpes de estado militares y derrocamiento de presientes constitucionales es la siguiente: 1930: golpe y derrocamiento de H. Yrigoyen, dictadura militar hasta 1932; 1943: golpe y derrocamiento de R. Castillo, dictadura militar hasta 1946; 1955: derrocamiento de J. D. Perón y dictadura militar hasta 1958; 1962: golpe y derrocamiento de A.

Como ya se dijo, una de las primeras dificultades para pensar la cuestión autoritaria en la Argentina es que sigue relativamente presa de esta lógica tradicional centrada en los cortes institucionales y los autoritarismos militares. En efecto, la historia argentina de buena parte del siglo XX suele pensarse a la luz de esta alternancia entre gobiernos legítimamente elegidos y gobiernos de facto, entre democracia y dictadura, entre civiles y militares. Una de las líneas de interpretación más interesantes por su intención de alejarse de estas lecturas dicotómicas ha sido propuesta por Hugo Quiroga al sostener que el caso argentino puede caracterizarse como un sistema pretoriano que desde 1930 combinó en su interior gobiernos militares y gobiernos civiles en "una unidad contradictoria de continuidad y discontinuidad institucional al integrar los regímenes democráticos con los autoritarios", en un proceso que este autor denomina "*sistema único discontinuo*" (QUIROGA, 2004: 350).

Pero incluso en esta lectura más compleja del juego pendular, la atención sobre el componente autoritario y represivo sigue signada por las políticas llevadas adelante por las Fuerzas Armadas durante las períodos militares y se ha prestado mucha menos atención a las prácticas estatales represivas como un proceso de desarrollo sostenido que atraviesa transversalmente los cortes institucionales. Así, mi preocupación pasa por repensar el proceso de aparición e instalación de políticas y lógicas autoritarias como un proceso que se dio tanto en gobiernos militares como civiles, y mostrar hasta qué punto los gobiernos civiles democráticos también fueron protagonistas y responsables de la instalación de lógicas represivas con características particulares que se fueron construyendo y desplegando escalonadamente hasta el terrorismo de estado de la década del setenta. En otros términos, si el juego pendular entre

Frondizi, dictadura militar hasta 1963; 1966: golpe y derrocamiento de A. Illia, dictadura militar hasta 1973; 1976: golpe y derrocamiento de M.E. Martínez de Perón, dictadura militar hasta 1983.

civiles y militares constituye un *sistema único discontinuo*, las lógicas represivas que caracterizaron de manera creciente la historia argentina de la segunda parte del siglo XX también podrían ser examinadas bajo esa misma idea como un proceso de construcción progresiva, acumulativa y creciente, aunque discontinuo y con avances y retrocesos.

Esta interpretación no supera por el momento su carácter hipotético. Su comprobación requeriría un examen articulado de las políticas autoritarias de carácter represivo de los gobiernos militares y civiles. En lo que sigue de este trabajo intentaré dar algunos elementos analíticos e históricos para defender esta idea y mostrar hasta qué punto la dictadura de 1976 fue resultado de un proceso largo, acumulado y de una construcción colectiva de un Estado autoritario de características particulares. Esto no significa que el Estado argentino haya tenido siempre los mismos rasgos autoritarios como esencias permanentes en el tiempo. Mi propuesta está muy lejos de cualquier determinismo o esencialismo o de pensar que cualquier forma de violencia estatal construyó en el largo plazo terrorismo de estado. Por el contrario, me refiero a una serie de elementos y formas de funcionamiento autoritario específicas que desde mediados de los años cincuenta caracterizaron una cultura política institucional de corte autoritario, que se aceleró en su desarrollo muy particularmente desde mediados de los años sesenta. Por la naturaleza del problema que estoy proponiendo me concentraré especialmente en los gobiernos democráticos, sobre los cuales mencionaré algunas medidas legislativas y políticas de seguridad particularmente significativas.[5]

[5] Si bien este planteo supone observar la acción del Estado por fuera de la lógica binaria dictadura/democracia, actores civiles/actores militares, no estoy sosteniendo que distinción sea ociosa como factor explicativo, ni tampoco se trata de negar su importancia para entender las lógicas represivas.

A continuación señalaré algunos elementos que caracterizaron el funcionamiento autoritario del Estado entre 1955 y 1983 y los ejemplificaré mostrando su presencia en distintos momentos a lo largo del periodo, durante los gobiernos democráticos de Arturo Frondizi, del partido Radical Intransigente (1958-1962); Arturo Illia, del radicalismo del Pueblo (1963-1966) y de Juan Domingo Perón (1973-1974) y María Estela Martínez de Perón (1974-1976), naturalmente del peronismo. Los elementos cuya presencia analizaremos en estos gobiernos son: 1) el uso recurrente de medidas de excepción; 2) la militarización del orden interno como forma de resolución de conflictos; 3) la homologación entre mantenimiento del orden interno y la defensa nacional; y 4) la construcción de representaciones del enemigo interno a eliminar. Desde luego, la diferencia o la novedad no radicaría en la presencia de cada uno de estos aspectos – que pueden ser encontrados en otros periodos y momentos de la historia argentina-, sino en su presencia como conjunto articulado que conformó nuevas formas de entender la resolución de conflictos internos y el disciplinamiento social en las décadas mencionadas.

1. El estado de excepción como forma de gobierno

El primero de esos elementos recurrente y propio de una cultura estatal autoritaria fue el recurso permanente a *medidas de excepción*. Entiendo aquí el estado de excepción como una situación política caracterizada por el recurso a medidas que habilitan la suspensión total o parcial del estado de derecho ante casos considerados como amenazas al orden. Estas medidas de gobierno se legitiman en una fuerza que está a la vez dentro y fuera del orden legal y habilitan el tratamiento de los otros como enemigos y peligrosas amenazas al orden, a la vez que generan un acrecentamiento y concentración del poder en el ejecutivo.[6] Estas medidas están contempladas por la mayoría de las constituciones liberales de Occidente. La disposición clásica de la *Constitución Argentina* es *el estado de sitio*, pero este tipo de medidas también puede plasmarse en otros instrumentos legislativos que suspenden o cercenan la vigencia de las garantías constitucionales y la vigencia del estado de derecho en sus diversas dimensiones.[7]

En la segunda parte del siglo XX argentino el estado de sitio fue utilizado por los gobiernos democráticos para enfrentar situaciones de conflictividad interna, reales o supuestas. Además, se usó alterando las disposiciones constitucionales que suponen su limitación geográfica a la zona afectada y su restricción temporal hasta el restablecimiento del orden. Por el contrario, fueron usados como mecanismos "normales" de gobierno.

Primer ejemplo. El radical Arturo Frondizi asumió el gobierno en 1958, en un contexto de escasa legitimidad política debido a la proscripción electoral del peronismo.[8] Meses después de asumir, a fines de 1958, ante una huelga del sindicato peronista del petróleo que se opuso a la firma de contratos con empresas extranjeras privadas, Frondizi estableció por decreto el estado de sitio en todo el territorio y por tiempo indeterminado. Lo hizo, además, argumentando

---

[6] Tomamos aquí un concepto de estado de excepción basado en la utilización de instrumentos legales específicos de excepción (estado de sitio, ley marcial, estado de emergencia, toque de queda, etc.) y no en el sentido teórico más amplio de una situación política general de excepción propio de Carl Schmitt ([1921] 1985) y Giorgio Agamben (2007). Véase Negretto, 1994.

[7] El estado de sitio es el único instituto de emergencia que existe en la *Constitución Argentina* (art. 23) y solo puede declararse en términos territoriales y temporales restringidos y ante la verificación de circunstancias precisas: conmoción interior o ataque exterior que pongan en peligro la Constitución y las autoridades. Bajo su vigencia, el poder presidencial se limitará a arrestar o trasladar a las personas, si estas no prefiriesen hacer uso del derecho para salir del país. En caso de conmoción interior el presidente solo puede declararlo si el Congreso está en receso y luego debe ser confirmado o suspendido por ese cuerpo. En la práctica significa un acrecentamiento de facultades del Poder Ejecutivo y una disminución de las garantías individuales. (Sobre su uso en el caso argentino, Gregorini Clusellas, 1987; Ziulou, 2000).

[8] El peronismo estaba proscripto desde su derrocamiento en 1955, y Frondizi ganó las elecciones en parte gracias a un acuerdo secreto con Perón para obtener los votos de esa fuerza.

falazmente que el Congreso estaba en receso.[9] El oficialismo señaló que la medida era *preventiva* y, en efecto, fue utilizada para sofocar la huelga petrolera pero sobre todo para facilitar la puesta en marcha de medidas económicas del proyecto desarrollista de Frondizi y un plan de estabilización del Fondo Monetario Internacional, garantizando así la menor resistencia obrera y sindical. El estado de sitio y una serie de leyes colaterales permitieron perseguir al sindicalismo y la oposición peronista, así como también a los militantes de izquierda y especialmente al comunismo – que por entonces comenzaba a verse como una seria amenaza, aunque sin correlación con la pequeña envergadura real de esa fuerza. La medida nunca fue levantada hasta que Frondizi fue derrocado por un golpe de estado militar cuatro años después, en 1962, lo cual hace evidente que más que un instrumento de emergencia puntual fue una forma permanente de gobierno con un estado de derecho seriamente recortado.[10]

Segundo ejemplo. En este caso, se trata más bien de un contraejemplo. Durante el siguiente gobierno democrático, del radical Arturo Illia entre 1963 y 1966, se produjo un altísimo nivel de movilización obrera peronista –con tomas de miles de fábricas y huelgas que involucraron a millones de trabajadores- debido al intento gubernamental de tomar ciertas medidas para transparentar el funcionamiento gremial. Ante la situación crítica, Illia se negó a tomar medidas de emergencia y especialmente se negó a declarar el estado de sitio. Fueron en cambio, las corporaciones de empresarios y ruralistas y las derechas partidarias las que denunciaron a Illia por su tolerancia con la "subversión" y la "penetración comunista" a la vez que reclamaban medidas de excepción para enfrentar la

[9] El congreso se encontraba en periodo de sesiones pero no en el exacto momento en que Frondizi firmó el decreto, a medianoche, lo cual fue usado inconstitucionalmente para justificar la medida.

[10] Sobre la presidencia de Frondizi, véase Rodríguez Lamas, 1984; Fraga, 1992; Potash, 1971; Novaro, 2010; Sikkink, 2009.

crisis. Ello muestra hasta qué punto la lógica del estado de excepción formaba parte de la cultura política argentina como forma admitida de resolución de conflictos, especialmente para enfrentar situaciones de movilización popular percibidas como amenazas al orden. En otros términos, el único presidente que se negó a utilizar medidas excepcionales que suspendían el estado de derecho fue condenado por su debilidad política.

Tercer ejemplo. El tercer y último gobierno democrático del período fue el peronista, entre 1973 y 1976. Perón asumió la presidencia en octubre de 1973 y cuando murió ocupó su cargo, su viuda y vicepresidenta, María Estela Martínez de Perón. Este período es particularmente complejo porque confluyeron en él varios elementos: la creciente violencia de las organizaciones armadas de izquierda y de los comandos parapoliciales de derecha organizados desde el propio Estado, un contexto de conflictividad política extrema, de pérdida completa del rumbo de la gestión gubernamental y de crisis económica. En esa situación, en noviembre de 1974, inmediatamente después de la muerte de Perón, el gobierno adujo que la subversión amenazaba las escuelas y los niños en edad escolar y decretó el estado de sitio en todo el territorio y por tiempo indeterminado. La medida se usó articulada con otras leyes de seguridad, que luego mencionaré, para procesar y encarcelar durante años a miles de militantes políticos y sectores movilizados de obreros y sindicalistas, profesionales, intelectuales y estudiantes, entre otros. El estado de sitio fue renovado sucesivas veces y nunca se levantó hasta la restitución del régimen democrático en 1983.

Así, estos ejemplos muestran que el estado de sitio, como medida clásica de suspensión del estado de derecho, fue un instrumento permanente de los gobiernos democráticos para resolver la conflictividad política y para asegurar un espacio de acción gubernamental creciente y arbitrario. Más grave aún, como muestra el ejemplo de Illia, fue una medida, socialmente admitida y legitimada.

2. La militarización de las respuestas estatales a los conflictos políticos

La convocatoria de las Fuerzas Armadas para asegurar el orden interno es un aspecto clave del desarrollo progresivo y escalonado de las prácticas autoritarias y de excepción. En un funcionamiento político como el argentino, donde ya existía una fuerte presión de la institución militar sobre el orden político institucional, el hecho de que los gobiernos civiles ampliaran esos márgenes de acción interna dándoles tareas de mantenimiento del orden tendió a ampliar la autonomía de la institución militar y su capacidad de presión en lógicas de seguridad. Y ello se produjo en un momento en que esa institución castrense estaba atravesando transformaciones profundas en sus hipótesis de conflicto, pasando de la concepción de un enemigo externo a otro interno.

Primer ejemplo. Durante la presidencia de Frondizi, luego de la declaración de estado de sitio ya mencionada, el gobierno prosiguió con una escalada de medidas excepcionales. Entre otras, se usó con mucha frecuencia la movilización del personal de empresas estatales o privadas en huelga, que en general pertenecían a sindicatos vinculados al peronismo. La medida implicaba que el personal movilizado adquiría estado militar, de manera que quedaba sometido al Código de Justicia militar y los infractores eran sometidos a juicio verbal y sumario y a consejos de guerra integrados por personal nombrado por el Comandante en Jefe del Ejército. El Poder Ejecutivo conservaba la atribución de decidir a quién se aplicaba el juicio sumario.[11]

---

[11] Entre otros, Decretos 10.394 y 10.395, 27/11/1958; Decreto 862, 20/1/1959.

Estas medidas de excepción, desde el estado de sitio hasta la movilización del personal y la militarización de los sindicatos, tuvieron varios efectos: por un lado, suspendieron garantías constitucionales y fueron usadas como instrumentos represivos legalmente respaldados que crearon situaciones jurídicas de excepción, y, por el otro, habilitaron un creciente espacio de autonomía militar en el control del orden interno. Este último punto es clave porque el gobierno de Frondizi estuvo jaqueado desde su origen por las presiones desestabilizadoras de las Fuerzas Armadas preocupadas por las políticas de contención del peronismo y del comunismo, y las medidas presidenciales produjeron la ampliación de ese margen de acción. Así, las medidas de militarización dieron a las Fuerzas Armadas injerencia en cuestiones de seguridad interna y un creciente poder para presionar al gobierno de Frondizi para que impusiera nuevas políticas de seguridad.

Como resultado de ese proceso, la medida autoritaria más conocida del gobierno de Frondizi fue el Plan CONINTES (Conmoción Interna del Estado), implementado en marzo de 1960 a raíz de una ola de atentados protagonizados por grupos peronistas en la resistencia y la aparición de un foco de guerrilla peronista. El Plan Conintes asignaba a las Fuerzas Armadas el control del "terrorismo" en un sistema de zonas y subzonas bajo control militar y determinaba la subordinación de las policías provinciales a las Fuerzas Armadas, así como la aplicación de Consejos de guerra militares y la ley marcial. Se basaba en la doctrina francesa de la guerra revolucionaria en cuanto a los aspectos vinculados a la concepción de un enemigo interno frente al cual debía responderse con el control militar absoluto del territorio y de sus habitantes. El decreto señalaba:

> Considerando que el gobierno está obligado a aprobar estas medidas militares, mantener el estado de sitio para preservar el orden público y la seguridad de la

> población; el Poder Ejecutivo tiene los elementos de juicio para saber que los actos terroristas continuaran en ascenso para impedir las elecciones; considerando que se trata de una situación de emergencia, que la constitución acuerda al congreso y al presidente los poderes de guerra; que el Poder Ejecutivo se ve impelido en defensa de los supremos intereses de la república a proceder así porque va en ello el mantenimiento de una forma de vida nacional en torno a los valores democráticos de la nación (Decreto 2639, Declaración de situación de emergencia grave, marco de ejecución del Plan Conintes, 15/3/1960).

La aplicación del Conintes arrojó cientos de detenciones y juicios militares, así como denuncias de torturas y apremios ilegales. Su uso fue inconstitucional por el mecanismo decisorio utilizado sin pasar por el Congreso y porque la aplicación de la autoridad y justicia militar a civiles estaba explícitamente prohibida por la Constitución.

Segundo ejemplo. El gobierno peronista entre 1973-1976 llegó al poder luego de una durísima dictadura militar – la del General Juan Carlos Onganía – y, por tanto, duramente advertido y dispuesto a mantener a las Fuerzas Armadas con la menor injerencia posible. No obstante, la degradación rápida del proceso político modificó la situación. Por un lado, la creciente acción de las guerrillas marxistas y peronistas desde 1973, cuyas acciones tenían como blanco a las fuerzas de seguridad y miembros de las Fuerzas Armadas, involucraron progresivamente a esta institución en el problema de las guerrillas y en el reclamo virulento de poder de fuego interno para "eliminar la subversión marxista". Por otro, la escalada de acciones autoritarias y represivas por la vía legal y clandestina emprendida por el Estado contra buena parte de la sociedad movilizada y de los sectores más a la izquierda del propio peronismo, y en medio de una crisis intragubernamental extrema, llevaron al gobierno en 1974 a dejar espacio para el creciente reclamo de injerencia militar en la lucha "antisubversiva" y, luego, para habilitar legalmente esa acción.

Así, en febrero de 1975 a través de un decreto secreto el gobierno autorizó orgánicamente la acción antisubversiva de las fuerzas armadas.[12] Lo hizo en los siguientes términos:

> [...] La subversión ataca así a todo el pueblo argentino. Por ello, la lucha contra la subversión requiere la participación de toda la comunidad. El Poder Ejecutivo Nacional, fiel intérprete del mandato que le confirieron las mayorías populares, ha decidido la intervención del Ejército en la lucha contra la subversión apátrida. Una vez más las fuerzas armadas están unidas e identificadas con el pueblo en la defensa de nuestro propio modo de vida. [...] El pueblo supo votar. Sepa el pueblo ahora junto a sus hombres de armas, defender su presente y su futuro contra la subversión importada. No hay retroceso en el camino emprendido. La participación del Ejército responde a lo previsto por el gobierno nacional en materia de seguridad interior (Comunicado de la Secretaría de Prensa y Difusión, Presidencia de la Nación, 10/2/75, cit. en *Clarín*, 11/9/1975).

La medida autorizaba al Comando General del Ejército a realizar las operaciones militares "necesarias a efectos de neutralizar y/o aniquilar el accionar de elementos subversivos" en la provincia de Tucumán y, además, subordinaba las Policías y las acciones ministeriales a las necesidades del Ejército y de su tarea "antisubversiva" en tres planos complementarios: la acción represiva, la acción cívica y la psicológica. El decreto exhibía entonces los elementos esenciales del universo ideológico de la seguridad nacional, apropiado como concepción y práctica estatal del gobierno democrático peronista antes de la dictadura.

En lo concreto, esta medida permitió la intervención militar en el llamado "Operativo Independencia" y el inicio sistemático de las acciones militares antisubversivas, incluyendo la puesta en

[12] Decreto Secreto 261, *La Opinión*, 6/2/1975.

funcionamiento de los primeros centros clandestinos de detención donde se practicó la tortura y la desaparición forzada de personas. De hecho, el 25% de los desaparecidos de la provincia de Tucumán fueron secuestrados en ese período, antes de la dictadura (CRENZEL, 2008).

Muchos autores consideran esta medida y la acción militar como el "ensayo" del terrorismo de estado y sus métodos y por la creciente autonomía castrense que muestra (GARCÍA, 1995 y D'ANDREA MHOR, 1999). Pero aún en el caso de que las Fuerzas Armadas hubieran presionado sobre el Ejecutivo para obtener el control de la "lucha antisubversiva" y/o hubieran actuado con autonomía de métodos y recursos, la responsabilidad gubernamental reside en haberles otorgado funciones represivas de seguridad interior. Además, si se considera la comunidad de intereses y el diagnóstico compartido de la situación "subversiva" del discurso gubernamental y del militar, el intento de distinguir entre el actor civil y el actor militar en el proceso de toma de decisiones resulta ocioso.

Hay otros ejemplos puntuales que muestran que los objetivos represivos del gobierno no pueden explicarse *solo* por la presión de las Fuerzas Armadas, sino que el gobierno democrático conservó autonomía y poder de decisión para elegir la militarización de la "lucha antisubversiva".[13] Pero a su vez esas decisiones fueron las que ampliaron el margen de injerencia interna y la creciente autonomía castrense en los meses sucesivos. Finalmente, en octubre de 1975, el gobierno terminó por delegar formal y orgánicamente en las Fuerzas Armadas la ejecución de las operaciones militares y de seguridad necesarias para "aniquilar el accionar de los elementos subversivos *en todo* el territorio del país".[14]

[13] Por ejemplo, el intento de convocar a las fuerzas militares para reprimir una gran movilización y protesta obrera en Villa Constitución en marzo de 1975.

[14] Decreto 2.772, 6/10/1975.

Estas medidas no generaron reacciones contrarias en sector alguno del espectro político. La Cámara de Diputados aprobó una declaración contra la violencia reiterando su "solidaridad con las Fuerzas Armadas" que asumieron "la integralidad legal de la represión" y pidiendo al "pueblo colaborar" con ellas.[15] Días después, una delegación de diputados y senadores de diversas fuerzas viajó a Tucumán por invitación del Ejército para conocer el escenario de las operaciones militares y desde allí declararon que la "subversión" había sido "casi erradicada" gracias a la institución militar.[16]

3. La homologación entre mantenimiento del orden interno y la defensa nacional

Este es un factor definitivo para explicar cómo las lógicas represivas y su militarización se implantaron en las políticas internas llevando a situaciones de gobierno de completa excepción jurídica. En efecto, desde fines de la década del cincuenta, la forma de entender y tratar los conflictos políticos internos fue su abordaje como cuestiones de defensa nacional. La principal hipótesis de conflicto pasó a ser la existencia de un enemigo interior cada vez más peligroso que planteaba una guerra interna no convencional y, por lo tanto, ello implicó la habilitación de un espacio de acción militar para mantener ese orden interno encarado como un problema de defensa nacional. Como ya se vio, además de los efectos autoritarios en sí mismos, esto fue la puerta a la autonomización y a un mayor pretorianismo militar.

Sin duda, este proceso de identificación entre seguridad interior y defensa nacional se inscribe en las transformaciones ideológicas y

[15] *Diario de Sesiones-Honorable Cámara de Diputados de la Nación,* 29 de octubre de 1975, tomo 7, p. 4920-21.

[16] *Diario La Razón,* 12/11/1975 y 21/11/1975.

doctrinarias fundamentales que se produjeron dentro de las Fuerzas Armadas en este período. Entre 1957 y 1962 las doctrinas militares estaban en plena transformación hacia la adopción de la doctrina de la guerra revolucionaria tomada de los militares franceses y sus experiencias en las guerras coloniales de Argelia e Indochina que fueron enseñadas y difundidas en la Escuela Superior de Guerra en la Argentina. Esta nueva doctrina de la "guerra revolucionaria", en plena Guerra Fría, venía a reemplazar a la "Doctrina de la Defensa Nacional" vigente hasta entonces, que concebía la guerra como un fenómeno asociado a una agresión militar exterior de otro Estado soberano. La nueva hipótesis de conflicto estaba centrada en la existencia de una guerra no convencional llevada adelante por el marxismo por múltiples vías – armadas o no –, y la principal tarea militar se centraba en la seguridad interior y se definía en el marco de una "guerra" contra el "enemigo interno subversivo" que debía enfrentarse con el control militar absoluto del territorio y sus habitantes. De esta manera, la defensa nacional pasaba a ser la respuesta a agresiones tanto externas como internas.[17]

Si esta fundamental transformación ideológica se produjo en el seno de las Fuerzas Armadas, el dato notable es que los gobiernos democráticos del periodo fueron adoptando la misma interpretación de la seguridad que suponía su identificación con la defensa nacional. Ello se plasmó en sucesivos proyectos y leyes de defensa.

Primer ejemplo. Durante el gobierno de Frondizi, mientras se aplicaba el ya mencionado Plan Conintes, en 1960 y 1961, el Poder Ejecutivo respaldó varios proyectos de ley de defensa nacional inspirados en los lineamientos de la hipótesis francesa de la guerra revolucionaria y la existencia de una amenaza subversiva. Frente a la existencia de un peligro interno, en estos proyectos se postulaba la

[17] Sobre el cambio en las concepciones militares y la influencia francesa en el seno de las Fuerzas Armadas, véase Lopez, 1987; Sain, 2010, Ranalleti, 2010.

declaración del "estado de emergencia" por parte del Poder Ejecutivo y la disposición de zonas de emergencia bajo jurisdicción militar. En el mismo sentido, según palabras del propio Frondizi en la presentación de los proyectos, se definía la defensa nacional como la respuesta a agresiones tanto internas como externas (cit. en Pontoriero; 2010: 17).[18]

Estos dos proyectos, elaborados entre civiles y militares, no llegaron a aprobarse por razones que se desconocen, pero en cualquier caso el Plan Conintes y otras medidas de la época fueron la aplicación de esta misma lógica. Ello se dio en un contexto en que progresivamente, las Fuerzas Armadas y el gobierno de Frondizi se fueron pronunciando cada vez más duramente sobre el temor al comunismo concebido como amenaza subversiva al orden, una amenaza que fue desplazando en peligrosidad al peronismo, porque el peronismo era después de todo, una fuerza nacional y nacionalista.[19]

Estas medidas y la construcción del enemigo interno y de su peligrosidad extrema instalaron un funcionamiento institucional de excepción y un marco represivo permanente que permitió que la homologación entre defensa nacional y mantenimiento del orden interno fuera transformada en un objetivo *democrático* que tendría larga vida en las décadas siguientes.

Segundo ejemplo. Volvemos ahora sobre el gobierno democrático de Illia. Recordemos que esta gestión se había negado

[18] En contextos de fuerte pretorianismo militar, conocer los mecanismos de iniciativa, elaboración y decisión sobre el contenido de estos proyectos es un problema de primera magnitud. Pero en casi todos los casos resulta bastante difícil desentrañar ese proceso. En el caso del primer proyecto, de 1960, sabemos que fue elaborado por una comisión redactora integrada por un civil y un oficial del Ejército en el Estado Mayor de Coordinación; el segundo, de 1961, se inspiró en el anterior y fue discutido y pensado por las Fuerzas Armadas y fue defendido por Frondizi en el Parlamento (PONTORIERO; 2010).

[19] Sobre la teoría francesa de la guerra revolucionaria y el Plan Conintes, véase Périès, 2004. La política anticomunista de Frondizi se plasmó en sucesivas leyes de prohibición de actividades partidarias y clausura de locales (Decreto 4.965, 27/4/1959), cancelación de la personería electoral (Decreto 11.751, 22/9/1959); investigación de "las actividades comunistas en la Argentina" (Decreto 12.681, 18/10/1960), entre otras.

a aplicar medidas de excepción contra la movilización sindical peronista. Sin embargo, las reacciones que no se produjeron en torno al peronismo como amenaza emergieron más claramente cuando apareció un foco de guerrilla marxista – el Ejército Guerrillero del Pueblo – en el norte argentino a comienzos de 1964. Como muestra el ya citado trabajo de Esteban Pontoriero (2010), en una interpelación parlamentaria secreta, los ministros del gabinete presidencial dejaron en claro las nociones de seguridad interior que manejaba el gobierno y la necesidad de crear instrumentos legales para la defensa del Estado. El Ministro el Interior, Juan Palmero, inscribió el surgimiento de guerrillas dentro de los parámetros de la amenaza comunista y su avance desde la revolución cubana. Dijo entonces:

> [...] es notorio que de la existencia de dos sistemas de vida distintos ha surgido en el mundo una competencia de poder, con posibilidades de agresión bélica – diría así –, de guerra propiamente dicha entre ambos bloques de países. [...] la competencia ha derivado en otro método, otro sistema, que es el conocido como el de guerra revolucionaria: guerra no declarada, silenciosa, pero guerra inexorable, global y permanente (J. Palmero, Ministro del Interior, Diario de Sesiones de la Cámara de Diputados, 1964: 2884; cit. en Pontoriero; 2012: 21).

Incluso los diputados de diversas fuerzas opositoras se mostraron de acuerdo con esta lectura de una "guerra subversiva". Poco después, el reclamo de instrumentos legales adecuados a la nueva realidad se plasmó en el proyecto de Ley de Defensa enviado al Congreso, que mostraba similitudes textuales con los proyectos presentados durante la gestión de Frondizi. En el mensaje presidencial que acompañaba el proyecto legislativo, se diagnosticaba una situación similar a la de la "guerra revolucionaria" frente a la cual se proponían las difusas figuras de "conmoción interior" y de "emergencia grave", que no sólo habilitaban la acción militar homologando seguridad interna y defensa nacional, sino que abrían el espacio para la excepcionalidad jurídica (PONTORIERO; 2010).

Tercer ejemplo. En este caso, haremos una excepción para mencionar una ley de seguridad fundamental aprobada durante la dictadura militar liderada por Juan Carlos Onganía (1966-1973). En 1966, inmediatamente después del golpe de Estado que derrocó a Illia, el nuevo gobierno sancionó el decreto-Ley de Defensa Nacional que plasmó en la legislación oficial argentina la doctrina de la seguridad nacional.[20] Se partía de una concepción de la amenaza interna de nuevo tipo, no convencional, que debía reemplazar la hipótesis de amenaza externa clásica. Según la ley, la defensa nacional debía incluir la necesidad de neutralizar "las perturbaciones internas producidas por actos humanos" y fijaba los principios de seguridad y desarrollo como rectores de la acción gubernamental y las Fuerzas Armadas como garantes de la seguridad. Dos datos son fundamentales: por un lado, esta ley era casi textualmente igual al proyecto preparado y no aprobado durante el gobierno democrático de Illia en 1964, que a su vez se remitía a los anteriores proyectos de leyes de defensa durante el gobierno de Frondizi en 1960 y 1961, y por el otro, la ley finalmente sancionada en 1966 no fue derogada por el gobierno democrático peronista posterior y, por el contrario, como se verá, fue invocada muchas veces para aprobar legislaciones restrictivas de derechos y garantías en democracia. Por si fuera poco, la ley estuvo vigente hasta 1988, 5 años después de la vuelta a la democracia en 1983.[21] Estos datos muestran con tajante claridad la articulación solidaria entre lógicas militares y civiles para pensar el problema de la seguridad como defensa nacional y, a la vez, la escalada en el tiempo que finalmente hizo posible su aprobación bajo

[20] Ley 16.970, 10/10/1966.

[21] La Ley de Defensa Nacional de 1966 fue reemplazada por una nueva ley de igual nombre en 1988 (Ley 23.554), que establecía la intervención de las Fuerzas Armadas solo en caso de ataque exterior.

un régimen militar – no es menor el dato de que antes no habían sido aprobadas – y su uso y mantenimiento en democracia.

Cuarto ejemplo. En un contexto de polarización y radicalización política, el problema de la seguridad interior fue prioridad del gobierno peronista de los años setenta desde su misma asunción. El primer blanco de esa política fue la propia disidencia de izquierda dentro del peronismo y luego las guerrillas en general y los diversos sectores movilizados de la sociedad. Progresivamente desde 1973, profesionales, universitarios, obreros, intelectuales y artistas fueron considerados amenazas a la seguridad. Diversos instrumentos jurídicos se pusieron en marcha con alcances parciales dirigidos a garantizar la "seguridad nacional", tales como la creación de figuras penales vagas y difusas, censura de medios, restricciones a los derechos laborales, al funcionamiento universitario, sindical y profesional, etc. Muchas de estas disposiciones se apoyaron legalmente en la ya mencionada Ley de Defensa Nacional de 1966.

Ante una de las primeras acciones de la guerrilla marxista, en enero de 1974, Perón señaló que la subversión planteaba una "agresión integral" "en los campos político, económico, psicológico y militar", y, por tanto debía ser combatida por todos los medios con una estrategia "integral" hasta su "aniquilamiento". Poco después se reformó el Código Penal con un endurecimiento de las penas que iba más lejos incluso de lo que ya había hecho la dictadura militar previa. A lo largo de 1974, se discutieron diversas opciones de seguridad que iban desde la pena de muerte hasta la creación de comités de seguridad dirigidos por el presidente y las Fuerzas Armadas. Finalmente, en septiembre de ese año, poco antes de la declaración de estado de sitio ya mencionada, se aprobó la Ley de Seguridad para "erradicar definitivamente la subversión en el país" "dentro los marcos de la ley".[22] La ley creaba delitos vagos y ambiguos, sin tipificarlos, restringía el derecho de huelga y la libertad de prensa y de opinión, identificaba "subversión" con los ámbitos gremial y económico y determinaba la expulsión de extranjeros y argentinos naturalizados. Una vez aprobada, la Ley de Seguridad fue utilizada como justificación de innumerables operativos de detención de personas, clausura de medios de prensa, conflictos laborales y persecución sistemática de la militancia política de izquierda.[23] Entre esta medida y la Ley de seguridad se produjo en 1974, en pleno gobierno democrático, la expansión ilimitada del universo de lo peligroso y del poder estatal sobre ello.[24]

Al año siguiente, a lo largo de 1975, se profundizaron las medidas tendientes a la seguridad nacional a través de la concentración de poder en el Ejecutivo y los comandantes militares para "garantizar la lucha antisubversiva". Entre otros, se presentó un proyecto de ley que buscaba profundizar la Ley de Defensa Nacional aprobada durante la dictadura militar previa, incluyendo la militarización total del territorio y la pena de muerte. Un diputado de la oposición señaló que el proyecto

> resume todas las posibilidades de restricción a los derechos reconocidos por la Constitución a los habitantes. En el proyecto que consideramos están contenidas todas las restricciones relativas al estado de sitio, a la implantación de la ley marcial, a la movilización o estado de asamblea; en una palabra, todas las restricciones que pueden sufrir los ciudadanos en el ejercicio de sus derechos están contenidas en el contexto de este dictamen (Diputado Evaristo Monsalve, Partido Demócrata Progresista, *Diario de Sesiones de la Honorable Cámara de Diputados de la Nación*, 20-21 de noviembre, 1975: 5267).

---

[22] Isabel Martínez de Perón, *La Nación*, 27/9/74.

[23] Ley 20.840, 28/9/1974.

[24] Para un desarrollo empírico y argumentativo completo sobre el tema, véase Franco, 2012.

Y votó a favor; lo cual da cuenta del progresivo desplazamiento de los límites de lo admitible y pensable en términos de funcionamiento del estado de derecho y de excepción para los años setenta.

4. La construcción de la figura del enemigo interno y la amenaza al orden

Este punto es de orden simbólico pues constituye el sostén representacional y legitimador de las políticas ya expuestas. Su análisis es de capital importancia para dar cuenta de cómo las medidas de excepción que hemos visto estuvieron acompañadas de la construcción de la peligrosidad del enemigo al que era necesario enfrentar. No sólo esta construcción discursivo-ideológica era imprescindible para asegurar la legitimidad de las normas de excepción y seguridad, sino que la evolución en el tiempo de estas figuras del enemigo interno y de los valores que ellos amenazaban fueron transformándose en las décadas analizadas para adquirir cada vez mayor peligrosidad – lo cual justificaba la profundidad de las medidas tomadas, y fundamentalmente la necesidad de tomarlas. Fue justamente esa noción de *necesidad* la que permitió repetidamente suspender el estado de derecho desde adentro del propio sistema legal, tal como implica el estado de sitio o las leyes de militarización analizados.

Aunque algunos ejemplos de las fundamentaciones discursivas en torno a la figura de la amenaza ya han citado citadas más arriba, quisiera mostrar brevemente esa evolución:

Primer ejemplo. Durante el gobierno de Frondizi, a fines de los años cincuenta posteriores al golpe que derrocó a Perón, la encarnación del enemigo era el peronismo y particularmente el mundo obrero peronista. Así, en el momento de la declaración de estado de sitio ante la huelga petrolera, en 1958, Frondizi señaló que el conflicto no era gremial, sino político, con intenciones insurreccionales para abrir el camino a nuevas dictaduras supuestamente respaldadas en la democracia o la justicia social (FRONDIZI, 1978 [1958]: 208). Con ello se aludía al peronismo excluido del juego político como principal amenaza al orden y la seguridad. Por detrás del peronismo, Frondizi también denunció los planes de dominación de comunismo que creaban zozobra en los sectores obreros. "Estos sectores componen los enemigos de la nación que se oponen al desarrollo, al futuro y al mantenimiento de los servicios básicos para el funcionamiento nacional", señaló el presidente, agregando que una huelga para torcer por la fuerza actos de gobierno significaba "un ataque a la constitución" y a la democracia y, por lo tanto, era "pura y simplemente subversión" (FRONDIZI; 1978 [1958]: 208).

Así, en este período el miedo al peronismo aparece superpuesto y articulado con el miedo al comunismo, en construcciones retóricas en las cuales el comunismo era claramente el fantasma que acechaba detrás del peronismo. En el ámbito de las Fuerzas Armadas, la adopción de las nuevas doctrinas de la guerra revolucionaria implicaron la internacionalización de los conflictos políticos internos, es decir, los militares comenzaron a interpretar el conflicto peronismo-antiperonismo como una versión local del conflicto mundial comunismo-anticomunismo (ROUQUIÉ, 1986 y PONTORIERO, 2010), lo cual explica parte de esta articulación discursiva.

En efecto, el crecimiento de las acciones de la resistencia peronista manifestadas en atentados de tipo terrorista y la aparición de la primera guerrilla peronista coincidieron con el temor producido por la revolución cubana en los sectores conservadores de América Latina y eso activó el miedo anticomunista a acciones insurreccionales – en un contexto ya tenso por la Guerra Fría.

Segundo ejemplo. El desplazamiento del enemigo del peronismo al marxismo que se inició a fines de los años cincuenta terminó de concretarse en los sesenta. Durante los primeros años de la década, el gobierno de Illia se planteó como objetivo explícito la contención del peronismo y del marxismo simultáneamente. Sin embargo, vimos que no llegaron a tomarse medidas de excepción ante la movilización obrera peronista, mientras que la oposición denunciaba esa decisión como la presencia de la infiltración comunista y la subversión en el gobierno. No obstante, durante la discusión del proyecto de ley de defensa nacional de 1964, al diagnosticar la situación como de presencia de la guerra revolucionaria en Argentina, emergió claramente la figura del peligro en torno a un enemigo comunista que amenazaba la república y la democracia y contra el cual había que tomar las medidas correspondientes. Esto significa que el enemigo, si bien se dibujó claramente en torno al marxismo y como un peligro creciente, era una amenaza para cierto tipo de orden – la democracia – y, al menos para este gobierno, permanecía circunscripto a los focos de guerrilla.

Esto se modificó sustancialmente a partir de la dictadura militar de 1966 y la legislación de defensa de ese período, donde el peligro marxista cada vez más sobredimensionado se transformó en una obsesión de la mano de las Fuerzas Armadas en el poder y fue el eje de innumerables leyes represivas.[25]

Tercer ejemplo. En los años setenta se produjo un salto cualitativo importante en un brevísimo lapso de tiempo. A partir de 1973, el peronismo en el poder emprendió una dura batalla – la llamada "depuración"- contra los sectores de izquierda de su propia fuerza. En ese momento, Perón llamó a la "guerra" contra la "subversión" dentro de su movimiento, había que "eliminar los gérmenes patológicos" y "la infiltración marxista" internos.[26] Naturalmente, se refería a

[25] Entre otras, por ejemplo, la Ley 16.984/66 que prohibía la distribución por correo de material de propaganda comunista y la Ley 17.401/67 de represión del comunismo.

[26] "Documento Reservado", Consejo Superior Peronista, *La Opinión*, 2/10/1973 y Discurso de Perón

los sectores de izquierda, la juventud peronista radicalizada y las organizaciones armadas peronistas. Pero más allá del conflicto interno, en un contexto de violencia armada creciente, ese discurso sobre la "necesidad de erradicar el terrorismo" se fue afirmando como discurso de gobierno y como sostén de las políticas restrictivas, con la legitimidad que le daba el hecho de que fuera Perón su enunciador.

Progresivamente, en la medida en que la crisis del gobierno se fue profundizando después de la muerte de Perón y la violencia clandestina fue adquiriendo niveles extremos, este discurso se fue ampliando para construir una figura del enemigo interno de carácter cada vez más difuso, no ya el comunismo, sino "el terrorismo" y "la subversión", que incluía los movimientos armados pero también el mundo obrero, los jóvenes, los estudiantes, los intelectuales, los profesionales, los artistas, que habían puesto en "guerra" al país. De acuerdo con ello, la amplitud de ese peligro no afectaba ya la continuidad de un orden político – la democracia – sino de una esencia: la nación y la argentinidad. Por lo tanto, la "acción antisubversiva" no era una opción posible, sino una necesidad de Estado. Así, el Consejo Superior del Partido Justicialista podía señalar en octubre de 1975:

> Reiteramos la más enérgica condena de la violencia como método político y nuestra total solidaridad e identificación con las Fuerzas Armadas en la lucha contra la guerrilla y todas las manifestaciones de la subversión. Especialmente nuestra adhesión al Ejército Argentino en la tarea de aniquilar la acción criminal de la antipatria (*Clarín*, 9/10/1975).

No se pretende con esto igualar los discursos militares, mucho más virulentos y eliminatorios que los otros actores políticos, pero el punto esencial es que para los años previos al golpe de estado de 1976, buena parte de los actores sociales – incluyendo sindicatos, Iglesia

---

durante el congreso partidario, *La Opinión*, 25/5/1974.

católica, intelectuales y periodismo –, manifestaban su convicción de que el país estaba en guerra y reclamaban con urgencia medidas antisubversivas para salvar a la patria en peligro.[27]

Reflexiones finales

Hoy, de la mano de las políticas de derechos humanos y de la aparición de otros relatos del pasado, se ha roto el silencio en torno a ciertas formas de la represión anterior a 1976 y a la participación civil en los procesos represivos. No obstante, aun falta avanzar socialmente en varios sentidos. En primer lugar, falta avanzar hacia una lectura del pasado que pueda pensar el terrorismo de Estado como el resultado de un proceso; de una construcción lenta y acumulativa en el tiempo que fue posible por la instalación recurrente de lógicas autoritarias y de excepción centradas en la idea de la peligrosidad del enemigo – tanto en gobiernos democráticos como militares. Esto no significa que el terrorismo de estado deba extenderse hacia atrás en el tiempo o que la última dictadura militar pierda su especificidad y delimitación histórica para fundirse en un continuo represivo e indefinido. No hay dudas de que no es lo mismo 1958, 1966, y 1976. Es decir, el hecho de bucear en las condiciones de posibilidad del terrorismo de estado no significa que todo el período analizado deba entenderse como un proceso que de manera determinada se dirigía hacia allí sin más salida. Solo se trata de detectar aquellos elementos específicos de *cierto tipo* de funcionamiento autoritario que luego coadyuvaron a la emergencia de la violencia extrema en los años setenta. Se trata de plantear que la comprensión profunda y compleja de la violencia estatal extrema en la Argentina no puede separarse de las formas de gestión del conflicto de las décadas previas, de procesos de mediano

[27] Sobre las voces de estos actores y su evolución entre 1973 y 1976, me permito remitir a Franco, 2012.

plazo que involucraron tanto a civiles como a militares, y no sólo a los actores políticos en el poder sino a amplios sectores políticos y sociales que aceptaron y reclamaron esas lógicas eliminatorias.

En ese sentido, la dicotomía dictadura/democracia no alcanza para observar el desarrollo de esos procesos autoritarios que fueron transversales a los cortes institucionales. Por eso, tal vez haya que pensar en un *sistema continuo, aunque con diferencias y saltos cualitativos*, de prácticas autoritarias estatales, que atravesó gobiernos democráticos y dictatoriales entre los años cincuenta y ochenta.

En segundo lugar, también hace falta avanzar, especialmente, en pensar toda la década del setenta como un momento de reconfiguración de la violencia estatal. Es decir, así como se rastreó la identificación entre seguridad interior y defensa nacional y la creciente participación militar en asuntos internos como una constante desde los años cincuenta, es evidente que el proceso se aceleró rápidamente a partir de 1966 incluyendo el gobierno peronista democrático que terminó por crear las bases legales y el consenso necesario para el terrorismo de estado. A partir de 1966, las lógicas y prácticas represivas fueron creyendo de manera sostenida y acumulada hasta el salto cualitativo que significó el sistema de desaparición forzada de personas puesto en práctica por la dictadura militar.[28]

En síntesis, sin abrir y complejizar nuestras interpretaciones sobre cómo se construyen la violencia de Estado y las culturas autoritarias, difícilmente podamos entender sus manifestaciones más extremas como la última dictadura militar argentina. Los procesos de investigación y justicia sobre los crímenes del pasado son

---

[28] En este proceso de crecimiento acumulado de las lógicas represivas entre 1966 y 1976, hubo un breve y relativo interregno con el gobierno del peronista Héctor Cámpora que asumió el 25 de mayo de 1973 y gobernó menos de dos meses, hasta su renuncia forzada en el mes de julio para la realización de nuevas elecciones que fueron ganadas por el propio Perón. En ese brevísimo periodo, Cámpora derogó la legislación represiva de la dictadura previa pero no así la Ley de Defensa Nacional de 1966. Desde el mes de julio, comenzó la nueva escalada autoritaria ya mencionada aquí.

imprescindibles; no hay futuro colectivo posible sin ello, pero también es imprescindible la reflexión social y profesional sobre cómo esos crímenes fueron finalmente posibles.

REFERENCIAS

AGAMBEN, Giorgio. *Estado de excepción*. Buenos Aires: Adriana Hidalgo Editora, 2007.

CALVEIRO, Pilar. *Poder y desaparición*. Buenos Aires: Colihue, 1998.

CAVAROZZI, Marcelo. *Autoritarismo y democracia (1955-1983)*. Buenos Aires: Centro Editor de América Latina, 1983.

COMISIÓN Nacional sobre la Desaparición de Personas (CONADEP). *Nunca Más*. Buenos Aires: Eudeba, 1985.

CRENZEL, Emilio. *La historia política del Nunca Más*. Buenos Aires: Siglo XXI, 2008.

D'ANDREA MOHR, José Luis. *Memoria Debida*. Buenos Aires: Colihue, 1999.

FRAGA, Rosendo. *El Ejército y Frondizi (1958-1962)*. Buenos Aires: Emecé, 1992.

FRANCO, Marina. *Un enemigo para la nación. Orden interno, violencia y subversión, 1973-1976*. Buenos Aires: Fondo de Cultura Económica, 2012.

FRONDIZI, Arturo. "Discurso del 9 de noviembre de 1958", *Mensajes presidenciales*. Buenos Aires: Centro de estudios Nacionales, 1978.

GARCÍA, Prudencio. *El drama de la autonomía militar*. Madrid: Alianza, 1995.

GREGORINI CLUSELLAS, Eduardo. *Estado de sitio y la armonía en la relación individuo-Estado*. Buenos Aires: Depalma, 1987.

LÓPEZ, Ernesto. *Seguridad Nacional y sedición militar*. Buenos Aires: Legasa, 1987.

NEGRETTO, Gabriel. *El problema de la emergencia en el sistema constitucional*. Buenos Aires: Abaco de Rodolfo Depalma, 1994.

NOVARO, Marcos. *Historia de la Argentina, 1955-2010*. Buenos Aires: Siglo XXI, 2010.

O'DONNELL, Guillermo. *El Estado burocrático-autoritario*, Buenos Aires: Editorial de Belgrano, 1982.

______. *Modernización y autoritarismo*. Buenos Aires: Paidós, 1972.

PERIÉS, Gabriel, « Un modèle d'échange doctrinal franco-argentin: le plan Conintes 1951-1966 », en Fregossi, Renée (editor), *Armées et pouvoirs en Amérique Latine*. París: IHEAL, 2004.

PONTORIERO, Esteban. *De la conmoción interior a la guerra revolucionaria: legislación de defensa, pensamiento militar y caracterización de la amenaza a la seguridad interna en la Argentina (1958-1970)*. Tesis de licenciatura, Universidad de Tres de Febrero, Buenos Aires, 2012.

PORTANTIERO, Juan Carlos. "Economía y política en la crisis argentina", *Revista Mexicana de Sociología*, N°2, 1977.

POTASH, Robert. *El ejército y la política en la Argentina, 1945-1962*. Buenos Aires: Sudamericana, 1971.

QUIROGA, Hugo. *El tiempo del proceso*. Rosario: Homo Sapiens, 2004.

RANALLETTI, Mario, "Aux origines du terrorisme d'Etat en Argentine", *Vingtième siècle*, N° 105, janvier-mars, 2010, pp. 45-56.

RODRÍGUEZ LAMAS, Daniel. *La presidencia de Frondizi*. Buenos Aires: CEAL, 1984. Rouquié, Alain, *Poder militar y sociedad política en la Argentina II. 1943-1973*. Buenos Aires: Hyspamérica, 1986.

SAIN, Marcelo Fabián. *Los votos y las botas. Estudios sobre la defensa nacional y las relaciones civil-militares en la democracia argentina*. Buenos Aires: Prometeo, 2010.

SCHMITT, Carl. *La dictadura: desde los comienzos del pensamiento moderno de la soberanía hasta la lucha de clases proletaria*. Madrid, Alianza, 1985 [1921].

SIKKINK, Kathryn. *El proyecto desarrollista en la Argentina y Brasil: Frondizi y Kubitschek*. Buenos Aires: Siglo XXI, 2009.

TCACH, César. "Golpes, proscripciones y partidos políticos", en James, Daniel (dir.). *Nueva Historia Argentina*; Violencia, proscripción y autoritarismo (1955-1976), Tomo IX. Buenos Aires: Sudamericana, 2003.

VEZZETTI, Hugo. *Pasado y Presente. Guerra, dictadura y sociedad en la Argentina*. Buenos Aires: Siglo XXI, 2002.

ZIULOU, Adolfo. *Estado de sitio ¿emergencia necesaria o autoritarismo encubierto*? Buenos Aires: Depalma, 2000.

A DRAMATURGIA BUARQUEANA E A CENSURA DOS ANOS 1970:
DOIS MOVIMENTOS DE UMA TRAJETÓRIA QUE SE FEZ ENTRE ESTRATÉGIAS E TÁTICAS

Miriam Hermeto[1]

Quem anda no trilho é trem de ferro,
sou água que corre entre as pedras.

Manoel de Barros

Embora tenham como material os vocabulários das línguas recebidas [...], *embora fiquem enquadradas por sintaxes prescritas* [...], *essas "trilhas" continuam heterogêneas aos sistemas onde se infiltram e onde botam as astúcias de interesses e de desejos diferentes. Elas circulam, vão e vêm, saem da linha e derivam num relevo imposto, ondulações espumantes de um mar que se insinua entre os rochedos e os dédalos de uma ordem estabelecida.*

[1] Professora Adjunta do Departamento de História da Faculdade de Filosofia e Ciências Humanas da Universidade Federal de Minas Gerais (FAFICH/UFMG). Doutora em História (FAFICH/UFMG) e mestre em Educação (FAE/UFMG). E-mail: miriamhermeto@gmail.com

Dessa água regulada em princípio pelas redes institucionais que de fato ela vai aos poucos erodindo e deslocando, as estatísticas não conhecem quase nada.

Michel de Certeau

No recente conjunto dos estudos históricos sobre a ditadura militar brasileira, que pretende matizar e problematizar a construção de uma historiografia calcada em memórias sobre o período, as pesquisas sobre a censura têm ganhado destaque. Compreendendo-a, em geral, como um instrumento de controle social, baseado em normas legais e planejamentos específicos, que devem ser percebidos em sua historicidade, trabalhos minuciosos têm identificado e analisado os trâmites burocráticos do Departamento de Polícia Federal (DPF) e seus órgãos, como a Divisão de Censura e Diversões Públicas (DCDP), categorizado os tipos de censura ali (re)criados e, ainda, procurado explicar como a relação entre a censura e a vida social, por um lado, cerceou ações e ideias e, por outro, engendrou outras tantas.[2]

Em diálogo com essa historiografia, o presente texto apresenta uma espécie de estudo de caso sobre a relação entre a Censura de Diversões Públicas e duas obras da dramaturgia de Chico Buarque, na primeira metade da década de 1970.

A investigação acerca das relações entre a censura e a dramaturgia buarqueana não é, em si mesma, uma novidade, visto que há trabalhos já realizados sobre o tema, referências para esta análise.[3] O artigo que se ocupa dos processos de censura de todas as peças do dramaturgo concebe essa relação a partir do conceito de "jogo lúdico"

[2] Cf., entre outros, CAROCHA (2007), FICO (2002), GARCIA (2008), SILVA (2008) STEPHANOU (2001).

[3] Cf. ALENCAR (2002), BERG (2002), CRUZ (2002) e, especialmente, GARCIA (2008 e 2012).

de Huizinga e toma dois polos de análise: de um lado, as normas da censura, de outro, o texto e seus simbolismos.

> No jogo, ao qual nos referimos – Censura *versus* Chico Buarque –, a primeira tinha como trunfos as leis, aliadas a um aparato repressivo, e, no outro extremo, o dramaturgo Chico Buarque, que respondia a esse clima de "terror cultural" por intermédio de uma linguagem simbólica, buscando em seu universo dramático discutir temas como miséria e injustiça social (ALENCAR, 2002, p. 101).

Também aqui concebe-se a relação entre a censura e a dramaturgia buarqueana como um jogo, embora não composto de dois polos. Ela é compreendida como jogo dinâmico e articulado por sujeitos múltiplos, que passearam por entre os textos (teatrais) e os contextos (sociais) livremente, compondo uma trilha de difícil apreensão.

Nesse sentido, o que se propõe não é uma análise da relação entre dois sujeitos históricos, senão entre muitos. Relações que – para pensar nos termos de De Certeau (1994) –, embora tenham tido como material um *vocabulário* legal e normativo, tenham sido enquadradas pela *sintaxe* prescrita em valores e regras de um estado autoritário, constituíram-se em "trilhas heterogêneas aos sistemas em que se infiltraram e em que botaram as astúcias de interesses e de desejos diferentes". Relações que, apesar das *formalidades* às quais estavam sujeitas, engendraram *práticas* sociais e construíram uma *trajetória* específica, assentada em *estratégias* e *táticas* próprias – que, por sua vez, transformaram as tais *formalidades* e, como se verá, parecem ter transformado também o próprio *vocabulário* e a *sintaxe* originais.[4]

---

[4] As expressões em itálico foram usadas por De Certeau (1994) para forjar um aparato teórico-metodológico que visa instrumentalizar estudos sobre o consumo cultural. Alguns deles (*trajetória, práticas, táticas, estratégias*) constituíram-se em conceitos importantes do campo da História Cultural, sendo frequentemente utilizados em pesquisas que extrapolam temas relacionados ao consumo cultural - como é o caso deste texto - e serão oportunamente explicitados e mobilizados ao longo do estudo.

Quem seriam esses sujeitos? A censura, como instituição, que construiu um lugar próprio por meio de estratégias[5] diversas, legais ou meramente formais. E também a censura, como processo desenvolvido por diferentes sujeitos, cujas interpretações, interesses e concepções construíram táticas[6] de inserção na sociedade e de infiltração no campo alheio. A dramaturgia buarqueana, originária do artista Chico Buarque, sim. Entretanto, apesar da origem comum, uma dramaturgia construída, também, por outros sujeitos do campo[7] artístico-intelectual brasileiro – coautores, produtores, atores, técnicos, jornalistas, advogados, entre outros – que engendraram estratégias para construção de seu território social e souberam ainda articular táticas de inserção no território formal da adversária censura, alcançando, inclusive, o intento de transformar algumas de suas práticas, regras e ações.

A análise de uma trajetória[8] pode permitir, nos dizeres de De Certeau, uma compreensão diferente dos estudos estruturais, por-

---

[5] As estratégias configuram o lugar próprio, de onde se podem gerir as relações com a exterioridade, que apresenta um rol de ameaças e poderes invisíveis. "Gesto cartesiano, quem sabe: circunscrever um próprio num mundo enfeitiçado pelos poderes invisíveis do outro" (DE CERTEAU, 1994, p. 93). Em geral ligados à ordem dominante, são elaboradas conscientemente, com cálculo de efeitos, visando a manutenção ou a ampliação do poder em dada esfera/território, bem como sua duração temporal.

[6] As táticas, ao contrário das estratégias, em geral, são espontâneas e produtos de associações rápidas de/entre sujeitos que visam responder a condicionamentos sociais e a estratégias de grupos ou sujeitos (aliados ou opostos), atendendo necessidades imediatas e criando comportamentos que exploram as brechas do sistema.

[7] Na tentativa de articular as análises "internalistas" e as "externalistas" das produções culturais, Bourdieu (2004) elaborou o conceito de *campo*, referência aqui utilizada. O campo, como intermediário entre o texto e o contexto, é um microcosmo com leis próprias e no qual se estabelecem relações de força específicas. Compreender o seu funcionamento, portanto, passa pela compreensão da cartografia das relações objetivas entre seus agentes, ou seja, os lugares e as formas de circulação das ideias criadas e das hierarquias entre eles mesmos e suas produções - temas, objetos, formas e veículos de publicação. Além disso, é também compreender a que pressões externas esse microcosmo está sujeito. Em outras palavras, como o macrocosmo - o contexto - age sobre o campo, de maneira a modificar o seu grau de autonomia? Bourdieu aponta para a necessidade de examinar a natureza das pressões externas e as formas sobre as quais elas se manifestam, a fim, inclusive, de compreender as resistências engendradas no campo, um movimento que se dá na tentativa de garantir e aumentar a sua autonomia.

[8] De Certeau (1994) propõe a noção de trajetória para ajudar a pensar em um "movimento temporal

que permite análises que complementam os estudos estatísticos ou seriais, contabilizando não "o que é usado, mas as maneiras de utilização". Assim, o exame do(s) caso(s) de censura da dramaturgia buarquena nos anos 1970 pode permitir compreender a

> formalidade própria dessas práticas [de consumo], seu "movimento" sub-reptício e astucioso, isto é, a atividade de "fazer com". [...] [e] as trajetórias táticas que, segundo critérios próprios, selecionam fragmentos tomados nos vastos conjuntos da produção para a partir deles compor histórias originais. (DE CERTEAU, 1994, p. 92).

Cabe, inicialmente, refletir sobre algumas questões que poderão elucidar melhor as razões da escolha dessa trajetória e a construção do objeto de pesquisa: por que Chico Buarque? Por que sua dramaturgia? Por que, especificamente, as obras da primeira metade dos anos 1970?

Desde o final dos anos 1960 e ao longo dos anos subsequentes, Chico Buarque vem sendo considerado um dos artistas brasileiros (senão "o") mais perseguidos pela Censura, sendo, via de regra, apontado como "grande" ou "principal vítima" desse aparato repressivo. Artista multifacetado, que opera com várias linguagens, ídolo nacional desde que surgiu no cenário cultural e referência importante para o próprio campo artístico-intelectual, efetivamente teve relações tensas com a censura. Mas o quanto das representações senso comum correspondem aos meandros da relação de sua obra com a censura e da construção de Buarque como artista são aspectos que devem ser problematizados. Da mesma forma, merece investigação cuidadosa o quanto – e como – tal relação contribuiu para a construção da imagem

no espaço". Alerta para o fato de que se deve tomar o cuidado de não reduzir a trajetória, depois de constituída, a um traçado, um gráfico ou qualquer outra representação que propicie uma visão geral do processo, destituindo as ações de suas especificidades e de seu poder de realização. "Essa projeção postula que é possível tomar um (esse traçado) pelo outro (operações articuladas em cima de ocasiões)" (DE CERTEAU, 1994, p. 92-93).

da censura na sociedade, e dos próprios trâmites censórios no período. Ainda, merece cuidado especial a análise da posição de Chico Buarque e as associações que ele fez, quando da produção de cada uma das peças em análise, bem como da submissão dos textos à DCDP/DPF.

A atuação de Buarque como autor de teatro, embora tenha produzido clássicos para a dramaturgia nacional, em termos literários e de espetáculo, concentrou-se entre os anos de 1968 e 1978: *Roda Viva*, em 1968; *Calabar, o elogio da traição*, em 1973, com Ruy Guerra; *Gota D'Água, uma tragédia brasileira*, com Paulo Pontes, em 1975; e *Ópera do Malandro*, em 1978. Não parece casual que essa intensa – e marcante – produção esteja concentrada em tão curto período, visto que se trata de uma trajetória artística de quase cinco décadas.

O foco, aqui, incidirá sobre as peças escritas e encenadas logo após o AI-5 e o período de (auto)exílio do artista, este devido, em grande medida, às repercussões sociais da primeira obra, *Roda Viva*.[9] Serão objeto deste estudo os processos de censura do texto das peças *Calabar* e *Gota D'Água* no âmbito da DCDP/DPF. A despeito da proximidade dessas produções, elas podem informar sobre dois contextos distintos da censura e da vida política brasileira. Ademais, há que

[9] No conturbado ano de 1968, a peça *Roda Viva* foi um dos destaques na cena cultural, tanto nos debates sobre o rumo da arte de resistência no país quanto nas notícias de repressão do final do ano. O roteiro da peça não tinha um tom de crítica política mais ampla: tratava do arrebatamento de um cantor pelo *show business*, configurando-se, a um só tempo, como autodeboche, no que tange à trajetória do ídolo Chico Buarque, e deboche do mercado. A peça não foi bem avaliada pela crítica em geral, à exceção de Yan Michalski, que, a despeito de reconhecer os limites do roteiro e da montagem, saiu em sua defesa. A opção cênica de José Celso Martinez para a peça, em encenação do Grupo Oficina, tornou-se bem mais conhecida do que o roteiro de Buarque, fazendo dela um dos ícones do teatro de vanguarda, que priorizava a linguagem corporal à palavra. *Roda Viva* aproximou a imagem de Buarque das vanguardas artísticas, contrariamente à sua imagem como compositor ligado à tradição do samba. A montagem tornou-se, ainda, uma das obras mais identificadas à repressão feroz do ano de 1968, em função de uma de suas encenações, em São Paulo, ter sido invadida por membros do Comando de Caça aos Comunistas (CCC) e os atores terem sido agredidos publicamente e, em Porto Alegre, os atores terem sido sequestrados e a temporada, abortada. Esses eventos tornaram-se não apenas um anúncio do que viria a ser a repressão no final de 1968, como transformaram a peça numa das lembranças mais constantes na memória social sobre a cultura daqueles tempos. A *Roda Viva* do *show business*, que a peça narrava, acabou virando uma grande metáfora para a repressão crescente de 1968, que culminou com o AI-5, em 13 de dezembro daquele ano emblemático.

se considerar que são textos emblemáticos na literatura dramática nacional da segunda metade do século XX e que têm processos de censura não lineares, ou seja, nos quais ocorreram transgressões dos trâmites padrão do órgão de censura.[10]

Os processos de censura das duas peças em questão correram, respectivamente, entre os anos de maior rigor repressivo da ditadura militar, no governo Médici (1973-74), e o início do processo de abertura, em meados da década (1975). Ainda, se adotarmos um outro critério de análise do corte temporal, pensando nas relações entre os órgãos repressivos e o campo teatral, os processos correram entre aos anos de recrudescimento da censura teatral e seu subsequente arrefecimento.

Essas relações entre os textos teatrais e os contextos em que foram produzidos e submetidos à censura serão objeto da análise subsequente, realizada em dois "movimentos", compreendidos como

---

[10] Para que se compreenda quais eram o *vocabulário*, a *sintaxe* e as *formalidades* às quais o campo teatral estava sujeito no âmbito da censura, é preciso conhecer minimamente os trâmites regulares dos processos de censura teatral. Garcia (2008) faz deles uma descrição minuciosa, aqui transcrita para que o leitor possa transitar melhor pelas análises subsequentes: "[...] podemos afirmar que a censura teatral, realizada no período de 1968 a 1975 em âmbito federal, cumpria alguns trâmites. Em primeiro lugar, o interessado na apresentação da peça requeria autorização da Sociedade Brasileira de Autores Teatrais (SBAT) na cidade de origem e enviava a documentação necessária para análise do texto na capital federal. Nessa época, companhias teatrais de grande porte contratavam representantes em Brasília para agilizar a tramitação censória. Em primeira instância, três censores analisavam o texto teatral. De modo geral, o dirigente censório nomeava técnicos de censura para as seções de censura ao cinema, teatro e congêneres, televisão e rádio. Se os três pareceres fossem similares, o dirigente censório acatava as sugestões e emitia portaria; se fossem divergentes, convocava nova comissão. [...] Nessa fase, o processo de censura terminava para a peça vetada e continuava para o texto liberado (com ou sem cortes). No primeiro caso, o dirigente censório, através de malote e radiograma, solicitava às instâncias regionais devolver duas cópias do texto teatral e comunicar à pessoa responsável a interdição do texto; no segundo, encaminhava o *script* da peça e autorizava os órgãos regionais a designar dois técnicos de censura para examinar o ensaio geral. Estes dois funcionários deslocavam-se ao local do ensaio para assistir ao espetáculo teatral e, em seguida, confeccionavam relatórios sobre a encenação para enviar para a matriz censória.
Após a conclusão dessas etapas, o responsável pela peça recebia o certificado de censura válido por 5 anos em território brasileiro. Para acompanhar o cumprimento dessas determinações, o órgão central dependia de funcionários responsáveis pela fiscalização dos espetáculos" (GARCIA, 2008, p. 91-92).

conjuntos de operações táticas dos sujeitos, "em cima de ocasiões" (DE CERTEAU, 1994, p. 93) e a partir de suas estratégias gerais.

Primeiro movimento: uma quase liberação, um veto sem precedentes

Em 1972, quatro anos após a celeuma gerada pela sua peça de estreia, *Roda Viva*, Buarque voltou a trabalhar com a linguagem do teatro como autor, escrevendo *Calabar, o elogio à traição*, em parceria com Ruy Guerra. Tomando como tema um episódio da história do Brasil do século XVII, a Invasão Holandesa no Nordeste, a peça questionava o que era a traição da pátria. Por meio dessa temática, criava uma metáfora para a contemporaneidade, uma vez que problematizava a visão do Estado autoritário com relação à ação da esquerda, especialmente da esquerda armada – no início da década de 1970, alvo maior da perseguição dos órgãos de repressão, em momento de institucionalização da tortura e recrudescimento do arbítrio, no governo Médici.

O processo de censura de *Calabar*[11] teve início em 4 de abril de 1973, quando o próprio Chico Buarque deu entrada no pedido de censura de textos e músicas na superintendência regional do Rio de Janeiro, que deveria encaminhá-la à DCDP, e só foi concluído em abril do ano seguinte. É um dos casos de censura de diversões públicas mais destacados da década, em função dos percursos que construiu e que ressaltam tanto as mudanças de estratégias dos sujeitos no jogo da censura quanto das táticas que lhes eram correlatas. Em função do incomum nesse processo, sobre ele há estudos específicos[12], dos

[11] O processo de censura da peça *Calabar* compõe o acervo do DCDP no Arquivo Nacional de Brasília (DCDP/CP/TE/PT/CX444/1277). Os documentos citados nesse texto encontram-se no bojo desse processo de censura.

[12] Cf. CRUZ (2002), ROSA e RAMOS (s/d) e GARCIA (2008 e 2012).

quais ressaltam-se a importância e a densidade dos realizados por Garcia (2008 e 2012).

> Pouco mais de um mês depois, a peça *Calabar* foi submetida à análise dos censores Maria Luiza Barroso Cavalcante, Gilberto Pereira Campos e Zuleika Santos que não viram nenhuma violação da lei de censura, os três pareceres concentraram-se na literalidade do enredo e realizaram pequenos cortes. Apenas a primeira técnica de censura pediu atenção a algumas páginas por conter possíveis implicações do sentido político e analogia com a atualidade (GARCIA, 2012, p. 4).

O texto foi, então, autorizado, por meio da emissão de certificado de censura, condicionado aos relatórios dos técnicos de censura relativos ao ensaio geral, que deveriam observar o cumprimento das restrições feitas ao texto – segundo informa o ofício 307/73, de 21/05/1973, assinado pelo então Diretor da DCPD/DPF, Rogério Nunes. Até esse momento, tudo corria regularmente no processo.

> Entretanto, entre a emissão do certificado de censura pelo órgão central e o agendamento do ensaio geral pelos fiscais estaduais, ocorreu a interrupção dos trâmites burocráticos e o cancelamento da autorização da censura pelo diretor-geral do DPF, general-brigadeiro Antônio Bandeira. Fora dos procedimentos habituais da DCDP, mais dois pareceres foram emitidos por dois técnicos de censura (GARCIA, 2012, p. 5).

Tal qual se pode observar nos demais processos de censura analisados, nos quais houve situações semelhantes, esse procedimento – da emissão de novos pareceres sobre o texto, além dos três habituais, a estratégia usual do órgão – não foi instruído por escrito, configurando-se como uma tática para solucionar intercorrências. Nesse caso, ao que parece, os superiores aos técnicos de censura não aquiesceram aos pareceres favoráveis à encenação e pediram revisão de processo. Datados de setembro de 1973, meses depois da liberação do texto, os dois pareceres adicionais também foram favoráveis à liberação do texto. A tática para reverter o processo falhou, o que leva a crer que "houve uma indisposição administrativa entre as duas instâncias, mesmo sendo a primeira [DCDP] subordinada à segunda [DPF]" (GARCIA, 2012, p. 17).

Na sequência, uma outra ação do DPF, prevista nos trâmites legais e, portanto, na estratégia geral da censura, desenvolveu-se: em 4 de outubro de 1973, o diretor-geral do DPF, general Antonio Bandeira, avocou o processo para reexame do texto, retirando-o do âmbito do DCDP, e determinou o recolhimento do certificado liberatório da peça.

Somente em 30 de outubro de 1973, após solicitar informações sobre o andamento do processo e a presença de técnicos da censura no ensaio geral, o produtor Fernando Torres foi informado sobre o revés na liberação. E apenas em 15 de janeiro de 1974, por meio da portaria 01, o diretor-geral do DPF proibiu a exibição da peça *Calabar* em todo o território nacional, dando fim ao processo no âmbito dos órgãos de censura.

Entre o pedido de exame do texto e o fim do processo, correram mais de nove meses. Ao longo desse tempo, os produtores – o próprio Buarque, Ruy Guerra e a companhia de Fernando Torres e Fernanda Montenegro – tentaram manter a viabilidade do espetáculo e usaram táticas para a inserção do texto na sociedade e mobilização social em seu favor. O público aguardava a estreia, com ansiedade, movimentando-se em torno da obra, com desejo de assistir ao proibido. *Calabar* transformou-se em uma espécie de frente de resistência[13], como definiu, em seu caderno de notas, o diretor do espetáculo

[13] Enquanto corria o processo de censura de *Calabar*, a movimentação social em torno da peça já foi grande. Contemporaneamente, Chico Buarque, recorda-se: "Aí a companhia estava lá, ensaiando... os ensaios de *Calabar*, os últimos, já tinham até baleiro, pipoqueiro, porque começou a lotar, ali, o Teatro Carlos Gomes. As pessoas já sabiam que a peça, ou desconfiando que estava esquisita a história... a peça estava sendo anunciada para fim de maio, aquela coisa, e não estreava e não

que não houve: "Continuam os ensaios e as ameaças [...] Em certos momentos, claro, a vontade é de largar tudo. Mas é esta a nossa modesta frente de resistência: continuar" (PEIXOTO, 1989, p. 192 *apud* CRUZ, 2002, p. 43).

Por outro lado, uma série de ações táticas da DCDP/DPF, com apoio de órgãos de informação, cerceou a ação dos produtores da peça e a sua inserção social: a menção ao nome *Calabar* foi proibida; uma tentativa de censura do livro, que não se efetivou pela morosidade do processo; a censura da capa do disco, que tinha a mesma estética da capa do livro, com o nome *Calabar* pichado em um muro e das letras das canções; a censura das letras de algumas canções no disco; e a censura à divulgação pública das faixas *Fado Tropical* e *Boi Voador*, que haviam saído com letra no disco.

Em final de janeiro de 1974, quinze dias após o veto oficial de *Calabar*, Chico Buarque impetrou mandado de segurança contra a decisão da DCDP. Segundo Garcia (2012), o deslocamento do espaço de contestação da censura para a Justiça foi uma "mudança estratégica dos espaços de luta" do campo teatral contra a censura proposta, ainda em 1968, por jornalistas, como Paulo Francis, e lideranças sindicais, como Oswaldo Loureiro. Segundo a autora:

> A transferência do embate com o governo para o âmbito da Justiça, além de evidenciar as dificuldades de articulação do setor, assinalou para uma nova fase das lutas culturais. Essa mudança estratégica alterou a postura da intelectualidade que não mais se via como catalisadora de uma "resistência cultural", mas sim em "desobediência civil" (GARCIA, 2012, p. 3).

---

saia nada. E foi proibida a peça [...] Quer dizer, não foi bem uma proibição. Essa história toda foi proibida. Não se falou. Então, [riso] o sujeito chegava à bilheteria... Aí foi desmanchando, desmanchando" (BUARQUE. Entrevista concedida à autora em 14/05/2010). Fernando Peixoto, diretor do espetáculo, também registrou "a ocorrência de dois ensaios de portas abertas no Teatro João Caetano - um no dia 6 e outro no dia 10 de novembro - tendo plateia lotada" (CRUZ, 2000, p. 43). Tudo isso aumentou a expectativa social com relação à obra e, mais, com relação a tudo o que viesse de Chico Buarque (muito mais do que de Ruy Guerra, menos popular).

Nessa virada estratégica do campo artístico-intelectual, o caso de *Calabar* destacou-se. Segundo Garcia, porque, além de ter tido longa duração e ter efetivado o projeto de transferência da luta contra a censura para a esfera judicial, "evidenciou contradições internas entre órgãos do governo, sobretudo os impasses da censura, bem como se constituiu num processo atípico na burocracia da censura" (GARCIA, 2012, p. 4).

Além dos argumentos levantados pela autora, destaca-se aqui a ação tática adotada na argumentação inicial do mandado de segurança. O entendimento jurídico prevalecente à época atribuía ao juízo permissivo ou proibitivo de veiculação de peças teatrais a qualidade de ato *discricionário*. Isso significava que se reconhecia, à DCDP/DPF, a liberdade para avaliar as produções culturais, sem possibilidade de controle posterior pelo Judiciário. Para contornar tal posição, os advogados de Chico Buarque sustentaram que o ato da DCDP não era discricionário, ou seja, não se tratava de um juízo emitido dentro do espaço de liberdade outorgado pela lei. Ao contrário, tentou-se caracterizar o ato como *vinculado* (preso às normas do ordenamento[14]), com denúncia de ilegalidade e abuso de poder do mesmo. Buscou-se caracterizar a arbitrariedade da decisão do Chefe do DPF que, após avocar a competência para decidir a propósito da liberação do texto, terminou por proibi-lo. Nesses termos, criavam argumento para que o caso, que estava proibido de ser veiculado na sociedade, saísse do âmbito da Censura Federal para o Judiciário, uma tática de publicização do caso.

Do exame do processo de censura de *Calabar* é preciso considerar, ainda, que, mais do que as informações apresentadas pela au-

[14] Entende-se por ordenamento jurídico "princípios constitucionais explícitos ou implícitos, princípios gerais de direito, regras legais, normas administrativas (decretos, portarias, instruções normativas etc.)" (CARVALHO, 2009, p. 55).

toridade apontada como coatora[15] – Chefe do DPF –, é relevante a manifestação do Ministério Público que, em seu parecer, opina pelo reconhecimento do poder discricionário das autoridades de censura para decidir sobre as produções culturais e, principalmente, frisa a impossibilidade de intervenção do Judiciário em processos administrativos dessa natureza. Isso mostra que o TRF assumiu como única possibilidade jurídica a autonomia dos órgãos censores. Se havia impasse entre as instâncias internas da censura, o impasse entre a Justiça e o DPF não se instalou.

Segundo Garcia (2008), ainda, a crítica direta à Censura no mandado de segurança demonstrava que "os autores, empresários e advogados estavam conscientes que *Calabar* não seria liberada, a exemplo de outros mandados de segurança impetrados contra a DCDP" (GARCIA, 2008, p. 185). A avaliação parece correta, mais do que pela crítica direta à Censura, pelo tipo de proposição feita – que, hoje, mais de três décadas depois da decisão que denegou a ordem requerida no mandado de segurança, segundo Carvalho:

> [...] é ainda um aspecto que significa grande desafio no Direito Administrativo contemporâneo. Se na década de 1970 fosse possível discutir a possibilidade de o Judiciário controlar um ato discricionário no que ele tem de vinculado, como hoje parte da moderna doutrina jurídica admite, a proposição assentar-se-ia em argumentos diversos (e mais sólidos) do que a mera tentativa de qualificar a proibição do texto como ato vinculado (CARVALHO. Depoimento escrito concedido à autora em 01/09/2010).

Como não era o caso em 1974, parece que o que se pretendia com o mandado era muito mais criar um ato de resistência e de de-

[15] Entende-se por autoridade coatora aquela que cometeu abuso de poder ou incorreu em ilegalidade. "O mandado de segurança é proposto, diretamente, em face da autoridade que praticou o ato abusivo, a quem se determinará, em lugar da tradicional contestação, a prestação de informações no prazo da lei" (THEODORO Jr, 2009, p. 6).

núncia do que reverter o veto. Isso parece ter, efetivamente, acontecido. A querela judicial com a DCDP/DPF criou um novo fato social, que chegou à imprensa[16], como não podia ter chegado a censura de *Calabar*, ela mesma. E, contraditoriamente ao que pode significar uma vitória judicial, parece ter fortalecido mais ainda a imagem de Buarque. Com o público, como o artista da resistência; no campo artístico-intelectual, como um sujeito que não apenas explicitava os problemas criados pelo Estado autoritário, como não se resignava a eles nem fazia barganhas com o poder.

O próprio Buarque, avaliando o processo de abertura da Censura Federal, assumiu a tática de denúncia contra as estratégias do poder.[17] Parece claro que a ação dos sujeitos da produção de *Calabar* com relação à Censura Federal contribuiu, a médio prazo, para o aumento da autonomia do campo artístico-intelectual diante do Estado.[18] Suas formas de ação à pressão externa promovida pelo Estado fortaleceram o campo – internamente, unindo os sujeitos na resis-

[16] Por exemplo, cf. "TRF nega mandado a Chico Buarque". *O Globo*. Rio de Janeiro, 18 de maio de 1974. In: Processo de censura da peça *Calabar*, de Chico Buarque e Ruy Guerra. DCDP/CP/TE/PT/CX444/1277.

[17] "[...] por exemplo, eu tenho certeza de que algumas músicas minhas, ou mesmo peças de teatro foram liberadas porque outras haviam sido proibidas e porque eu chiei e porque uma parte da imprensa me deu uma cobertura boa. Nesse sentido, eu acho útil não um folclore em torno da censura, não, mas a denúncia do negócio, a comunicação disso, porque a coisa mais brutal que aconteceu esse tempo todo de censura e a mais eficiente foi a peça de teatro *Calabar*, que eles proibiram e proibiram a divulgação da proibição, entende? Mas assim é fácil, é psicologia de canhão. Agora, quando pode ser denunciada, eu acho que tem que ser denunciada. Eu falo isso tudo também porque agora está um pouquinho melhor, a gente deve reconhecer, entende?" (Depoimento de Buarque em *Folhetim*, 34; 11/09/1977; p. 18.)

[18] Segundo Bourdieu: "A noção de campo está aí para designar esse espaço relativamente autônomo, esse microcosmo dotado de suas leis próprias. [...] Se jamais escapa às imposições do macrocosmo, ele dispõe, com relação a este, de uma autonomia parcial mais ou menos acentuada. E uma das grandes questões que surgem a propósito dos campos (ou dos subcampos) científicos será precisamente acerca do grau de autonomia que eles usufruem. [...] Um dos problemas conexos será, evidentemente, o de saber qual é a natureza das pressões externas, a forma sob a qual elas se exercem, créditos, ordens, instruções, contratos, e sob quais formas se manifestam as resistências que caracterizam a autonomia, isto é, quais são os mecanismos que o microcosmo aciona para se libertar dessas imposições externas e ter condições de reconhecer apenas as suas próprias determinações internas" (BOURDIEU, 2004, p. 20-1).

tência ao poder, e externamente, criando expectativas favoráveis ao artista, em detrimento dos órgãos de censura.

Segundo movimento: um quase veto, uma liberação inesperada

Em 1975, um ano após o final do conturbado processo de censura de *Calabar*, a celeuma Buarque escreveu *Gota D'Água*, em parceria com Paulo Pontes. Produzida como roteiro para teatro, o texto é uma adaptação do clássico *Medeia* para a realidade brasileira contemporânea – proposta originária de Vianinha, que havia realizado para a mídia televisiva, como um *Caso Especial* para a TV Globo, em 1974. A trama se desenvolve em duas dimensões: uma, de caráter mais individual, na qual localiza-se mais precisamente a adaptação da tragédia grega e dos elementos dramáticos que a compõem, refere-se ao abandono afetivo e romântico de Joana por Jasão; outra, que remete ao coletivo, aponta para o abandono social de Joana, não apenas pelo companheiro, mas, sobretudo, pela sua comunidade. Para a composição dessa segunda dimensão, concorre uma série de elementos socioeconômicos da realidade brasileira de meados da década de 1970, a partir da visão que dela tinham os autores da peça: a urbanização, o problema da moradia e a política de habitação nacional; o milagre econômico e as características do capitalismo brasileiro; o individualismo crescente na sociedade de mercado; as condições de desfavorecimento das classes subalternas e a sua manipulação pelas classes detentoras do poder econômico, com o auxílio de sujeitos delas oriundos.

O processo de censura[19] do texto teatral de *Gota D'água*, descrito e analisado a seguir, de maneira geral, seguiu os trâmites for-

[19] Os documentos mencionados na análise realizada nesta seção referem-se ao processo de censura que tramitou em nível federal, cuja referência arquivística é: BR AN, BSB NS. 361 – Processo de

mais e regulares na esfera da DCDP/DPF. Apenas um procedimento parece ter fugido aos padrões. Em cumprimento às exigências da legislação de censura[20], para a execução de peças teatrais no Brasil, o processo teve início em setembro de 1975, quando o texto foi encaminhado à Censura. O prazo legal para exame do texto, de 20 (vinte) dias[21], foi cumprido. Entretanto, uma ocorrência foge aos parâmetros de tramitação de roteiros teatrais da DCDP/DPF: em vez dos usuais três pareceres de técnicos da censura, foram emitidos quatro, entre 16 e 19 de setembro de 1975.

Os três primeiros opinam pelo "veto" (ou "a não liberação") da peça – tanto por questões morais quanto políticas – como seria esperado na análise de um texto forte, de crítica frontal à situação política e social do país naquele momento, e assinado por Chico Buarque, artista muito popular, com graves e recentes problemas com a Censura. Até então, nada de anormal. É o quarto parecer que, alguns indícios levam a crer, foge à regra da tramitação dos textos teatrais na DCDP/DPF. A rigor, não seria necessário, visto que já havia três pareceres negativos, consoantes em sua avaliação. O documento, de uma lauda e meia, assinado pelo TC Avelino Gambim, é o único que propõe a censura classificatória (18 anos) para *Gota D'Água*.

Após um breve resumo do roteiro e de considerações relativas às suas impropriedades morais e políticas, o parecer propõe que sejam feitos cortes em 78 (setenta e oito) das 127 (cento e vinte e sete) páginas do roteiro de *Gota D'Água*, todos eles indicados na cópia anexa ao processo. Ressalta, ainda, "os antecedentes de um dos autores, que já incorreu no desrespeito com os cortes indicados para os espetáculos e que costuma fazer comentários extratextos" – ao que

---

Censura da peça *Gota D'Água*. Arquivo Nacional, Brasília, Divisão de Censura e Diversões Públicas. Departamento de Polícia Federal.

[20] Cf. Lei nº 5.536, de 21 de novembro de 1968.

[21] Cf. Lei nº 5.536, de 21 de novembro de 1968, art. 8º.

parece, referência a Chico Buarque, no caso de *Roda Viva*. Diante disso, e considerando que, sem os cortes indicados, a peça é "contrária à legislação vigente", remete a decisão final sobre a liberação à autoridade superior.

O trâmite que culmina com a decisão final proferida pelo diretor do DPF representa um procedimento habitual na atividade administrativa, em que é comum que um servidor hierarquicamente superior exerça a sua competência revisora implícita. É preciso esclarecer que os pareceres não tinham, por si sós, poder decisório; eram atos meramente opinativos, que avaliavam o conteúdo das peças e as matérias em questão. Não há dúvida, entretanto, que davam a base para a decisão proferida pelo Chefe da Seção correspondente na DCDP (nesse caso, Seção de Censura de Teatro e Congêneres), bem como pelo diretor da própria Divisão, no exercício da hierarquia superior dos órgãos em questão.

O processo não tem qualquer documento interno à DCDP que nomeie nova comissão ou requeira a elaboração de novo parecer, após os três primeiros. O quarto parecer, aliás, não é sequer o de último número no controle interno do órgão, tendo recebido o nº 8203/75.[22] Mas, datado de 19 de setembro, foi o último a ser escrito (ou entregue), um dia depois do terceiro parecer, em cumprimento aos trâmites regulares, que recomendava o veto de *Gota D'Água*. Com base nele, já agregado de observações manuscritas do Chefe da Seção de Censura de Teatro e Congêneres, Manoel Francisco C. Guido, este e o diretor da DCDP/DPF, Rogério Nunes, autorizam a liberação da peça, com censura classificatória (18 anos), respectivamente, em 2 e 3 de outubro de 1975.

[22] Cabe ressaltar que a numeração interna dos pareceres é inscrita à mão, em campo próprio no formulário oficial dos pareceres. Sendo assim, há a possibilidade de a numeração ser feita a qualquer tempo, durante a duração do processo.

Causa estranheza não apenas a emissão de um outro parecer (em vez da constituição de uma nova comissão para avaliar o texto), mas, ainda, o curto prazo em que ele foi escrito. Mais ainda, o fato de que a peça, de conteúdo crítico a programas do governo, explicitamente, e crítico à sociedade e ao Estado brasileiro, implicitamente, tenha sido liberada, apesar de três opiniões em contrário. Os dados apresentados até aqui levam a constituir a hipótese de as instâncias superiores da DCDP/DPF terem considerado mais conveniente a liberação da peça, apesar de seu conteúdo "subversivo", do que o seu veto. Cabe, então, perguntar: quais foram as razões que levaram à avaliação de conveniência da liberação de *Gota D'Água*?

Por um lado, em contexto de abertura política em curso, também a censura se modificava e arrefecia. No que se refere ao teatro, em novembro de 1975, seria normatizada "a descentralização dos trâmites da censura teatral nos estados de São Paulo e Rio de Janeiro" (GARCIA, 2008, p. 189), pela Portaria nº 42/75-SCDP, do diretor da DCDP, Rogério Nunes (Brasília, 26 nov. 1975. DCDP/NO/OR). Medidas que, dentre outras, indicavam "que o meio teatral deixava de representar perigo à ordem constituída, à moral e aos bons costumes e à segurança nacional" (GARCIA, 2008, p. 189). Essa política não era vigente quando do exame do texto de *Gota D'Água*, tendo sido implementada cerca de dois meses depois, mas, certamente, já estava em discussão. O processo de arrefecimento da censura sobre o teatro já havia começado em 1975, segundo dados apresentados por Garcia (2009, p. 20), que apontam uma queda de cerca de 66% no total de vetos de peças teatrais entre 1972 e 1975.

Por outro lado, em 1975, há que se considerar que a imagem de Chico Buarque era popular na sociedade brasileira e legítima no campo artístico-intelectual. A par do gosto pela sua obra, havia sido construída dele uma representação, em uma e outra instâncias, de um artista vitimado pela censura, uma espécie de mártir da resistência, imagem endossada por fatos recentes de sua carreira, como o longo e incomum processo de censura da peça *Calabar*; a concepção do show *Tempo e Contratempo*, com MPB-4, e, em seguida, o veto ao vinil com as canções ali interpretadas, muitas delas de *Calabar*, gravado ao vivo; a gravação do LP *Sinal Fechado*, com canções de terceiros, em função da alegação de que, de tudo o que ele produzia, no mínimo 1/3 era vetado; a apresentação de canções com pseudônimos para a Censura Federal e o episódio de descoberta de Julinho da Adelaide, para quem o artista, ironicamente, havia criado personalidade própria. Naquele contexto, esse conjunto de fatores havia não apenas alimentado a popularidade de Buarque, como também a sua legitimidade no campo artístico-intelectual e uma mistura de temor e desconfiança dele no âmbito da censura.

Nesse quadro, em momento de abertura da política de censura de peças teatrais e diante da mobilização social que se podia criar em torno de mais um veto – um grande veto – a Chico Buarque, parece ter sido mais conveniente indicar a censura classificatória, e não proibitiva, do texto teatral, apesar da maioria de pareceres de técnicos de censura em contrário. Observa-se, nesse caso, que a ação dos órgãos de censura vai na direção oposta à que foi construída no processo de *Calabar*, no qual a liberação inicial pelos pareceres opinativos foi transformada em veto sumário, com avocação do processo por autoridade superior. No caso de *Gota D'Água*, a tática foi a de retirar o peso do veto, dando respaldo técnico às autoridades para essa decisão.

A liberação do texto não aconteceu, no entanto, sem um processo de negociação direta e verbal entre a produção da peça e a DCDP/DPF. Segundo informou Max Haus[23], houve uma reunião entre ele, Paulo Pontes e um representante da Censura Federal, em Brasília,

[23] Cf. HAUS. Entrevista concedida à autora em 14/05/2010.

que durou cerca de 12 (doze) horas[24], prática de negociação que não era incomum. Na memória de Haus, "não eram eles [a DCDP/DPF] que chamavam, era a produção que pedia uma reunião". E, diante da quantidade de cortes apresentada, que, na memória de Haus "devia chegar a 90% do roteiro" e inviabilizava a encenação, a reunião foi pedida.

As informações de Haus acerca das negociações da produção com a Censura Federal são, em geral, corroboradas por meio de anotações manuscritas no parecer que indica censura classificatória. Além de asteriscos excluindo as páginas indicadas para corte, pelo TC Avelino Gambim, no corpo de seu texto, há uma observação assinada pelo Chefe da Seção de Censura de Teatro e Congêneres, Manoel Francisco C. Guido, datada de 2 de outubro de 1975, que informa: "Obs.: cortes válidos somente às fls. 4, 5, [...] 110 e 116 devidamente corrigidos pelo senhor Chefe do S.C. no script anexo". As anotações reduzem de 78 (setenta e oito) para 37 (trinta e sete) o número de páginas com a ocorrência de cortes.

Redução significativa que, cabe salientar, não parece ter sido fruto apenas da argumentação de Pontes na DCDP/DPF, mas, por um lado, da disponibilidade de diálogo por ele apresentada, em momento de abertura da censura para o teatro, e, por outro – por mais contraditório que pareça –, pela ausência de Chico Buarque na reunião, que representava a ameaça de confusão para a Censura, em caso de veto do espetáculo. A combinação da negociação com a intransigência ameaçadora parece ter sido tática fundamental para o desenrolar ágil da liberação de *Gota D'Água*.

---

[24] Para detalhes acerca das negociações, da natureza dos cortes inicialmente indicados pelo técnico da censura e dos que foram mantidos no certificado de censura, das incompatibilidades de avaliação entre a DCDP/DPF e os órgãos de informação, bem como para o processo subsequente de censura da peça (ensaio geral e fiscalização), cf. HERMETO, 2010: 280-304.

Algumas considerações sobre a trajetória

Algumas considerações sobre a trajetória das obras da dramaturgia buarqueana analisadas não são apenas possíveis, mas necessárias. Com o cuidado de não transformar o conjunto em uma imagem única, uma representação gráfica que retire de cada movimento suas sinuosidades e possibilidades de construção de caminhos alternativos. Com o zelo de pensar como cada um dos movimentos desenha uma "trajetória líquida", cujo traçado pode ser compreendido a partir das pistas deixadas pelas práticas que engendrou, por meio de estratégias e táticas específicas.

Em *Calabar*, a quase liberação da peça e o posterior veto sem precedentes foram um movimento marcante, permeado pela adoção de estratégias pouco usuais e pela produção de novas táticas, de ambos os lados.

O uso de uma estratégia normatizada pela censura – a autoridade superior avocar o processo para revogar a decisão de liberação do texto, anteriormente anunciada – veio acompanhado de táticas no trato com o campo artístico-intelectual: protelar a solução do processo; realizar proibições de outra natureza, relativas ao texto e aos seus produtos correlatos, produzindo o silêncio sobre o processo na sociedade; apoiar-se na estrutura jurídica para a manutenção da decisão final.

No campo artístico-intelectual, às táticas de mobilização social em torno do silêncio causado pelo texto quase liberado/quase censurado sucedeu a estratégia de deslocar o embate para o âmbito da justiça, também esse permeado de outras táticas, como a produção de um desgaste no âmbito dos órgãos de repressão e da imagem social da censura, além da criação do fato judicial que acabaria com o silêncio em torno do projeto *Calabar*.

Como água que corre entre as pedras, as práticas dos sujeitos envolvidos no processo mostram tanto o rigor do terreno na censura durante o governo Médici quanto as erosões e os deslocamentos que ali se processavam. *Calabar* só foi encenada em 1980. Mas, apesar de ter silenciado o texto, a Censura não saiu mais forte do episódio.

Um ano depois, num interregno temporal miúdo em termos históricos, o quase veto de *Gota D'Água* e a posterior liberação, sem maiores querelas, representaram quase o oposto do que ocorreu em *Calabar*.

À estratégia de veto de um texto forte e grande teor crítico com relação à sociedade que lhe era contemporânea, já esperada na avaliação dos técnicos da censura, veio ajuntar-se a tática de solicitação de um parecer extra, que serviu de base para as negociações com os produtores da peça. À estratégia, típica de Chico Buarque, de não lidar diretamente com os órgãos da censura para aprovar os textos, ajuntou-se a tática de Paulo Pontes (e de outros sujeitos da esfera da produção teatral) de diálogo com os superiores da censura, abrindo mão do que seria menos importante, em prol da essência do projeto. Uma bifurcação na trilha, que em vez de demarcar uma encruzilhada permitiu nova erosão no terreno da censura.

Houve, nas relações entre os sujeitos que vivenciaram o projeto de censura de *Gota D'Água*, um movimento típico do contexto da abertura política, que se iniciava, trajeto que se desenhou por táticas que "ajeitavam" as estratégias originais, tanto dos órgãos de censura quanto da produção do espetáculo. Práticas que apontam novos deslocamentos, coerentes com as erosões no arbítrio como um todo, insinuando, ainda, as permanências do autoritarismo.

Gota D'Água foi sucesso de público e crítica, tendo levado 200 mil pessoas ao teatro em seus primeiros doze meses de palco. Entretanto, ao final desse ano, Paulo Pontes indagava, pouco antes de morrer, porque é que a classe média não havia entendido o recado que lhe era dado por aquele texto. A sociedade brasileira continuava sendo "encurralada", nos dizeres dele próprio, pelo capitalismo caboclo engendrado durante a ditadura militar.

As relações da dramaturgia buarqueana com a censura "não andaram em trilhos de trem, senão como água que corre entre as pedras". "Dessa água regulada em princípio pelas redes institucionais que de fato ela vai aos poucos erodindo e deslocando, [e da qual] as estatísticas não conhecem quase nada."

REFERÊNCIAS

Bibliográficas

ALENCAR, Sandra Siebra. A censura *versus* o teatro de Chico Buarque de Hollanda, 1968-1978. *Acervo*, Rio de Janeiro, v. 15, n. 2, p. 101-114, jul./dez. 2002.

BERG, Creuza. *Mecanismos do silêncio:* expressões artísticas e censura no regime militar (1964-1984). São Carlos: EdUFSCar, 2002. 170 p.

BOURDIEU, Pierre. *Os usos sociais da ciência*. Por uma sociologia clínica do campo científico. São Paulo: Unesp, 2004.

BUARQUE, Chico; GUERRA, Ruy. *Calabar;* o elogio da traição. 5ª ed. Rio de Janeiro: Civilização Brasileira, 1974. (Coleção Teatro Hoje, 24.)

_______.; PONTES, Paulo. *Gota D'Água*. Rio de Janeiro: Civilização Brasileira, 1975. (Coleção Teatro Hoje, 28.)

CAROCHA, Maika Lois. *Pelos versos das canções*: um estudo sobre o funcionamento da censura musical na ditadura militar brasileira (1964-1985). Dissertação (Mestrado em História Social) – Universidade Federal do Rio de Janeiro, 2007.

CARVALHO, Raquel Melo Urbano de. *Curso de Direito Administrativo*. Parte Geral, intervenção do Estado e estrutura da administração. Salvador: Editora JusPodium, 2009.

CHARTIER, Roger. *Do palco à página* – publicar teatro e ler romances na época moderna – séculos XVI-XVIII. Rio de Janeiro: Casa da Palavra, 2002. 128 p.

CRUZ, Mônica de Souza Alves da. O processo de censura à peça teatral *Calabar*. 2002. Monografia (Bacharelado em História) – Universidade Federal do Rio de Janeiro.

DE CERTEAU, Michel. *A invenção do cotidiano*: artes de fazer. Petrópolis: Vozes, 1994.

FAGUNDES, Coriolano de Loyola Cabral. *Censura & liberdade de expressão*. Rio de Janeiro: Record, 1974. 405 p.

FICO, Carlos. Prezada Censura: cartas ao regime militar. In: *Topoi*, Rio de Janeiro, n. 5, p. 251-286, set. 2002.

GARCIA, Miliandre. A luta agora é na Justiça: o processo censório de *Calabar*. In: *PolHis – Boletín Bibliográfico Electrónico del Programa Buenos Aires de Historia Política*, v. 9, p. 1, 2012.

______. *Ou vocês mudam, ou acabam*: teatro e política na ditadura militar. Tese (Doutorado em História Social) – Universidade Federal do Rio de Janeiro, 2008.

HERMETO, Miriam. *Olha a* Gota *que falta*: um evento no campo artístico-intelectual brasileiro (1975-1980). Belo Horizonte: UFMG, 2010. (Tese de doutorado.)

SILVA, Alberto Mobby Ribeiro da. *Sinal fechado*: a música popular brasileira sob censura (1937-45/1969/78). Rio de Janeiro: Apicuri, 2008. 226 p.

NAPOLITANO, Marcos. A MPB sob suspeita: a música vista pela ótica dos serviços de vigilância política (1968-1981). In: *Revista Brasileira de História*, São Paulo, v. 24, n. 47, p. 103-126, 2004.

O lado jurídico da censura. (Entrevista com João Carlos Müller Chaves). Disponível em http://www.censuramusical.com/includes/entrevistas/Entrevista_-_Joao_Carlos_Muller_Chaves.pdf. Acesso em: 20 jul. 2012.

RODRIGUES, Carlos; MONTEIRO, Vicente; GARCIA, Wilson de Queiroz. *Censura federal*. Brasília: C.R. Editôra Ltda., 1971. 424 p.

ROSA, Hélia Viana; RAMOS, Alcides Freire. Calabar – *O elogio da traição* (Chico Buarque e Ruy Guerra): Dimensões estéticas e políticas no teatro brasileiro na década de 1970, Disponível em: http://www.propp.ufu.br/revistaeletronica/humanas2003/calabar.pdf. Acesso em: 5 fev. 2010.

STEPHANOU, Alexandre Ayub. *Censura no regime militar e a militarização das artes*. Porto Alegre: EDIPUCRS, 2001. 328 p. (Coleção História, 44.)

THEODORO Jr., Humberto. *O Mandado de Segurança*. Segundo a Lei n. 12.016, de 7 de Agosto de 2009. Rio de Janeiro: Forense, 2009.

Fontes orais

BUARQUE, Chico. Rio de Janeiro/RJ, Brasil, 14 mai. 2010. Mp3, 64 minutos e 19 segundos. Entrevista concedida a Miriam Hermeto.

HAUS, Max; HAUS, Vilma. Rio de Janeiro/RJ, Brasil, 14 mai. 2010. Mp3, 193 minutos e 57 segundos. Entrevista concedida a Miriam Hermeto.

Depoimento escrito

CARVALHO, Raquel Melo Urbano de. Depoimento escrito concedido a Miriam Hermeto em 1 set. 2010.

Fontes arquivísticas

ARQUIVO NACIONAL. Brasília, Divisão de Censura e Diversões Públicas. Departamento de Polícia Federal. Processo de censura da peça *Calabar*. BR AN, BSB NS. Cx 444.

ARQUIVO NACIONAL. Brasília, Divisão de Censura e Diversões Públicas. Departamento de Polícia Federal. Processo de Censura da peça *Gota D'Água*. BR AN, BSB NS. Cx. 361.

ARQUIVO NACIONAL. Rio de Janeiro, Divisão de Censura e Diversões Públicas. Departamento de Polícia Federal. Superintendência Regional do Rio de Janeiro. Serviço de Censura de Divisões Públicas. Processo de Censura da peça *Gota D'Água* – BR.AN.TN.2.5. CX. G7.

Periódicos

CASTRO, Tarso de; HOLLANDA, Chico Buarque de; SOARES, Dirceu. Chico. *Folha de São Paulo*, São Paulo, 11 setembro 1977, 34. Folhetim, p. 22-21.

SINDICALISMO E CORPORATIVISMO NO BRASIL:

O OLHAR AUTORITÁRIO DE OLIVEIRA VIANA[1]

Luciano Aronne de Abreu[2]

É corrente em nossa historiografia a interpretação de que o Brasil, durante a chamada Era Vargas (1930-45), foi marcado pelo início de um importante período de transição, caracterizado pela passagem de um sistema de base agroexportadora para uma sociedade de base urbano-industrial, sob um regime político autoritário, inspirado nos princípios do corporativismo estatal. Nesse sentido, tem-se aqui por objetivo não exatamente analisar as ações de modernização ou as práticas políticas do regime varguista, mas justamente seus princípios político-conceituais autoritários e corporativos. Antes disso, porém, são necessárias algumas breves referências contextuais e historiográficas para melhor situar o objeto de análise ora proposto.

Quanto à face modernizadora do primeiro governo Vargas, esta se mostraria mais claramente em seu plano institucional, não só na estrutura do Estado, mas também em suas relações com a sociedade.

---

[1] O presente texto, em sua versão em inglês, foi apresentado no 54 International Congress of Americanists, em Viena (54 ICA), ocorrido entre os dias 15 e 20 de julho de 2012. Essa versão, intitulada *Authoritarianism and Corporatism: Brazil under Getúlio Vargas* "Estado Novo", será publicada em livro resultante dos debates do Simpósio Corporatist States and Ideas in Europe and Latin America: Counter and Pro-Mobilization, Catholicism and Transfer (Austria, Portugal, Brazil and Argentina in the 1930s and 40s, do 54 ICA.

[2] Doutor em História da América Latina pela Universidade do Vale do Rio dos Sinos (UNISINOS). Professor do curso de História e do Programa de Pós-Graduação em História da Pontifícia Universidade Católica do Rio Grande do Sul (PUCRS). E-mail: luciano.abreu@pucrs.br .

A esse respeito, conforme Eli Diniz, se construiu um novo arcabouço político-institucional que permitiu "aumentar o poder interventor do Estado e expandir a capacidade de incorporação do sistema político, abrindo espaço para a representação dos interesses dos novos atores ligados à ordem industrial emergente e quebrando a rigidez da estrutura de poder preexistente" (1999, p. 25). Nesse sentido, em termos institucionais, esse novo Estado seria marcado por um crescente processo de racionalização da administração pública, segundo os princípios do universalismo de procedimentos e do insulamento burocrático[3], enquanto suas relações com a sociedade seriam reguladas pela lógica do corporativismo estatal.

No plano político, são também correntes as interpretações que definem esse mesmo período a partir do conceito marxista de "autonomização do Estado no Político", ou seja, um Estado "livre das injunções políticas e posto em situação arbitral em relação às frações dominantes, [que] retifica, corrige e promove coercitivamente novos arranjos institucionais, a par de desvendar novos caminhos para as classes econômicas e socialmente dominantes" (VIANA, 1978, p. 119). Nessa mesma perspectiva, talvez acentuando ainda mais o grau dessa autonomia do político, alguns historiadores definem a Era Vargas a partir do conceito de "Estado de Compromisso[4]", em que os espaços de poder seriam redistribuídos entre os velhos e os novos grupos incorporados às instâncias do poder estatal.

Acerca de tais interpretações, deve-se aqui observar que essas não são excludentes entre si, mas têm sentidos complementares. Assim, seja em seus termos econômicos, institucionais ou políticos, o

[3] A esse respeito, ver: NUNES, Edson. *A Gramática Política do Brasil*: clientelismo, corporativismo e insulamento burocrático. Rio de Janeiro: Jorge Zahar, 2007.

[4] Segundo Boris Fausto, vitoriosa a Revolução de 30, abre-se um vazio de poder com o colapso político da burguesia do café e a incapacidade das demais frações da burguesia de assumir o poder, em caráter exclusivo. O Estado de Compromisso, diz ele, é a resposta para essa situação. Ver: FAUSTO, Boris. *A Revolução de 30: historiografia e história*. São Paulo: Brasiliense, 1994, 13ª ed.

caráter modernizador da Era Vargas estaria diretamente assentado nos princípios autoritários de um corporativismo estatal, o qual corresponderia a uma "exasperação da sua autonomia política" e se constituiria num "instrumento burguês de realização do industrialismo a partir da compulsão do Estado" (VIANA, 1978, p. 119). Nesses termos, portanto, ainda que de forma muito breve, deve-se identificar quais seriam as principais características institucionais e as condições de plena realização do corporativismo estatal implantado no Brasil de Vargas, especialmente a partir de 1937.

Quanto à sua estrutura institucional, de acordo com o já citado processo de racionalização da administração pública, a criação de Conselhos Técnicos se constituiria na peça mais importante dessa engrenagem corporativa. A esse respeito, são exemplares os casos do Conselho Nacional do Café (1931), depois substituído pelo Departamento Nacional do Café; Conselho Federal do Comércio Exterior (1934); Conselho Técnico de Economia e Finanças (1934); Conselho Federal do Serviço Público (1936), depois substituído pelo Departamento Administrativo do Serviço Público; Conselho Nacional de Águas e Energia Elétrica (1939); Conselho Nacional de Política Industrial e Comercial (1943); e Comissão de Planejamento Econômico (1944). Além desses, seriam também peças essenciais dessa engrenagem os sindicatos, que se constituíam em órgãos delegados do poder público, e a Justiça do Trabalho, de caráter normativo e composta por representantes classistas.

Já em relação ao seu funcionamento, é corrente também em nossa historiografia a opinião de que o corporativismo estatal brasileiro jamais se realizou de forma plena, apesar da sua complexa estrutura institucional. Nesse período, como bem sintetiza Luiz Werneck Viana, "a linguagem corporativa reduziu-se aos pronunciamentos dos dirigentes políticos do Estado, e até isso por um lapso de tempo breve. Os institutos corporativos, contra a intenção visível do legislador, foram esvaziados de sua filosofia 'colaboracionista', convertendo-se em instrumentos de crua dominação de classes" (1978, p. 225). A esse mesmo respeito, Adalberto Cardoso diz que nos anos 1930 o Estado passou a se constituir no lugar de formulação das normas e regras de uso do trabalho (legislação trabalhista) e das normas e regras de distribuição dos frutos do trabalho (legislação social), tendo como contrapartida a repressão ao movimento sindical. Em suas palavras, conclui o autor, este se tratou de um "corporativismo maneta, porque fechado à voz dos trabalhadores nos mecanismos decisórios do aparelho de Estado" (CARDOSO, 2007, p. 113).

Diante dessas questões, como já referido, deve-se salientar que o presente estudo não se propõe a fazer uma análise, uma crítica ou mesmo um arrolamento da vasta historiografia pertinente ao corporativismo no Brasil. Sem negar que o corporativismo estatal brasileiro tenha se constituído num instrumento de dominação, e não de colaboração de classes, pretende-se aqui analisá-lo não a partir de suas práticas, como se estas estivessem esvaziadas de sua filosofia "colaboracionista", ou como se este fosse "maneta" , uma espécie de corporativismo deficiente, mas exatamente a partir dos seus princípios conceituais e políticos, definidos por Oliveira Viana ao longo de sua obra intelectual e de jurista.

Manoilesco e Oliveira Viana: breve aproximação

O corporativismo estatal brasileiro, na expressão de Luiz Werneck Viana, não seria resultado de uma "construção *ad hoc*, concebida ao sabor das pressões do momento", mas, ao contrário, seria a execução de um projeto elaborado anteriormente, "cujos objetivos estavam na modernização do Estado e da sociedade sem deslocar as antigas elites, na diversificação e crescimento da economia e numa nova forma de submeter as classes subalternas ao bloco das classes dominantes" (1978, p. 182). Ainda segundo Werneck Viana, os princípios básicos desse projeto nacional estariam ligados ao pensamento de Oliveira Viana e seu "empiricismo sociológico"[5], cujas proposições fundamentais teriam sido por ele definidas já em 1922, sendo estas a despolitização dos sindicatos e o controle econômico da classe operária (1978, p. 186). Em outro momento de seu estudo, referindo-se às relações entre a burguesia industrial e o Estado, Werneck Viana diz que este, em busca de soluções consensuais, faria chegar às entidades classistas (empresariais) cada nova proposta de legislação social, enquanto aquela deixaria de lado seus antigos apelos liberais de um mercado livre e confiaria ao Estado corporativo o controle das classes subalternas. Em suas palavras, sobre um relatório encaminhado pela FIESP ao governo, Werneck Viana diz que "em vez de Ford, cita-se agora Manoilesco, trazido à baila mesmo fora de contexto e sem serventia evidente para o desdobramento do argumento. Homenageia-se, assim, pouco veladamente, os cultores do escritor corporativista [...]" (1978, p. 173).

Ora, admitindo-se que o conceito de corporativismo estatal seja adequado para definir o Estado brasileiro sob Vargas; que seus princípios estejam ligados ao pensamento de Oliveira Viana e, mais genericamente, ao de Mikail Manoilesco; e que tal modelo político corporativo tivesse por objetivo modernizar o Estado e a sociedade sem

[5] Segundo Luiz Werneck Viana, o caráter autoritário do pensamento de Oliveira Viana seria resultado do seu "empiricismo sociológico", herdado de Alberto Torres. A esse respeito, diz o autor: "Não é contra o liberalismo em si que investe, mas contra sua aplicação no Brasil, que produziria o afastamento do país legal do real - o país dos clãs, patriarcal e invertebrado organicamente. As democracias liberais anglo-saxônicas se teriam instituído a partir da organização dos diferentes grupos sociais, identificados por um complexo sistema de lealdades com o Estado-nação. Em termos políticos, a plena cidadania só poderia corresponder a uma situação de paz social, como naqueles países, em que o interesse individual já se encontrasse disciplinado e orientado por partidos políticos e sindicatos de classe". Mais adiante, diz que Oliveira Viana associa o capitalismo moderno ao corporativismo, tendo por referência o New Deal, de Franklin Roosvelt. Em suas palavras, diz o autor: "De forma de trânsito, o autoritarismo, sob regime corporativo, passa a fundar um tipo novo e superior de convivência democrática, com a eliminação do sufrágio universal e sua substituição pela organização sindical das classes produtoras" (VIANA, 1978, p. 185).

deslocar as antigas elites, mas submetendo as classes subalternas; como seria possível também admitir que esse mesmo regime tivesse por pressuposto a cooperação e a solidariedade interclasses? De fato, teriam sido os institutos corporativos do Estado Novo esvaziados de sua filosofia "colaboracionista", como nos diz Luiz Werneck Viana, ou teriam esses institutos constituído um "corporativismo maneta", nas palavras de Adalberto Cardoso, por não darem voz aos trabalhadores nos processos decisórios do Estado? Ou, ao contrário disso, poder-se-ia dizer que o seu caráter autoritário e o sentido modernizador e de dominação de classes do corporativismo estatal brasileiro não se constituíam num desvio de sua filosofia, nem exatamente negavam os princípios gerais do corporativismo de Manoilesco, mas estavam em conformidade, sobretudo, com os princípios do idealismo orgânico, de Oliveira Viana?

A esse respeito, em primeiro lugar, deve-se observar que tanto Manoilesco quanto Oliveira Viana têm a preocupação de destacar a necessidade de adaptação de suas ideias às diferentes realidades nacionais, ainda que tenham em comum a crítica ao liberalismo e a defesa de um regime político autoritário, de tipo corporativo. O primeiro, procurando dissociar fascismo e corporativismo, diz que para isso seria necessário fazer-se "um trabalho de adaptação e, mais que isso, de criação, a fim de aplicar a teoria às realidades nacionais". Para Manoilesco, portanto, o corporativismo exclui "a ideia de cópia servil e exige em cada caso sutileza e destreza, bem como imaginação construtiva" (1938, p. XV). O segundo, por sua vez, ao defender o projeto de criação de uma Justiça do Trabalho corporativa no Brasil, diz que esta estaria baseada em uma nova concepção do Direito, de caráter sociológico e adaptado à dinâmica das realidades sociais, nascida "de uma crescente socialização da vida jurídica, cujo centro de gravitação se vem deslocando sucessivamente do indivíduo para o grupo e do grupo para a nação", em oposição ao que Viana chamou de "velha concepção individualista" do Direito (1938, p. 7).

Em segundo lugar, sem negar suas possíveis aproximações com Manoilesco, deve-se observar que não apenas o modelo corporativo proposto por Oliveira Viana não corresponde exatamente àqueles tipos definidos pelo autor romeno como também sua fundamentação teórica e conceitual irá, muitas vezes, se referir à chamada escola sociológica de interpretação, a "new school, da sociological jurisprudence" norte-americana (1938, p. 14), o que é geralmente pouco destacado ou mesmo não referido pela historiografia pertinente ao tema.

Nesses termos, com vistas a compreender os princípios conceituais e políticos do corporativismo estatal brasileiro, conforme definidos por Oliveira Viana, deve-se começar por identificar seus possíveis pontos de contato com o pensamento de Manoilesco e, a seguir, como esse autor brasileiro se refere às ideias da "sociological jurisprudence" norte-americana, de modo a justificar o modelo corporativo por ele proposto para o Brasil.

Para Manoilesco, no século XX, a ideia corporativista não se constituiria apenas na expressão de um mero capricho intelectual, mas numa fórmula de salvação nacional, numa necessidade lógica derivada das condições próprias do período histórico que então se vivia. Em suas palavras, referindo-se de forma metafórica ao sentido do desenvolvimento histórico, o autor diz que "no mar, o nadador pode encaminhar-se em qualquer direção. Mas aquele que segue a direção da correnteza realiza as maiores proezas" (1938, p. 5). O século XX, portanto, como indica o próprio título de seu livro, seria "O Século do Corporativismo". Esse século seria marcado por uma grande transformação da economia mundial, especialmente da descentralização industrial, sendo a formação de autarquias a principal tendência dessa nova etapa do desenvolvimento econômico internacional, em que os países agrícolas procuram industrializar-se e os industrializados buscam desenvolver a agricultura. Em consequência, diz Manoilesco, cada país terá que passar por uma reorganização "destinada à afirmação de sua organização unitária na economia internacional", adotando como princípio invariável "a regra de nada conceder a outro, sem receber em troca favor correspondente". Para tanto, diz ele, cada nação deverá permanecer como unidade nacional distinta, mas mantendo internamente uma coesão até então inexistente: "o caráter unitário e solidário de cada país será imposto pela necessidade decorrente das dificuldades da época" (1938, p. 8-9).

Em face dessas transformações, Manoilesco identifica o que ele chamou de "imperativos do século XX" – a solidariedade nacional (nacional-idealista), a organização, a paz e a colaboração internacional e a descapitalização –, sendo o corporativismo a doutrina do Estado mais adequada para responder às suas demandas.

No primeiro caso, o imperativo da solidariedade nacional, as novas condições da economia mundial levariam ao rompimento dos vínculos que ligavam os indivíduos de diferentes países e a crescente submissão destes à influência do Estado, a quem caberia "fixar a direção e a descarga de cada corrente comercial dirigida ao exterior", devendo toda a ação individual enquadrar-se nos planos do Estado e ser exercida por meio dos órgãos estatais (MANOILESCO, 1938, p. 12). Nesse sentido, os interesses nacionais passariam a preponderar de forma absoluta sobre os individuais, e a organização do Estado tomaria uma forma unitária, com características de solidariedade sem precedentes. Em suas palavras, Manoilesco diz que a solidariedade nacional envolve a íntima coordenação dos interesses dos indivíduos e dos grupos: "Como em nenhum outro período histórico, a nação torna-se hoje uma coletividade cimentada pelo espírito de solidariedade. O Estado é a expressão suprema dessa solidariedade" (1938, p. 13). O protótipo desse novo Estado, segundo Manoilesco, seria o Estado fascista, em oposição ao tipo de Estado "descontínuo, desarticulado e amorfo" do século XIX, que mantinha os povos numa existência "triste e medíocre" (1938, p. 17).

Quanto ao imperativo da organização, Manoilesco busca na evolução da natureza, das formas mais simples às mais complexas, as lições para indicar os rumos do desenvolvimento social. Em suas palavras, considerando que a natureza apresenta sempre organismos mais complexos e mais organizados, o autor diz que "superioridade e organização são sinônimos na escala da evolução da vida", e que o desenvolvimento das sociedades "segue a mesma linha e caracteriza-se pela mesma complexidade crescente da organização" (1938, p. 20). No caso da evolução social, porém, sua peculiaridade seria que em todos os períodos do desenvolvimento histórico "o último fator introduzido no jogo das forças sociais prepondera sobre os outros como elemento dominante na etapa de evolução iniciada pelo aparecimento desse novo elemento" (1938, p. 21). Em outras palavras, de forma mais concreta, Manoilesco divide a evolução da humanidade em quatro diferentes fases: as etapas da natureza, do trabalho, do capital e, a mais recente de todas, a da organização. Sobre esta última etapa, destaca especialmente seu caráter independente, sobrepujando e substituindo completamente a natureza, o trabalho e o capital na organização do social. Entretanto, ressalva o autor, esta ideia de organização se impõe sobretudo no domínio econômico, dadas as restrições à expansão capitalista no século XX, ao contrário da liberdade que teria existido no século XIX: "a fórmula de nossa época é realizar em um espaço restrito e com meios restritos o máximo de resultados econômicos. Essa fórmula não é mais a liberdade e sim a organização" (1938, p. 22-23). Nesse sentido, define Manoilesco, economia organizada seria aquela na qual domina o "princípio da organização da produção e da circulação", ao invés da "anarquia individualista". Esta, no entanto, não deve ser confundida com a economia dirigida, que traz em si "uma ameaça de estatismo e de centralismo que nos repugna" (1938,

p. 24-25), pois não caberia ao Estado adquirir as funções econômicas, mas, ao contrário, seriam justamente os fatores econômicos que deveriam adquirir grande parte das funções do Estado atual. Daí o sentido de uma economia organizada, e não dirigida, conclui o autor romeno.

Sobre o imperativo da paz e da colaboração internacional, que seria válido para todas as etapas da evolução da humanidade, Manoilesco diz que as grandes mudanças econômicas do século XX requerem muita calma e tranquilidade, já que a guerra "não resolve nunca os problemas do desequilíbrio econômico internacional, ao contrário, agrava-os" (1938, p. 26). Em sua opinião, após a criação da Sociedade das Nações, os grandes problemas da humanidade estariam sendo encaminhados pelo "método racional", e não mais pelo que chamou de "método histórico", que consistia simplesmente em "realizar a adaptação por meio de tentativas e sofrimentos" (1938, p. 27).

Já o imperativo da descapitalização, ou a atenuação do capitalismo, como também se refere Manoilesco, teria por sentido "substituir em um domínio qualquer da produção o regime do capital privado por um outro que for suscetível de continuar a produção sem proveito para o capital ou com proveito muito pequeno" (1938, p. 28). Mais adiante, procurando definir de forma mais clara esse imperativo, que deveria ser realizado num regime de ordem política e social, Manoilesco diz que o ideal seria achar um sistema de propriedade e produção "que permitisse guardar intacta a iniciativa privada, com todo seu valor estimulante e criador, diminuindo enormemente a recompensa que esta iniciativa obtém hoje, quando reveste o caráter de propriedade privada" (1938, p. 29). Esta seria, segundo ele, a chave para resolver a crise mundial, permitindo que a produção não sobrecarregasse a venda com um excesso de capital, que então se constituía no principal problema econômico da Europa Ocidental.

A respeito de tais "imperativos do século XX", que fariam deste "O Século do Corporativismo", pode-se afirmar que as observações e previsões de Manoilesco sobre a evolução histórica da humanidade não teriam sido tão precisas quanto ele talvez desejasse. De um lado, quanto aos imperativos da solidariedade e da organização, estes teriam se materializado de forma mais específica na organização do regime fascista italiano, com a submissão do indivíduo ao Estado e com a ação mais efetiva deste no sentido de estruturar o que o autor chamou de uma economia organizada. De outro lado, contudo, os imperativos da paz e da colaboração internacional e da descapitalização não teriam se efetivado nem mesmo nesse regime, considerando-se o caráter militarista e expansionista do governo de Mussolini, aliado da Alemanha nazista e um dos principais envolvidos no conflito mundial que seria deflagrado no ano seguinte à publicação da obra de Manoilesco.

Sobre essas mesmas questões, que Manoilesco supunha serem universais, deve-se desde já destacar sua inadequação para pensar o modelo político autoritário e corporativo brasileiro. Ao menos, é claro, na perspectiva de Oliveira Viana, que buscou identificar as raízes históricas de nossos próprios problemas e propor para eles soluções adequadas à realidade e à cultura nacional. Nesses termos, desde "Populações Meridionais do Brasil (1920)", esse autor dizia que "estamos sendo como os fumadores de ópio, no meio de raças ativas, audazes e progressivas. Há um século estamos vivendo de sonhos e ficções, no meio de povos práticos e objetivos" (1920, p. XI). Assim, dizia ele, precisamos mudar nossos métodos de educação, de política, de legislação e de governo: "Devemos doravante jogar com fatos, e não com hipóteses, com realidades, e não com ficções, e, por um esforço de vontade heroica, renovar as nossas ideias, refazer a nossa cultura, reeducar nosso caráter" (1920, p. XII). A seguir, em sua obra *O Idealismo na Evolução Política do Império e da República* (*1922*), Viana definiria estes "fumadores de ópio", por ele associados às nossas elites liberais, como "idealistas utópicos", por terem supostamente instituído no Brasil leis e instituições que estariam em desacordo com as condições reais e orgânicas de nossa sociedade. Em oposição a estes, o autor exaltaria a importância dos chamados "espíritos conservadores" para a construção da nação brasileira, definindo-os como "idealistas orgânicos", por fundarem suas ações na observação da sociedade e de sua realidade, sendo seu idealismo fundado na experiência, uma "visão antecipada da realidade futura" (1922, p. 15-16).

Na ótica de Oliveira Viana, portanto, o autoritarismo e o corporativismo se justificariam no Brasil não exatamente pelos "imperativos do século XX", mas por uma espécie de "imperativo nacional", ou seja, pelas condições orgânicas de sua sociedade, marcada historicamente pela dispersão dos latifúndios, pela insolidariedade social, com exceção da solidariedade de clãs, e pela inexistência da organização de classes.[6] Essa mesma visão seria reiterada pelo autor mesmo após a queda do Estado Novo, já em 1952, na obra *Problemas de organização e problemas de direção: o povo e o governo*. Nesse momento, Viana diria que os problemas por ele apontados há 30 anos apresentavam-se agora ao país com gravidade ainda maior, sendo necessário ao Brasil suprir suas deficiências para se adequar às condições de seu tempo. A esse respeito, porém, de acordo com a sua dita concepção orgânica da sociedade brasileira, Viana destacaria que esta não se tratava de uma adaptação passiva, de pura imitação, "mas de uma adaptação ativa, orientada no sentido da aquisição das qualidades que nos faltam, na luta contra os grandes povos concorrentes". Para tanto, diz ele, temos que "completar a formação técnica, cultural e moral do povo brasileiro, de modo a conformá-lo a esse novo meio

[6] A esse respeito, ver: VIANA, Oliveira. *Populações Meridionais do Brasil*. São Paulo: Monteiro Lobato & Companhia, 1920.

ideal, ao novo padrão da vida espiritual, mais adequado às condições presentes e futuras do mundo" (1974, p. 131-132).

Dito isso, ainda que Oliveira Viana não se refira em sua obra aos chamados "imperativos do século XX", que não corresponderiam exatamente às condições orgânicas da sociedade brasileira, aos seus "imperativos nacionais", pode-se estabelecer algumas relações entre este autor brasileiro e o romeno a partir de suas comuns preocupações com as questões da solidariedade e da organização e de suas referências ao regime italiano, que servirão de justificativa para suas respectivas e distintas propostas de regimes autoritários e corporativos. Sob a ótica de Oliveira Viana, porém, solidariedade e organização devem ser pensadas no Brasil de forma conjunta e a partir de sua negação, visto que a sua sociedade seria historicamente marcada, como já citado, justamente pela insolidariedade e pela falta de organização.

A esse respeito, ao se referir ao modelo político vigente no Brasil até 1930, de características democrático-liberais, Viana diria que seus princípios estavam em desacordo com as condições psicológicas e estruturais do povo, assentados em presunções que não teriam no Brasil nenhuma objetividade, tais como a existência de uma opinião pública organizada e de sua expressão por meio de partidos políticos e do sufrágio universal. Ao contrário disso, a inexistência de solidariedade de classe e de uma opinião organizada resultaria na ausência de qualquer sentimento de interesse coletivo e na falência desse tipo de regime. Em sua opinião, portanto, a solução dos problemas brasileiros seria muito mais complexa que simples reformas constitucionais: "Pode-se dizer mesmo que o estabelecimento deste regime político em nosso povo é antes de tudo um problema social e econômico e só secundariamente um problema político e constitucional" (VIANA, 1939, p. 112).

Mais adiante, sobre o regime instituído no país a partir de 1937, de características autoritárias e inspiração corporativista, Oliveira Viana definiria o Estado Novo como um governo democrático e representativo, baseado na soberania do povo, sendo este uma reação à antiga preponderância do parlamento e seu espírito faccioso, pela esterilidade de sua ação legislativa e pela ausência de preocupação com os interesses coletivos pelos partidos (1939, p. 122-123). Essa democracia, no entanto, não seria mais de tipo liberal, mas uma "Democracia Autoritária", isto é, "a democracia fundada na autoridade e não mais na liberdade, como princípio essencial" (1939, p. 149). Nesse caso, dada a citada inadequação dos partidos e do sufrágio às condições reais da sociedade brasileira, Viana diz que o único meio de corrigir esse erro seria conferir a função de expressar a opinião pública "às corporações econômicas, às corporações de cultura, às corporações religiosas e, especialmente, às associações de classe; em suma, a todas as organizações que exprimam uma função social útil ou um interesse coletivo positivo" (1939, p. 193-194). Essas seriam as novas e legítimas fontes da opinião democrática no Brasil, as quais poderão informar o governo "dos diversos interesses coletivos, que devem ser, ou vigiados, ou tutelados, ou defendidos, ou atendidos pelo Estado" (1939, p. 213). Na definição de Viana, essa seria a verdadeira democracia, uma democracia corporativa baseada na colaboração preponderante das classes econômicas. No entanto, ao contrário do que ocorria nos regimes de partido único da Itália e da Alemanha, Oliveira Viana diz que o mais adequado à realidade brasileira seria um regime de "Presidente Único. Isto é, do presidente que não divida com ninguém a sua autoridade; do presidente em quem ninguém mande; do presidente soberano, exercendo, em suma, o seu poder em nome da nação, só a ela subordinado e só dela dependente" (1939, p. 207). Esse presidente, que se colocaria acima dos partidos e dos grupos de qualquer natureza, deveria "dirigir a nação do alto, num sentido totalitário, agindo como uma força de agregação e unificação – e não como uma força de desagregação e de luta" (1939, p. 208).

Nesses termos, em contraponto ao pensamento de Manoilesco e seus imperativos do século XX, pode-se não apenas reafirmar a já citada visão negativa de Oliveira Viana sobre a solidariedade e a organização na sociedade brasileira, mas também dizer que o resultado de tal condição social seria a subordinação da sociedade ao Estado no Brasil, sendo este o responsável pela construção e expressão daqueles princípios no país. De um lado, em sentido próximo ao de Manoilesco, Viana também atribui ao Estado a missão suprema de expressar a solidariedade nacional, ainda que no Brasil esta seja representada pela figura de um "Presidente Único", a quem caberia agregar e unificar a sociedade, o único capaz de falar em nome dos verdadeiros interesses nacionais. De outro lado, porém, em sentido inverso ao de Manoilesco, a "Democracia Autoritária" proposta por Viana não seria exatamente o resultado da organização das classes econômicas, que passariam a adquirir parte das funções do Estado, mas seria justamente ela a responsável por organizar essas classes como fonte de opinião alternativa ao parlamento, como nova forma de expressão dos interesses coletivos, que seriam "vigiados, ou tutelados, ou defendidos" pelo próprio Estado.

A inversão dessa lógica seria ainda reafirmada por Oliveira Viana após a queda do Estado Novo, já na década de 1950, quando diria que era necessário aos brasileiros formar uma nova consciência, uma nova mentalidade social, de modo a se ajustarem às instituições solidaristas do Estado moderno. Entre esses, porém, ao contrário dos europeus, a tradição e o espírito de solidariedade não teriam sido dadas pela história, mas seriam o resultado da educação pelo Estado. Para Viana, portanto, "inverte-se, destarte, o problema: no mundo europeu, as instituições de solidariedade social (sindicatos, convenções coletivas, associações, corporações, autarquias etc.) assentam-

-se sobre um substrato psicológico preexistente porque de origem histórica"; no Brasil, a exemplo dos demais povos latino-americanos, "essas instituições é que irão criar, pela educação e pela coação, esse substrato psicológico, ou, com mais propriedade, culturológico" (1974, p. 41-42).

Ainda sobre o imperativo da organização, mais especificamente, deve-se destacar as diferentes premissas das quais partiram Manoilesco e Oliveira Viana em suas análises, respectivamente, dos casos europeu e brasileiro. Para o primeiro, como já referido, o século XIX teria sido marcado pela grande riqueza do Ocidente europeu, dada sua grande liberdade de expansão e exploração (territorial e comercial) do resto do mundo; o século XX, ao contrário, seria muito mais pobre e marcado por profundas restrições à sua expansão, daí resultando sua necessidade extrema de organização. Em suas palavras, diz Manoilesco: "a fórmula de nossa época é realizar em um espaço restrito e com meios restritos o máximo de resultados econômicos. Essa fórmula não é mais a liberdade e sim a organização" (1938, p. 22-23). Já para o segundo, ainda que Oliveira Viana continuasse, em 1952, a defender para o Brasil um regime de tipo corporativo, ele diria não ser possível organizar a vida econômica nacional de acordo com os padrões estabelecidos pelos "ortodoxistas do sistema", como se refere a Manoilesco e Costamagna. Ainda nessa época, dizia que "o processo da nossa organização corporativa terá que ser realizado por etapas, paulatinamente", dando "a esta ideia e ao regime correspondente uma solução nossa" (1974, p. 75-76). Isso porque, segundo Viana, o problema da dimensão geográfica na Europa era muito distinto do Brasil, já que lá "a terra está toda tomada", enquanto aqui temos "um imenso fundo ainda desaproveitado e a explorar". Em suas palavras, diz o autor brasileiro: "não nos seria conveniente adotar um regime econômico de controle e limitação, como é o regime corporativo. [...] Nossa política econômica tem que se conciliar com os imperativos da nossa política demográfica. Esta é a verdade: temos ainda necessidade de cultivar o espírito do bandeirismo" (1974, p. 77-78).

Nessas condições, portanto, ainda que não negasse suas influências no modelo brasileiro, as referências de Oliveira Viana ao fascismo italiano seriam também naturalmente distintas daquelas de Manoilesco. Isso porque, ao mesmo tempo em que o autor romeno afirma a distinção entre corporativismo e fascismo[7], ele exalta o caráter positivo desse regime em sua fase pós-revolucionária, que teria realizado uma obra construtiva de caráter universal, justamente a organização corporativa. Dessa forma, sugerindo sua estreita relação com o regime italiano, Manoilesco diz que para a elaboração de uma doutrina corporativa autônoma do fascismo "torna-se imprescindível fazer um trabalho de adaptação e mais que isso de criação, a fim de aplicar a teoria às realidades nacionais" (1938, p. XV). Enquanto isso, porém, como bem criticou Azevedo Amaral em seu prefácio à edição brasileira de *O Século do Corporativismo*[8], pode-se supor que Manoilesco estabelecesse uma associação direta entre corporativismo e fascismo, ainda que esse regime contrariasse os princípios essenciais do chamado "corporativismo puro". De sua parte, porém, talvez imbuído do desejo de propor ao Brasil um modelo político adequado à realidade e à cultura nacional, conforme os princípios do seu "idealismo orgânico", e da necessidade de diferenciar o Estado Novo brasileiro do fascismo italiano, Oliveira Viana diria que nem o regime de 1937 é fascista, nem a lei sindical brasileira deveria se orientar pelo fascismo. Em suas palavras, diz ele, na elaboração do antiprojeto de lei

[7] Segundo Manoilesco, o fascismo resultou de uma revolução nacional, por causas especiais e com o objetivo de resolver os problemas peculiares do meio nacional em que surgiu. O fascismo é uma mercadoria que não pode ser exportada. Em suas palavras, diz o autor: "aliás, todas as tentativas de imitação do fascismo fracassaram diante de um obstáculo irremovível. O fascismo de puro estilo italiano pressupõe a personalidade de um Mussolini" (1938, p. XV).

[8] A obra *O Século do Corporativismo*, de Mikail Manoilesco, foi traduzida para o português no mesmo ano da publicação de sua primeira edição, em francês, em 1938. Seu tradutor foi Azevedo Amaral, um dos principais intelectuais autoritários brasileiros, ligado ao regime do Estado Novo.

sindical "pus inteiro meu pensamento dominante e, devo confessar, só deixei filtrar, da doutrina, legislação e jurisprudência italianas, o que me pareceu mais compatível ou consoante com as nossas condições, os nossos interesses ou o nosso espírito nacional" (1943, p. 30).

Ora, considerando-se suas aproximações e afastamentos em relação ao pensamento de Mikail Manoilesco e seu modelo de corporativismo, deve-se a seguir procurar definir em que consistia o chamado corporativismo de Estado (ou estatal) que Oliveira Viana propôs como sendo o mais adequado à realidade brasileira, de caráter autoritário, modernizador e baseado não na cooperação, mas na dominação de classes.

Corporativismo de estado, segundo Oliveira Viana

Em primeiro lugar, deve-se observar que, já em 1930, Oliveira Viana defendia que "as grandes classes econômicas" deveriam se colocar em condições de exercer os poderes públicos no Brasil, onde a competência parlamentar deveria ser substituída pela competência técnica. Ao contrário da Europa, onde o "ciclo dos parlamentos oniscientes" estaria encerrado, Viana diz que no Brasil ainda há muita gente que acredita com sinceridade "que um mocinho qualquer, de anel de rubi no dedo, só pelo simples fato de acontecer ter sido nomeado deputado, fica por isso mesmo, sem mais nada, com a competência para discutir ou elaborar uma lei sobre a metalurgia do ferro ou sobre a profilaxia antipalúdica" (1930, p. 158).

Na Europa, ainda que o autor cite como exemplos dessa mudança os casos de vários países, aí incluídas Bélgica, França e a Inglaterra "dos parlamentos onipotentes", como Viana a ela se refere, suas principais referências seriam ao caso italiano, onde "os projetos saem diretamente desse Conselho Técnico para os órgãos executivos do governo, sem passarem, nem mesmo em visita de cortesia, pela grande assembleia tradicional" (1930, p. 167). No Brasil, ao contrário, toda obra legislativa e administrativa seria feita exclusivamente por sua elite que está no poder, sem qualquer tipo de intervenção ou colaboração das classes. Tal situação se manifestaria, inclusive, na elaboração da legislação social brasileira, sendo as leis de acidentes, de férias, de regulamentação das horas de trabalho, de regulamentação do trabalho de menores e mulheres, de aposentadorias e de seguros operários, por exemplo, "obra privativa do governo". Em suas palavras, diria Viana, "nunca se ouviu, nem ninguém julga que seja preciso ouvir, as duas grandes classes – a dos operários e a dos patrões – cujos interesses vão ser afetados de um modo decisivo por estas leis" (1930, p. 174-175).

De um lado, portanto, pode-se dizer que os países europeus citados serviriam de exemplo ao Brasil, sendo o caráter técnico e corporativo dos seus governos uma nova tendência legislativa dos Estados modernos, uma nova etapa de seus desenvolvimentos, talvez uma espécie de "imperativo do século XX", como definiria Manoilesco. De outro lado, contudo, mais uma vez destacando a inexistência de espírito corporativo e de organização de classes no Brasil, Viana diria que "é bem possível que nenhum destes sistemas nos sirva e que tenhamos mesmo de engenhar um sistema nosso, ao nosso jeito, uma solução própria, adaptada ao nosso meio; como é possível também que não engenhemos solução ou sistema algum", mas nos resignemos em aplicar em escala modesta estes "largos e ousados métodos de política contemporânea" (1930, p. 181-182).

Ora, coerente com a já citada lógica de seu pensamento, Viana não apenas admite a inadequação dos modelos europeus ao caso brasileiro, como também assume a possível incapacidade de nossa sociedade em adequá-los de forma autônoma à realidade nacional. Nesses termos é que o autor irá propor, especialmente em suas obras

Problemas de Direito Corporativo (1938) e *Problemas de Direito Sindical* (1943), seu modelo de corporativismo de Estado, como veremos a seguir. Antes disso, porém, deve-se referir que, ainda em 1930, Oliveira Viana já identificava no Conselho Nacional do Ensino (1911), no Conselho Nacional do Trabalho (1923) e no Conselho Superior da Indústria e Comércio (1923) uma espécie de embrião dos conselhos técnicos no Brasil, inspirados nos Conselhos Nacionais "das grandes nações europeias, particularmente a França, a Itália, a Alemanha" (1930, p. 185).

Tais conselhos, cujas características seriam exaltadas e descritas com certa minúcia por Oliveira Viana, teriam sido organizados e constituídos não exatamente a partir da sociedade, mas do próprio Estado, a quem competia indicar a maioria dos seus integrantes, mesmo aqueles definidos como técnicos, sem que houvesse entre eles nenhum representante das classes trabalhadoras.[9] Mais do que espaços de colaboração de classes ou de exercício do poder pelas "grandes classes econômicas", portanto, a constituição desses conselhos nos sugere que estes seriam uma espécie de órgãos integrantes ou auxiliares da administração pública, diretamente subordinados ao Estado, tal como se daria também no corporativismo de Estado proposto por Viana durante o Estado Novo.

[9] Sobre a composição desses conselhos, Oliveira Viana diz que eles seriam constituídos por especialistas e técnicos "colhidos por força da própria lei, a) nas esferas da alta administração; b) nos centros de cultura especializada; principalmente no seio das associações de classe" (1930, p. 187). Apenas a título de exemplo, citam-se os representantes do Conselho Superior do Comércio e Indústria: "há ali cinco representantes do Ministério da Agricultura; há ali cinco representantes do Ministério da Fazenda; há ali três representantes do Ministério da Viação; há ali um representante do Ministério das Relações Exteriores - ao todo quatorze. Todos, altos funcionários técnicos, diretores-gerais e inspetores-gerais dos serviços destes Ministérios. Mas ao lado destes, e em maioria, outros técnicos, especialistas, outras competências, outros práticos: o Banco do Brasil, pelo seu presidente; a Federação das Associações Comerciais do Brasil, com quatro representantes; a Associação Comercial do Rio de Janeiro, com um representante; a Liga do Comércio do Rio de Janeiro, com um representante; o Centro de Fiação e Tecelagem de Algodão do Rio de Janeiro, com um representante; a Sociedade Nacional de Agricultura, com dois representantes; e mais nove pessoas de reconhecida competência em assuntos econômicos - ao todo vinte e seis" (1930, p. 188-189).

A esse respeito, ao mesmo tempo em que Oliveira Viana destaca as "tendências declaradamente corporativas" do regime constitucional de 1937, ele também afirma a necessidade de darmos "execução aos seus preceitos relativos à organização sindical das nossas atividades profissionais e econômicas, como base da futura organização corporativa" (1943, p. 25). Em outras palavras, portanto, como bem admite Viana, pode-se dizer que o corporativismo se constituía numa tendência determinada pelo próprio Estado, numa perspectiva de futuro para o Brasil, mas não exatamente numa realidade política e institucional do regime de Vargas. Sobre essas tendências e as propostas de Oliveira Viana para lhes dar execução, sobretudo em relação à legislação trabalhista e sindical, aí incluído seu projeto de criação de uma Justiça do Trabalho, devem-se observar suas declaradas influências não de Manoilesco, mas da "new school", da "sociological jurisprudence" norte-americana e sua suposta adequação ou adaptação à realidade brasileira.

Em polêmica com o então deputado Waldemar Ferreira[10], que criticara o caráter normativo da Justiça do Trabalho proposto por Oliveira Viana, este responde que suas divergências não se deviam apenas a questões de técnica interpretativa da Constituição, mas a um conflito entre duas concepções do Direito: de um lado, a "velha concepção individualista" advinda do Direito Romano, do Direito Filipino e do Direito Francês, que nos teriam chegado através do *Corpus Juris*, das Ordenações e do Code Civil; de outro, "a nova concepção nascida da crescente socialização da vida jurídica, cujo centro de gravitação se vem deslocando sucessivamente do indivíduo para o grupo

[10] A obra *Problemas de Direito Corporativo* se compõe de uma série de artigos publicados por Oliveira Viana no *Jornal do Comércio*, em resposta às críticas do deputado Waldemar Ferreira ao seu projeto de organização da Justiça do Trabalho no Brasil, enviado para aprovação na Câmara dos Deputados ainda antes da instalação do regime do Estado Novo. Em suas próprias palavras, diz Viana: "tendo participado da organização do projeto, achei que me corria o dever de vir a público defendê-lo. [...] Nesse sentido, escrevi uma série de artigos, que vieram a lume no *Jornal do Comércio*, e que são exatamente os sete estudos que compõe este livro" (1938, p. 5).

e do grupo para a nação, compreendida esta como uma totalidade específica" (1938, p. 7).

Para exemplificar tais concepções e suas diferenças, o autor toma como referência o caso dos Estados Unidos, onde seus juristas adotariam um duplo método de técnica, a interpretação e a construção. Em suas palavras, sobre as regras da interpretação, Viana diz que o sentido da Constituição "é o que resulta da sua letra, do seu conceito gramatical e lógico e do confronto com outros dispositivos", enquanto as regras da construção iriam além desses critérios lógicos e históricos, incluindo também um "outro critério extrajurídico, ou metajurídico – porque de natureza política" (1938, p. 12). Os partidários do primeiro método, da "old school", de Corwin, da "mechanical jurisprudence", de Pound, seriam "puros intérpretes da lei, manejadores rigoristas e mecânicos das regras da interpretação". Já os partidários do segundo método, da "new school", da "sociological jurisprudence" de Llewellyn (Holmes, Brandeis, Stone, Cardozo), seriam espíritos pragmáticos para quem "a Constituição é um instrumento de que a sociedade se utiliza para os seus fins de progresso e de ordem, uma construção plástica e dinâmica, cujo texto deve estar permanentemente vitalizado pelos influxos das realidades sociais [...]" (1938, p. 14).

Associado a isso, a fim de justificar os novos papéis que seu projeto de criação da Justiça do Trabalho atribui aos juízes e ao "Estado Legislador", Oliveira Viana se refere também ao catedrático italiano Del Vecchio, que, ao destacar a pluralidade das fontes jurídicas, diz: "o que existe nos Códigos é vivo; mas há muita coisa que não está nos Códigos" (1938, p. 21). Nesse sentido, conclui Viana sobre as novas tendências do Direito moderno: 1) o juiz de hoje não está mais circunscrito ao texto da lei, mas "é um órgão vivo de elaboração legal, com uma amplitude de poder no manejo dos textos que permite ser um verdadeiro legislador"; 2) o "Estado Legislador" deve admitir novas fontes de normas jurídicas, normas elaboradas pelos grupos sociais e pelas coletividades organizadas. Com isso, diz ele, "alargam-se os horizontes da exegese 'interpretativa' e 'construtiva', até então restrita e constrangida exclusivamente no exame dos textos" (1938, p. 22).

No caso brasileiro, ao contrário do que Viana diz ser um movimento geral nos Estados Unidos e na Europa, nossos centros de cultura jurídica não estariam manifestando as concepções relativas às novas fontes do Direito positivo, nem mesmo os novos horizontes da exegese constitucional abertos pela metodologia da "new school" norte-americana. Em suas palavras, diz o autor, "no tocante, por exemplo, à interpretação dos textos constitucionais não foi feita aqui ainda uma distinção muito clara entre construção e interpretação" (1938, p. 27). O melhor exemplo disso seria exatamente o "modo porque estão sendo interpretados e entendidos os dispositivos da nova Constituição relativos à organização e competência da Justiça do Trabalho" (1938, p. 29). De acordo com seus próprios conceitos, talvez se possa dizer que Oliveira Viana associa a técnica da interpretação jurídica ao "idealismo utópico" e a técnica da construção ao "idealismo orgânico". Nesses termos, portanto, é que o autor irá propor a criação no Brasil de uma Justiça do Trabalho de caráter normativo, não mais limitando a atuação dos juízes ao texto estrito da lei, e, ao mesmo tempo, admitindo a validade de novas fontes de normas jurídicas, elaboradas por coletividades organizadas, como os sindicatos, por exemplo.

Sobre a questão normativa da Justiça do Trabalho, Oliveira Viana destaca que esta se justificaria, de um lado, por necessidades próprias da administração pública; e, de outro, por serem suas decisões sempre relativas a conflitos coletivos.

No primeiro caso, diz Viana, negar seu caráter normativo sob alegação do princípio da não delegação de poderes[11] poderia tornar impossível a administração da coisa pública. Em sua opinião, o "mandamento proibitivo quebra-se em face dos próprios imperativos da prática administrativa" (1938, p. 40), conforme o autor observa ocorrer em países como Itália, Inglaterra, Estados Unidos, Alemanha, Áustria e Austrália, que ele chama de "mundo civilizado". Em tais nações, diz Viana, estaria ocorrendo um movimento geral de descentralização das atividades do Estado, dada a crescente complexidade das funções do Estado moderno, suas tendências totalitárias ou universalistas e a necessidade de reagir contra a descentralização geográfica, o que implicaria também numa descentralização jurídica (1938, p. 48-49). Nesse sentido, destacando especialmente o caso dos Estados Unidos, o autor conclui que não há nenhuma correlação necessária entre competência normativa e regime corporativo. Em suas palavras, diz que o fundamento do caráter normativo dos tribunais do trabalho não é o regime político dominante num dado país, mas "é a natureza mesma da decisão, é a peculiaridade do conflito a ser julgado, é a própria estrutura das organizações econômicas contemporâneas. O fundamento da normatividade é orgânico – e não político" (1938, p. 94).

No segundo caso, como Oliveira Viana faz questão de enfatizar, o caráter normativo dos tribunais do trabalho só existiria em face dos conflitos coletivos do trabalho, sendo essa justiça própria não para julgar questões jurídicas ou de técnica jurídica, mas apenas

[11] Em sua crítica ao caráter normativo da Justiça do Trabalho, o deputado Waldemar Ferreira dizia que este contrariava os princípios de nosso direito judiciário tradicional e da própria Constituição de 1934. No primeiro caso, argumentava que é regra do direito que as sentenças de qualquer juiz só obrigam os litigantes, e não a terceiros que não participaram do pleito. No segundo, alegava que atribuir tal competência normativa à Justiça do Trabalho implicaria em lhe atribuir poderes para editar normas gerais, o que se configuraria numa delegação de poderes legislativos ao Judiciário. A esse respeito, ver: VIANA, Oliveira. *Problemas de Direito Corporativo*. Rio de Janeiro: José Olympio, 1938, cap. II.

os "conflitos coletivos de natureza econômica". A respeito de tal expressão, o autor chega a dizer que essa seria até mesmo "redundante, porque todo conflito coletivo é substancialmente econômico. De modo que conflitos coletivos (pré-greves ou locautes) ou conflitos econômicos são expressões sinônimas" (1938, p. 105). Em termos jurídicos, portanto, a Justiça do Trabalho e seus juízes teriam competências e critérios próprios e peculiares em relação à justiça comum.[12] A esse respeito, com base no conceito de "justiça sem lei", de Pound[13], Oliveira Viana diria que o diferencial das sentenças coletivas não estaria apenas em seu caráter normativo, mas também nos critérios de sua formulação, não havendo nenhum texto de lei ou de contrato ao qual o juiz devesse subordinar sua decisão. Segundo o autor, "há apenas uma situação de fato, para a qual tem ele que estabelecer uma regu-

---

[12] A respeito das competências próprias da Justiça do Trabalho, Oliveira Viana diz serem evidentes as divergências entre os sistemas jurídicos do direito clássico, o Direito Civil, e do direito novo, o Direito Social, ligado este à "new school" norte-americana. Segundo ele, os mal-entendidos entre os dois sistemas vêm "de uma enfermidade própria à ciência do direito: a sua pobreza taxionômica, a incapacidade que ela tem para criar termos novos para as novas ideias ou para as novas espécies. Quando falamos de 'contrato coletivo', de 'ação coletiva', de 'sentença coletiva', de 'processo coletivo de trabalho', de 'tribunal do trabalho', o que vemos é apenas uma insuficiência de técnica jurídica, embaraçada para fazer a classificação exata, justa, científica, destas novas realidades surgidas para a vida do Direito. Em face da sistemática do Direito Clássico, o contrato coletivo não é, realmente, um contrato; a sentença coletiva não é uma sentença; o processo coletivo não é um processo; o tribunal do trabalho não é um tribunal. Cada um deles é um *novum genus*, para que falta, pela pobreza da tecnologia jurídica, um termo próprio e específico que o designe" (1938, p. 98-99).

Não fosse por essa confusão de termos, conclui Oliveira Viana, todos os juristas clássicos veriam que o Direito Social é dotado de autonomia e que a Justiça do Trabalho é inconfundível e própria, não podendo ser regida pelos princípios da justiça comum: "a) pela forma de constituição de seus órgãos (corporativa e técnica); b) pela matéria específica da sua competência (conflitos econômicos); c) pela singularidade do seu rito processual (oralidade, unidade de juízo, inapelabilidde das decisões); d) pelas peculiaridades das suas decisões (natureza normativa, revogabilidade); e) pelo modo de interpretar e aplicar a lei (objetividade, pragmaticidade, equidade, 'standards legais')" (1938, p. 100).

[13] De acordo com Oliveira Viana, Pound diz que a "justiça sem lei é própria aos períodos agitados, em que as sociedades entram em fase de desequilíbrio e instabilidade". Nas sociedades modernas, que estariam atravessando uma fase de desequilíbrios e desajustamentos profundos, principalmente no campo econômico, "a administração da justiça, isto é, a solução jurisdicional dos conflitos suscitados por estes mesmos desajustamentos tem que se fazer por processos fora dos ritos rígidos e complexos dos tribunais de direito comum. Ora, somente os tribunais administrativos, justamente por estarem libertos desse formalismo e da aplicação mecânica das regras do direito (mechanical jurisprudence), tem plasticidade e adaptabilidade para realizar estes objetivos" (1938, p. 57).

lamentação, a vigorar como se ele fosse legislador. [...] Nessa espécie, o juiz do trabalho tem apenas que se ater às condições reais, julgar com critérios não jurídicos ou, pelo menos, não legais" (1938, p. 114-115). Em síntese, como diria Viana, o juiz do trabalho seria uma espécie de ponderador dos interesses econômicos em conflito, um árbitro cuja decisão, a sua 'sentença coletiva', seria no fundo "uma verdadeira arbitragem, um laudo de perito. [...] Julgador desses conflitos, ele não se prende a nenhuma regra de direito escrito, à maneira do juiz ordinário; está liberto, por assim dizer, da lei – e só tem diante de si o princípio da equidade" (1938, p. 115-116).

Além da Justiça do Trabalho, porém, Oliveira Viana destaca ainda as Convenções Coletivas[14] como outro importante mecanismo de solução dos conflitos do trabalho. Essas se colocariam como uma primeira etapa das negociações entre patrões e operários, que seriam depois reconhecidas pela Justiça ou por ela normatizadas, caso não houvesse acordo prévio entre as partes. Sobre tais Convenções, que podem ser entendidas como uma nova fonte de norma jurídica, conforme os princípios da "new school" norte-americana, deve-se observar a importância dos sindicatos em sua elaboração e o problema do seu campo de aplicação, como Viana se refere ao alcance e grau de obrigatoriedade de suas normas. Sobre esse último ponto, diz o autor, as Convenções Coletivas podem ser obrigatórias para: 1) "os membros das associações pactuantes (sindicatos de empregados e sindicatos de empregadores)"; 2) os operários de uma empresa, "valendo a

[14] A respeito das Convenções Coletivas de Trabalho, Oliveira Viana observa que não se deve confundi-las com os Contratos Coletivos de Trabalho. Em suas palavras, diz: "O ponto de diferenciação entre estas duas espécies está precisamente na natureza do objeto de cada uma. O objeto do contrato coletivo é distinto do da convenção coletiva. Quando um patrão ou sindicato de patrões conchava com um grupo de empregados ou sindicato de empregados um contrato coletivo, o que eles contratam é trabalho, é serviço, é energia aplicada, é esforço produtivo, físico ou intelectual, desenvolvido não mais por um único trabalhador, como no contrato individual, mas por uma pluralidade deles, visando um objetivo comum" (1938, p. 148-149). Já na Convenção Coletiva, diz Viana, "a situação é outra, inteiramente diferente. Não se contratam serviços e sim normas (preceitos, cláusulas etc.), pelas quais se deverão reger os futuros contratos de trabalho, sejam individuais, sejam coletivos" (1938, p. 150-151).

convenção para todos os empregados, mesmo que haja sido pactuada apenas por uma fração deles"; 3) todos os operários de uma categoria "ou mesmo para as categorias conexas" (1938, p. 162). Em sua opinião, a verdadeira Convenção Coletiva se expressaria pela última forma. De acordo com Oliveira Viana, contudo, deve-se observar que no Brasil as Convenções Coletivas não seriam exatamente o resultado da livre negociação entre patrões e operários, pois os sindicatos ainda não teriam entre nós "uma significação muito profunda como órgãos representativos dos interesses e da vontade dessas categorias", dadas nossa insolidariedade social e profissional (1938, p. 169).

Nesses termos, portanto, ao Estado brasileiro caberia manter o controle sobre a atividade convencional e normativa dos grupos, estimulando e regulando também a criação e o funcionamento dos próprios sindicatos e instituições de tipo corporativo. Aos sindicatos, por sua vez, caberia o papel de educar o nosso povo para a cultura da solidariedade, fazendo-o passar da fase de "massa" para a de "comunidade", e, talvez, para a de "comunhão". Em suas palavras, diz Viana, só os sindicatos poderiam constituir e desenvolver em nosso povo "aquilo que as forças da nossa história não permitiram que constituíssemos e desenvolvêssemos: os hábitos de cooperação e de ação coletiva, bem como a consciência do enorme poder da solidariedade social" (1943, p. IX). Tal importância atribuída por Viana aos sindicatos, entretanto, não pode ser dissociada de sua observação de que devemos evitar o erro "que se repete entre nós desde 1824", de simplesmente copiar os paradigmas estrangeiros, ou seja, "deve-se fazer obra pessoal, sob nossa medida e marcada com o nosso timbre – não obra de carregação, copiada de modelos estranhos" (1943, p. XIII-XIV).

A esse respeito, ainda que o autor admita que a organização corporativa não tenha por pressuposto necessário a organização sindical, diz que, no caso brasileiro, a única forma de se dar execução às tendências "declaradamente corporativas" da Constituição de 1937 seria justamente por meio da criação dos sindicatos. A seu ver, no regime então vigente no Brasil, "a organização profissional das classes sob forma sindical tem um papel, não direi exclusivo, mas precípuo" (1943, p. 25). Seria somente por meio deles que as nossas classes econômicas (patrões e operários) iriam "efetivamente – não teoricamente, como até agora –, participar do Estado, penetrar os seus conselhos e corporações e neles realizar a afirmação democrática da sua vontade e dos seus interesses" (1943, p. XI).

Tais sindicatos, portanto, se constituiriam para Viana em importantes meios de educação e organização da sociedade brasileira e, ao mesmo tempo, em novos canais de atuação das diferentes classes econômicas com o Estado. Assim, de acordo com o que Viana dizia serem as condições e necessidades próprias da realidade brasileira, a legislação sindical por ele proposta determinou a criação de sindicatos únicos por ofício no Brasil. Em sua opinião, o sindicato de ofício seria o ideal "para a organização de povos como o nosso, sem instituições, nem tradições de solidariedade econômica ou profissional", visto que sua homogeneidade de composição permitiria "cristalizar mais rapidamente, entre os seus associados, uma forte consciência de unidade e de grupo e, em consequência, um sentimento mais lúcido e militante dos interesses coletivos da categoria a que pertencem" (1943, p. X). Quanto à unicidade sindical, esta se justificaria para Viana porque a legislação reconheceu os sindicatos e suas Convenções Coletivas como válidas para toda a categoria profissional, e não apenas para os seus associados. Do contrário, diz ele, "teríamos um caso de dupla personalidade legal. [...] O fato de ter a Constituição dado às Convenções Coletivas o caráter de um regulamento da categoria implica, sem dúvida, no reconhecimento do sindicato único". Ou, então, diz o autor, "teríamos a possibilidade de várias convenções coletivas regulando diversamente a mesma matéria para a categoria inteira – o que seria absurdo" (1943, p. 4-5).

Em tais condições, de acordo com os princípios acima referidos, os sindicatos no Brasil não seriam apenas associações privadas, mas assumiriam também atributos de direito público, tornando-se uma associação *sui generis*, "colocada numa situação que a situa abaixo das instituições administrativas do Estado, mas acima do vasto mundo das associações privadas, sobre as quais o Estado não tem propriamente nenhum interesse de controle direto e imediato" (1943, p. 6-7). Seu caráter público, porém, não se deveria apenas ao citado poder normativo das suas Convenções Coletivas, mas também ao poder tributário que a Constituição atribuía aos sindicatos, a quem competia taxar todos os membros da categoria por ele representada, mesmo seus não sócios, por meio do chamado imposto sindical. Assim, diz Viana, "é claro que só um órgão do Estado teria poder para tanto", o que prova que no novo regime sindical brasileiro "o sindicato está integrado no Estado, senão inteiramente, pelo menos naquilo que tange ao exercício destes poderes e de outros de natureza pública a ele delegados" (1943, p. 16-17).

Face ao exposto, pode-se afirmar que o Estado Novo, de fato, não se define como um regime de tipo corporativo, ao menos conforme os princípios estritos do corporativismo puro ou mesmo do corporativismo subordinado, definidos por Mikail Manoilesco. O mesmo se pode dizer em relação ao pensamento de Oliveira Viana e suas propostas de organização corporativa das instituições brasileiras, especialmente dos sindicatos e da Justiça do Trabalho. De um lado, são evidentes algumas afinidades ou pontos de contato entre seu pensamento e o de Manoilesco; de outro, devem-se destacar suas importantes e declaradas influências da chamada "new school", da "sociological jurisprudence" norte-americana. De mesma forma, deve-se também acentuar a constante preocupação de Oliveira Viana com a suposta adequação dessas influências e de suas propostas à realidade brasileira, conforme os princípios do seu "idealismo orgânico". Por fim, quanto ao caráter normativo da Justiça do Trabalho e a criação de sindicatos únicos por ofício, com poderes também normativos e tributários, estes não se constituiriam exatamente numa distorção ou num modelo capenga de corporativismo, mas num modelo conscientemente proposto por Oliveira Viana e implantado pelo Estado Novo, de caráter autoritário, com o claro objetivo de subordinar a sociedade ao Estado, dadas as condições supostamente peculiares da realidade brasileira e de sua sociedade.

REFERÊNCIAS

CARDOSO, Adalberto. Estado Novo e Corporativismo. In Locus: *Revista de História*. Juiz de Fora, v. 13, n. 2, 2007.

DIEHL, Autor Antônio. Estado Novo: Corporativismo e Círculos Operários. *Revista de Estudos Ibero-Americanos*, Porto Alegre, v. 13, n. 1, p. 19-35, 1987.

DINIZ, Eli. Engenharia Institucional e Políticas Públicas: dos Conselhos Técnicos às Câmaras Setoriais. In: Dulce Pandolfi (Org.). *Repensando o Estado Novo*. Rio de Janeiro: FGV, 1999.

FAUSTO, Boris. *A Revolução de 30*: historiografia e história. São Paulo: Brasiliense, 1994, 13ª ed.

MANOILESCO, Mikhail (Trad. de Azevedo Amaral). *O Século do Corporativismo*. Rio de Janeiro: José Olympio, 1938.

NUNES, Edson. *A Gramática Política do Brasil*: clientelismo, corporativismo e insulamento burocrático. Rio de Janeiro: Jorge Zahar, 2007.

ROMITA, Arion. Justiça do Trabalho: produto do Estado Novo. In: Dulce Pandolfi (Org.). *Repensando o Estado Novo*. Rio de Janeiro: FGV, 1999.

SOUZA, Francisco Martins de. *Raízes Teóricas do Corporativismo Brasileiro*. Rio de Janeiro: Tempo Brasileiro, 1999.

STEPAN, Alfred. *Estado, Corporativismo e Autoritarismo*. Rio de Janeiro: Paz e Terra, 1980.

VIANA, Luiz Werneck. *Liberalismo e Sindicato no Brasil*. Rio de Janeiro: Paz e Terra, 1978.

VIANA, Oliveira. *Populações Meridionais do Brasil*. São Paulo: Monteiro Lobato & Cia., 1920.

______. *O Idealismo na Evolução Política do Império e da República*. São Paulo: O Estado de São Paulo, 1922.

______. *Problemas de Política Objetiva*. São Paulo: Cia. Editora Nacional, 1930.

______. *Problemas de Direito Corporativo*. Rio de Janeiro: José Olympio, 1938.

______. *O Idealismo da Constituição*. 2ª ed. São Paulo: Cia. Editora Nacional, 1939.

______. *Problemas de Direito Sindical*. São Paulo: Coleção de Direito do Trabalho. Gráfica Editora Brasileira, 1943.

______. *Problemas de Organização e Problemas de Direção*: o povo e o governo. 2ª ed. Rio de Janeiro: Record, 1974.

VIEIRA, Evaldo. *Autoritarismo e Corporativismo no Brasil*: Oliveira Viana & Companhia. São Paulo: Cortez, 1981.

A DITADURA BRASILEIRA:
DA CONEXÃO REPRESSIVA DE SEGURANÇA NACIONAL À OPERAÇÃO CONDOR

Enrique Serra Padrós[1]

O Golpe de Estado de 1964, no Brasil, iniciou a irradiação de uma espiral colaboracionista entre governos e setores políticos conservadores da região, costurada pela Doutrina de Segurança Nacional (DSN) e outras diretrizes anticomunistas e contrainsurgentes. O Brasil, maior e mais povoado país da América do Sul, era peça estratégica no contexto da Guerra Fria, no marco da contenção de ondas de mudanças estruturais questionadoras do *status quo* e dos fatores históricos de acumulação do capitalismo periférico. O medo da "cubanização" continental foi agente mobilizador através dos mecanismos psicossociais utilizados pelos setores golpistas. Reformas como as que o Governo constitucional de João Goulart defendia, e o apoio popular recebido, constituíram fatores percebidos como provocação subversiva contra a ordem vigente e os valores ocidentais e cristãos, base de uma sociedade profundamente desigual e de perceptível concentração de renda. A consequente queda de Goulart e o início de uma ditadura que duraria 21 anos produziram – além de imediata repressão e reversão de expectativas quanto às reformas em curso – a partida para o exílio de milhares de brasileiros; particularmente, os da primeira geração (1964-1968) procuraram ficar o mais perto possível do país; ou seja, melhor dito, literalmente do outro lado da fronteira brasileiro-uruguaia.

[1] Departamento de História/UFRGS. E-mail: lola@adufrgs.ufrgs.br

Iniciou-se, assim, uma colaboração policial/militar, repressiva, mais complexa, sofisticada e, certamente, letal que as experiências anteriores. Monitoramento, vigilância, espionagem, ameaça, seguimento e perseguição implacável extrafronteiriça foram objetivos permanentes dos países que, gradativamente, passaram a ter governos de exceção, com as suas particularidades, mas pautados pelo terrorismo de Estado. A fuga de setores da oposição política procurando fugir dos controles internos nacionais tornou o auxílio dos organismos de segurança dos países limítrofes, de fundamental importância. Por isso, à medida que as necessidades conjunturais começaram a sintonizar-se entre os países do Cone Sul, a colaboração e a reciprocidade de "favores" se tornou comum e cada vez mais global e refinada. A multiplicação de ditaduras definiu um enorme espaço sem fronteiras e sem proteção legal para os perseguidos políticos da região. Como resultado, a tradição histórica do direito de asilo e respeito ao estatuto de refugiado político foram ignorados; a atuação repressiva extraterritorial levou insegurança e medo às comunidades exiladas localizadas nos países vizinhos, a ponto de, finalmente, tornar insustentável a sua permanência nos mesmos.

Ao procurar a presença brasileira dentro da produção historiográfica sobre a Operação Condor, encontram-se inúmeras referências à etapa anterior (anos 1960 e início dos 1970) de intercâmbio de colaboração binacional. Ao analisar a documentação existente nos arquivos policiais paraguaios, o denominado "Arquivo do Terror", parte dela constituída por registros sobre a Operação Condor, Boccia, González e Palau (2006) constataram que o formato dos informes de inteligência da ditadura Stroessner dos anos 1970 correspondia ao padrão daqueles produzidos pelo Serviço de Informações (SNI) brasileiro. Eles identificaram, ainda, tal vinculação nos documentos que integram o arquivo citado, com especial destaque para o profícuo intercâmbio entre o DOPS de São Paulo e a polícia paraguaia.[2]

Estudo recente de Patrice McSherry (2009) conclui que, após o Golpe de 64, o Brasil se tornou base contrarrevolucionária e importante aliado dos Estados Unidos na região. Durante a década de 1960, o país teve a responsabilidade de capacitar militares e policiais de outros Estados, em cursos de contraguerrilha, técnicas de interrogatório e métodos de repressão, disseminando, assim, técnicas de tortura (p. 96). Parte da articulação do Brasil com oficiais dos países vizinhos foi feita pela própria CIA (p. 98). A autora destaca, também, as conversações Nixon-Médici, momento de sinalização dos Estados Unidos para uma atuação mais incisiva na região (p. 101). McSherry rasteou, igualmente, o envolvimento do Brasil nos golpes de Estado na Bolívia (contra o general Torres, em 1971), no Uruguai (1973) e no Chile (1973). Em relação a este último, McSherry destacou a colaboração brasileira com as forças golpistas transandinas na queda de Allende. De fato, oficiais brasileiros perseguiram exilados da mesma nacionalidade, pelas ruas da capital Santiago, atuando em interrogatórios no Estádio Nacional e adestrando repressores chilenos. Tais fatos, denunciados no momento do seu acontecimento por exilados sobreviventes, foram corroborados, anos depois, pela pesquisa empírica realizada por John Dinges (2005, p. 109).

Feitas essas considerações iniciais, assinala-se que as premissas conceituais que baseiam essa perspectiva de análise das ditaduras de segurança nacional estão desenvolvidas em outro texto ao qual

[2] Exemplificando: Troca de informações entre autoridades policiais paraguaias originadas no consulado em São Paulo. Data de 23 de agosto de 1968: "Que el día de ayer la dirección del Departamento de Orden Público y Social de Sao Paulo (DOPS), nos comunicó que obran en su poder documentos de una red de guerrilleros que actúan entre Asunción y Sao Paulo. La Dirección del Departamento de Orden Público y Social solicitó la intervención de un elemento de la Policía de Asunción, para que viaje a ésta y pueda obtener informaciones. Aprovecho la oportunidad para saludarle con mi consideración distinguida (Fdo Vice Cónsul)" (BOCCIA; GONZÁLEZ; PALAU, 2006, p. 306).

remetemos (PADROS, 2005). A opção por um texto mais abrangente sobre o sentido do envolvimento regional da ditadura brasileira entre as décadas de 1960 a 1980 impede uma discussão mais rigorosa. Neste artigo, portanto, essas premissas são simplesmente identificadas – Ditadura civil-militar, Doutrina de Segurança Nacional (DSN), conexão repressiva, terrorismo de Estado, Inimigo Interno e Fronteiras Ideológicas – como elementos delineadores de determinada perspectiva de análise.

Agindo além-fronteiras: quando o *inimigo interno* está fora do país

Consumado o golpe que derrubou João Goulart, surgiu um exílio muito ativo no Uruguai, tanto na denúncia dos acontecimentos ocorridos no Brasil quanto na tentativa de manter vínculos entre a comunidade politicamente organizada no exterior e a resistência interna. Visando reverter esse quadro, considerado potencialmente perigoso, o governo brasileiro implementou uma série de mecanismos agressivos (políticos, econômicos, diplomáticos e até militares) sobre o governo democrático uruguaio procurando, com isso, restringir ao máximo a liberdade de ação da oposição exilada.[3] O Itamaraty informava, alarmado, sobre a intensa atividade ("conspiração") desenvolvida por Leonel Brizola, João Goulart, Cândido Aragão, Darcy Ribeiro e Paulo Schilling, entre outros, e denunciava o que entendia ser omissão ou ineficiência do governo uruguaio para impedir tal situação. O fato do estado do Rio Grande do Sul, importante base política do governo derrubado, conter toda a fronteira comum brasileiro-

3 Ver as seguintes dissertações de Mestrado em História: MARQUES, Teresa C. S. *Ditadura, exílio e oposição: os exilados brasileiros no Uruguai (1964-1967)*. Cuiabá: UFMT, 2006; CASSOL, Gissele. *Prisão e tortura em terra estrangeira: a colaboração repressiva entre Brasil e Uruguai (1964-1985)*. Santa Maria: UFSM, 2008; e, principalmente, FERNANDES, Ananda Simões. *Quando o inimigo ultrapassa a fronteira: as conexões repressivas entre a ditadura civil-militar brasileira e o Uruguai (1964-1973)*. Porto Alegre: UFRGS, 2009.

-uruguaia, gerava temor nos setores golpistas, pois se temia que focos de instabilidade pudessem ser alimentados desde o país vizinho. Segundo o jornalista Flávio Tavares (1999), efetivamente, Montevidéu era a "Meca da revolução nacionalista-popular no Brasil" (p. 175) e intensa era a articulação ali realizada. A documentação policial existente nos diversos arquivos onde há acervos e fundos DOPS ou SOPS confirma tal afirmação e, significativamente, o trânsito frequente dos "pombos-correios" de Brizola. Diante de tais evidências, a ditadura criou e qualificou métodos de obtenção de informação; o monitoramento das atividades da oposição exilada foi um objetivo crucial a ser conseguido, e tanto foi realizado por unidades brasileiras que agiam com a conivência das autoridades policiais uruguaias, ou por agentes do próprio Uruguai. A fluidez da informação produzida confirma a concretude dessa conexão repressiva.

A Embaixada brasileira em Montevidéu foi uma ótima plataforma de observação e atuação contra os exilados e os setores democráticos uruguaios que, solidários, tentaram denunciar e resistir às pressões do Brasil. Figura central desse processo foi o diplomata Manoel Pio Corrêa[4], criador do Centro de Informação do Exterior (Ciex), serviço secreto do Itamaraty a serviço da ditadura e de vital protagonismo na vigilância, espionagem e perseguição da comunidade brasileira exilada, no Uruguai primeiro e depois no Chile, Portugal e França.

Com o advento da administração Pacheco Areco, no Uruguai (final de 1967), o colaboracionismo entre ambos países se intensificou e se tornou recíproco; o Uruguai enfrentava crescentes proble-

[4] Não foi casualidade que Pio Corrêa fosse nomeado embaixador no Uruguai, país onde se concentraram as principais lideranças políticas relacionadas com o governo Jango. Utilizando-se do peso que o Brasil detinha na economia uruguaia, a Embaixada foi orientada a pressionar o governo oriental para que cerceasse a liberdade de atuação do entorno de Goulart e Brizola. Finalmente, apesar de certa resistência inicial, o governo uruguaio atendeu ao pedido e confinou Brizola no balneário de Atlântida, onde se tornou mais fácil vigiar seu círculo de contatos. Portanto, a combinação de pressões acabou surtindo efeito.

mas internos e a multiplicação de ações armadas, principalmente da organização guerrilheira tupamara, o que implicou no consenso do monitoramento e estabelecimento de sistema de controles sobre a linha e a zona de fronteira comum. No final de 1968, a imposição do Ato Institucional nº 5 (AI-5) provocou nova onda de fugas para o Uruguai. Nessa nova fase, vários cidadãos brasileiros foram detidos e "entregues" pela polícia uruguaia, sinal evidente da intensificação da cooperação das forças de segurança.[5] Por outro lado, a aproximação entre João Goulart, Juscelino Kubistchek e Carlos Lacerda objetivando formar uma ampla aliança para pressionar os militares a convocar eleições passou a preocupar seriamente os setores securitistas.

Simultaneamente, outros fatos aprofundaram a influência e até interferência da ditadura brasileira na região. Cabe mencionar, entre eles, a presença, no Uruguai, do especialista estadunidense em técnicas de interrogatório Dan Mitrione, quem, anteriormente, em duas oportunidades já estivera no Brasil treinando forças policiais. A transferência de Mitrione para o Uruguai, em 1969, permitiu a ida a Montevidéu de integrantes dos "Esquadrões da Morte" brasileiros para colaborar no treinamento realizado. Ou seja, sob a cobertura invisível dos Estados Unidos, aprofundavam-se as condições de conexão e futura coordenação regional. O outro fato da maior relevância que precisa ser assinalado foi o sequestro do cônsul brasileiro Aloysio Dias Gomide pelos tupamaros, em 1970, na mesma operação que sequestrou Mitrione.[6] Esse fato evidenciava o quanto

[5] Casos, entre outros, de Jorge de Miranda Jordão, Wilson Barboza do Nascimento, Cláudio Antônio Weyne Gutiérrez e Euclides Garcia Paes. Ver a esse respeito Gutiérrez (1999) e Padrós (2007).

[6] O sequestro de Dias Gomide, em 31 de julho de 1970, se relacionou com o auxílio que o governo uruguaio recebia do Brasil quanto à instrução de técnicas repressivas. Dias Gomide, vinculado à organização Tradição, Família e Propriedade, teve sua soltura condicionada à troca de presos políticos tupamaros. Porém, a administração Pacheco Areco se negou a negociar, apesar das pressões da ditadura Médici. Esta, por sua vez, concentrou unidades de paraquedistas na fronteira e enviou especialistas em contrainsurgência urbana e integrantes do Esquadrão da Morte para colaborar na busca do funcionário. O próprio delegado Fleury teria sido enviado para colaborar com a polícia uruguaia. Algumas versões indicam que houve pagamento de resgate negociado diretamente com a esposa do cônsul; este, finalmente, acabou libertado em 21 de fevereiro

parte da população uruguaia associava a ditadura brasileira com os interesses dos setores dominantes nacionais. Em contrapartida, para o governo brasileiro, o sequestro do seu diplomata e a ousadia tupamara fazia soar o alarme que atestava o grau de deterioração "subversiva" que estavam sofrendo as democracias do Cone Sul. Era hora do Brasil assumir que os "inimigos internos" dos seus amigos eram, consequentemente também, seus inimigos; tudo emoldurado sob a lógica da Doutrina da Segurança Nacional. Ao contrário do que procurava aparentar publicamente – respeito ao governo uruguaio pelo seu manejo de situação tão delicada –, o Brasil pressionou muito a administração de Pacheco Areco e tentou evitar que a circulação de informações sobre o assunto chegasse ao território nacional.[7]

No final dos anos 1960 e início dos 1970, a documentação do DOPS registra, com frequência, informes sobre organizações de esquerda dos países vizinhos, particularmente a Frente Ampla e a guerrilha tupamara uruguaias. A partir desse período, o sistema repressivo binacional (às vezes trinacional) começa a assinalar com maior intensidade os pontos de contato entre os "subversivos" de cada país. A troca de informação se dissemina pelo interior de cada país através dos vasos capilares da rede dos serviços de inteligência. Cada vez mais, o Rio Grande do Sul incorporava uma condição de barreira ou primeira trincheira de contenção de qual-

---

de 1971, quase sete meses após ter sido sequestrado (DEMASI, 1996). Ver, também: FERNANDES, op. cit.

[7] Radiograma de 15/08/70 encaminhado aos Delegados Regionais e Polícia do Interior do RS: [...] INFORMO EXERCITO EXPEDIU SUAS UNIDADES SUBORDINADAS SEGUINTE RD MINISTRO DETERMINA QUE OS RADIOS VG TV VG ET JORNAIS VG SUSPENDAM QUAISQUER COMENTARIOS ALARMANTES REFERENTES AO URUGUAI PT AS NOTICIAS DEVEM SER SUMARIAS ET SEM COMENTARIOS PT JORNAIS DEVEM ELIMINAR MANCHETES ESCANDALOSAS PT PARA O CUMPRIMENTO DESSAS DETERMINAÇÕES DEVE SER EMPREGADA A MAXIMA ENERGIA PT DE ORDEM DO SR PRESIDENTE DEVE SER EVITADA A MINIMA PERTURBAÇÃO DA ORDEM PT MIN EX RECOMENDA AINDA NÃO DEVE SER NOTICIADO QUALQUER PRONUNCIAMENTO DE ASILADOS SOBRE PROBLEMA DE LIBERAÇÃO NOSSO CONSUL NO URUGUAI PT VG [...]. Arquivo Histórico/RS. Acervo da Luta Contra a Ditadura / Fundo: Secretaria da Segurança Pública / Subfundo: Polícia Civil / Departamento de Polícia do Interior / 15ª Região Policial / Delegacia Regional de Lagoa Vermelha/SOPS / SOPS/LV - 1.-102.1.1

quer incursão da "subversão" vizinha. Em tese, respeitados dados conjunturais, o mesmo pode ser afirmado em relação às fronteiras com outros países do Cone Sul. Porém, a condição de dupla fronteira externa com Argentina e Uruguai conferia ao Rio Grande do Sul condição única de "fronteira extremamente sensível", marcada por longos trechos de fronteira seca e de rios acessíveis, presença humana considerável, cidades geminadas ou unidas por pontes, populações com longa tradição histórica e cultural de convivência entre si, facilidades geográficas e infraestrutura razoável para o deslocamento humano etc.

A Operação 30 Horas[8]

O processo de intervenção crescente da ditadura brasileira nos assuntos internos dos países vizinhos da região, fato assinalado nos documentos produzidos pela própria ditadura ou expressa na crônica jornalística da época, deu um salto qualitativo no início da década de 1970. O Brasil passou a desempenhar uma política mais ativa na imposição de regimes securitistas que dessem estabilidade à região e permitissem um combate mais eficiente contra o que era percebido como uma ameaça comunista à escala continental. O crescimento da esquerda política em países como Chile, Bolívia, Uruguai e Peru, entre outros, não passou desapercebido. Das ações mais ousadas e menos conhecidas está a que foi denominada Operação Trinta Horas, que consistia na intervenção militar brasileira em território uruguaio caso a coalizão de esquerda, Frente Ampla, criada em 1971, vencesse as eleições presidenciais daquele ano. A atuação e o volume de fogo da guerrilha tupamara também era um fator a ser considerado dentro dessa estratégia de intervenção. Durante semanas, diversas unidades militares concentradas no Rio Grande do Sul estiveram de

[8] Em relação a essa temática específica, ver: Padrós (2005 b).

prontidão. Finalmente, o dispositivo de invasão foi desativado ante as previsões eleitorais que prognosticavam que a vitória da coalizão de esquerda esteve longe de se confirmar.

Durante anos, somente Paulo Schilling (1978) parecia lembrar-se dessa ameaça. Desde o semanário *Marcha* havia denunciado a preparação operacional e elencava os motivos que a fundamentavam. Como a invasão acabou não acontecendo, suas denúncias caíram no vazio desqualificador da paranoia da Guerra Fria, enquanto que um manto de silêncio apagou rastos, denúncias, protagonismos e documentos. O quebra-cabeça levou anos para ser armado. Finalmente, quando se tornaram públicas algumas das fontes até então interditadas, foi possível ter conhecimento da dimensão do operativo. De fato, o cruzamento do extenso depoimento dado pelo coronel Grael (1985)[9], com outras fontes militares, documentos desclassificados estadunidenses e informações fragmentadas que na época circulavam na fronteira e no Uruguai, permitiu reconstituir parte dos fatos.

Trinta horas era o tempo estimado que levaria a avançada do exército brasileiro – irrompendo pelas principais vias de acesso fronteiriças e apoiada por unidades aéreas – para chegar até a capital Montevidéu e controlar as principais regiões estratégicas do pequeno país. A divulgação de documentos estadunidenses que circulavam no interior da sua rede diplomática, conectada, por sua vez, com os serviços de inteligência e segurança dos países da região, confirmam que Brasil e Argentina coincidiam com a necessidade da intervenção – a "esquerdização" do Uruguai era, nesse momento, problema comum

[9] Grael, desde o final de 1969, encontrava-se na zona fronteiriça brasileiro-uruguaia, área de segurança nacional. Como oficial do Estado-Maior do quartel-general da 2ª Divisão de Cavalaria, recebeu ordens para avaliar condições de montagem de infraestrutura que viabilizasse a invasão. Entre os militares que acompanhavam secretamente essa operação, havia um adido militar estadunidense, general Arthur Moura, quem fotografou e inspecionou as guarnições da região e atividade política do outro lado da fronteira (GRAEL, 1985, 15).

–, embora só o primeiro interviria, pois a Argentina vivia momentos difíceis com a queda de Onganía e uma situação interna indefinida. De qualquer forma, esse acordo prévio afastava a hipótese de que tal fato nunca poderia ocorrer por causa da intensa rivalidade geopolítica alimentada pelas Forças Armadas de cada país. Podia sim; os Estados Unidos eram seus fiadores, e a estabilidade regional era a chave reguladora dessas delicadas relações geopolíticas.[10] Logo, uma *neocisplatinização* do Uruguai não era cogitada pelos protagonistas principais. Até porque, caso contrário, considerando o clima da época, era praticamente impossível pensar na aceitação de uma ação anexionista brasileira que não tensionasse, no limite, a rivalidade histórica com a Argentina; isso reforça a hipótese de uma ocupação temporária a efeitos de esmagar os focos "comunistas" e garantir o governo do país contaminado a aliados confiáveis. Em realidade, a possibilidade de ocorrer uma ação desse porte vinha sendo amadurecida, com muito tato, em reuniões de cúpula das administrações Médici e Nixon.[11] Por sua vez, na longa entrevista dada ao jornalista Fernando Butazzoni, o ex-candidato presidencial da Frente Ampla, em 1971, o general na reserva Líber Seregni, confirmou que o setor militar constitucionalista que representava bem como organizações políticas e armadas da esquerda uruguaia detinham informações, na época, sobre essas tratativas e concentração de tropas e apetrechos militares em território gaúcho, próximo à fronteira (BUTAZZONI, 2002, p. 210).

[10] Memorando secreto do Departamento de Estado (EUA), de 27 de novembro, confirma essa hipótese. Sugeria-se aos governos do Brasil e da Argentina que avaliassem possibilidade de intervir na política interna do Uruguai ante uma hipotética vitória da Frente Ampla. Mas alertava: uma intervenção unilateral da Argentina ou do Brasil não era recomendável. Para os Estados Unidos, o entendimento devia nortear as ações dos dois países na geopolítica do Prata. Memorando secreto do Departamento de Estado ao Assessor de Segurança Nacional Henry Kissinger, 13/11/71. The National Security Archive.

[11] Memorando secreto do Departamento de Estado ao Assessor de Segurança Nacional Henry Kissinger, 13/11/71. The National Security Archive. Também Memorando secreto de Henry Kissinger ao presidente Nixon, início de dezembro de 1971. The National Security Archive.

Apoiando conspirações, golpes de Estado e ditaduras na casa dos outros

O Uruguai não foi o único país a sofrer a ingerência da ditadura brasileira. Bem pelo contrário. Um nó no processo da recuperação da história recente do Brasil está relacionado com as implicações da sua atuação dentro da conexão repressiva internacional. Tal afirmação se baseia na percepção do quanto os outros países precisam das informações que suspeitam que o Brasil possa ter, para ajudá-los a resolver questões internas do seu passado traumático. A participação da ditadura brasileira no contexto regional anterior à imposição do mar de regimes de segurança nacional, contribuindo para a desestabilização de governos ou forças sociais que defendiam projetos de perfil reformista ou transformador, trata-se de uma atuação conhecida e registrada na documentação que vai emergindo das catacumbas do silêncio, do esquecimento e da desresponsabilização histórica.

O envolvimento do Brasil no Plano Condor é inquestionável, apesar da incerteza sobre a profundidade dessa atuação. De qualquer forma, é inegável que essa não foi a única forma de intervenção promovida pela ditadura brasileira. Ela teve incidência importante sobre eventos internos dos países vizinhos e que somente diziam respeito aos mesmos, pois eram da sua alçada soberana. Mais do que isso, a ditadura brasileira apoiou e foi vital para a concretização de golpes na Bolívia (1971), no Chile (1973) e no Uruguai (1973), ao vincular-se ativamente com os setores golpistas no interior de cada um desses países. Ainda, também desde o final dos anos 1960, o Paraguai de Stroessner virou uma espécie de satélite orbitando ao redor do eixo político e econômico brasileiro. Esclarecer sobre esses fatos ilumina a complexa cadeia de interesses entre setores sociopolíticos e econômicos afins ou que se complementavam na estrutura regional erigida dentro do marco da DSN. Portanto, a responsabilidade da ditadura brasileira não é só com as parcelas de população que se consideram atingidas por 21 anos de arbitrariedades diversas e terrorismo de Estado; também há responsabilidade gerada pela sua interferência, mais ou menos acentuada, nas dinâmicas internas dos países vizinhos.

Dentro dessa perspectiva, as ramificações da vinculação com os setores golpistas dos outros países apontam para muito além da manifestação de simpatia. A colaboração com a ditadura Stroessner, a pressão na Bolívia e o apoio no golpe contra Allende são fatos conhecidos e denunciados no momento em que ocorrem os fatos. Aliás, em relação ao golpe de Pinochet, vale a pena lembrar as palavras do oficial Paul Aussaresses[12], um dos mentores da Doutrina Revolucionária francesa (incorporada pelos regimes de exceção da região) e de trânsito fluido na interna militar mais encoberta; segundo ele, os militares brasileiros deram considerável suporte ao golpe do general Pinochet contra o governo da Unidade Popular. A atuação do embaixador brasileiro Antônio Cândido da Câmara Canto na preparação do golpe foi tão acintosa que o mesmo ficou conhecido como o quinto integrante da Junta Militar.

A presença de agentes brasileiros procurando identificar exilados nas ruas de Santiago e de outras cidades chilenas, ou torturando-os no Estádio Nacional do Chile (transformado em campo de concentração após o golpe), são fatos conhecidos (BONNEFOY MIRALLES, 2005, p. 119-122). Os depoimentos de brasileiros sobreviventes do "11 de setembro" registram o papel desempenhado por repressores enviados ao Chile para participar de caçadas humanas contra os exilados[13] e para qualificar oficiais chilenos nas técnicas de tortura. Documentos do Itamaraty (Ciex) recentemente liberados confirmam o grau de conhecimento que o governo brasileiro detinha ao respeito da

---

[12] Paul Aussaresses foi adido militar francês no Brasil, entre 1973 e 1975.

[13] No Chile, após o golpe, cinco cidadãos brasileiros foram mortos ou desaparecidos.

movimentação dos setores golpistas. Tudo indica que a participação do Brasil foi muito além de um apoio moral às forças que se opunham ao governo "marxista" de Allende; de fato, houve uma assessoria global que extrapolou o limite da observação do respeito ao direito de autodeterminação do povo chileno, imiscuindo-se, decididamente, nos assuntos internos daquele país.

Nesse sentido, nunca é demais lembrar-se dos filmes de denúncia dirigidos por Konstantinos Costa-Gavras: *Estado de Sítio* (1972) e *Missing; Desaparecido, um grande mistério* (1985). Os mesmos foram realizados quase que coetaneamente aos fatos que os inspiraram e a partir de farta documentação que estava à disposição do diretor e dos roteiristas. A ditadura brasileira foi um dos alvos na mira do diretor ao apontar responsabilidades e colaboração naqueles acontecimentos.

O Brasil e a Operação Condor[14]

Até poucos anos atrás ainda se insistia com a tese de que o Brasil nada tivera a ver com a denominada Operação Condor. Contribuições importantes, embora quase que em conta-gotas, têm ajudado a reverter tal situação. Como exemplos, merecem ser citadas algumas delas, até emblemáticas. Esse é o caso da confirmação pública realizada por um dos protagonistas mais importantes na passagem da ditadura para o período imediatamente posterior; trata-se do ex-ministro do Exército, general Leônidas Pires Gonçalves, que confirmou a participação do país na coordenação repressiva regional (MOTTA, 2003, T. 1, p. 92). Posteriormente, a jornalista Marie-Monique Robin, na obra *Escuadrones de la muerte: la escuela francesa* (2005), trouxe a público outro fio da conexão repressiva no Cone Sul ao resgatar, das suas entrevistas com os repressores franceses de intensa atuação na Guerra da Argélia, a existência de uma desconhecida escola contrain-

[14] Sobre a sistemática Condor, se sugerem: Mariano (2003); Padrós (2009); Reis (2009).

surgente em Manaus, nos anos 1960 e 1970, na qual veteranos franceses repassaram suas experiências a militares latino-americanos.

Finalmente, em 2008, coube ao jornalista Luiz Cláudio Cunha, ao publicar seu extenso livro sobre o "sequestro dos uruguaios em Porto Alegre", revelar a identidade dos oficiais brasileiros presentes na reunião que formalizou o nascimento da *Condor*: coronel Flávio de Marco e major Thaumaturgo Sotero Vaz, ambos de reconhecida participação na campanha de extermínio contra o movimento guerrilheiro do Araguaia. Até então, a presença brasileira na reunião de nascimento do esquema repressivo multinacional não passava dos contornos indefinidos, impessoais, fantasmagóricos dos seus dois observadores, que sequer haviam assinado sua presença no documento até agora seminal. Na prática, desde que se tornaram públicos os documentos do "Arquivo do Terror", no Paraguai, a participação brasileira ficou mais do que constatada. Como se isso fosse pouco, desde o ano de 1978, a ditadura brasileira teve que conviver com o maior fracasso envolvendo um operativo nos moldes condor, o comentado caso "Lílián-Universindo"; pela primeira vez, uma ação encoberta, desse porte, fugiu do controle e foi, apesar de todas as tentativas oficiais, devassada e virada do avesso pela atuação de setores da imprensa, da OAB e da oposição parlamentar (nos limites possíveis de atuação).

A justificativa oficial para a criação da Operação Condor, presente inclusive em documentos hoje bem conhecidos, foi a constatação da tentativa de remanescentes de organizações guerrilheiras da região, bastante golpeadas, constituírem uma Junta Coordenada Revolucionária (JCR). Entretanto, independente do suposto temor que essa organização supranacional pudesse gerar nos aparelhos repressivos da região, é certo que entre os argumentos que foram listados na tentativa de convencimento dos futuros sócios *da Condor* estavam: o reconhecimento da incômoda situação criada pelos diversos coletivos de exilados espalhados pela região ou fora do continente; o deslocamento clandestino, pelos países sócios, de quadros da resistência de importância reconhecida; finalmente, a apurada coordenação conseguida, a muito custo, entre as organizações de resistência às ditaduras com os novos coletivos de direitos humanos, possibilitando levar suas denúncias até a opinião pública internacional. Como se pode constatar, embora a ditadura brasileira estivesse, cronologicamente, fora de sintonia com as demais ditaduras da região, particularmente Chile, Argentina e Uruguai (não porque seus objetivos fossem menos radicais ou ambiciosos em relação aos demais sócios do Cone Sul, mas porque as tarefas mais urgentes já tinham sido resolvidas), isso não significa dizer que não enfrentava problemas que precisava resolver. Sem espaço para desenvolver aqui, assinalamos o que consideramos casos pontuais de envolvimento *condor* do Brasil: o caso Lílián-Universindo (e as crianças Francesca e Camilo)[15]; o sequestro e desaparecimento de cidadãos argentinos em território brasileiro[16]; a tríplice fronteira e a Usina de Itaipu.[17]

Verificando os argumentos que estiveram na base da conformação *da condor*, não há dúvida de que o Brasil também se mostrava incomodado com a atuação, pois até mesmo no exterior havia círculos de exilados ou simpatizantes que tentavam desconstruir a imagem positiva que o regime, com muito afinco, tentava consolidar. Quer dizer, a batalha pelo controle da informação que chegava à opinião pública internacional continuava aberta, e a atuação de outros coletivos nacionais do Cone Sul, diante da situação parecida, implicou em novo estímulo para o exílio brasileiro. De certa forma, a ditadura não conseguiu evitar a latino-americanização do exílio por ela produzido; em termos práticos, consistiu em jogar a luta de resistência e denúncia para um patamar mais articulado, solidário e de maior ressonância,

[15] Ver: Ferri (1981); Cunha (2008); Reis (2012).

[16] Ver: Mariano (2003) e (2006); Fernández (2011).

[17] Ver: Palmar (2005).

pois gerou crescente impacto na Europa, nos Estados Unidos e em países democráticos da América Latina (México, Venezuela e Costa Rica).

O Brasil na historiografia sobre a Operação Condor

A produção historiográfica sobre a Operação Condor é marcada pela datação das suas informações, pela existência de um tronco comum (geralmente correspondente à cronologia dos primeiros fatos e apoiado pela documentação conhecida) e, posteriormente, estudos de caso de acordo com o interesse dos autores em questão. Procuramos, nesse momento, a partir da escolha de algumas obras reconhecidas (de forma alguma se trata de uma listagem exaustiva), salientar o que tem sido dito sobre a participação do Brasil em determinadas obras. O intuito é avaliar, em conjunto, o que pode servir como argumentação para o reconhecimento de uma participação realmente secundarizada ou se, pelo contrário, independentemente de comparações que se possa fazer com o comportamento de outros sócios, no empreendimento repressivo regional, o protagonismo é qualitativo.

Começamos com a obra dos paraguaios Boccia, González e Palau, *Es mi informe: los archivos secretos de la Policía de Stroessner* (1994). Assentada em sólida análise dos "Arquivos do Terror", indica, claramente, que, onde houvessem opositores guaranis exilados, ali havia um centro de captação de informação do regime. Assim, entre tantas outras no Cone Sul, apontam as cidades de Foz do Iguaçu, Campo Grande e Aquidauana como locais privilegiados de vigilância, espionagem e controle. O eixo desse sistema de informação se estruturava através da rede consular espalhada nessas cidades. Portanto, diplomatas transformaram seus centros consulares em locais de espionagem, delação e elaboração de documentos que alimentavam o

Departamento de Investigações (p. 88). Da mesma forma, promoviam nexos de contatos com autoridades policiais ou militares locais, independentemente da existência de outras redes de aproximação com a administração do país hospedeiro.

Os autores acrescentam, embora sem maior precisão, mas apresentando exemplos de documentos, que diversos cidadãos paraguaios, detidos na Argentina e no Brasil, foram entregues à Polícia paraguaia (p. 279).[18] Registram, ainda, que com estes foram encontrados manuais do Exército Brasileiro (p. 297). Informam, por último, que trocas de informação com a Argentina e o Brasil, no que se refere a detenções de "subversivos", paraguaios ou não, eram intensas. Vários documentos ilustram os modelos de colaboração por eles listados.

Na obra de Stella Calloni, *Operación Cóndor: los años del lobo* (1999), as duas primeiras referências ao Brasil constam do Prólogo escrito por Adolfo Pérez Esquivel e são de cunho pessoal. A primeira, datada de fevereiro de 1975, refere-se a uma ida de Pérez Esquivel a São Paulo, acompanhado da Dra. Hildegard Goss-Mayr, austríaca, presidente do International Fellowship of Reconciliation (IFOR) e co-fundadora do SERPAJ-AL. Em São Paulo, pretendiam visitar a Dom Paulo Evaristo Arns, mas já no aeroporto foram detidos por agentes do DOPS e, posteriormente, torturados.[19] A segunda, de data imprecisa, é um relato de uma detenção sofrida na Argentina, quando ad-

[18] MINISTERIO DEL INTERIOR – DESPACHO RADIOGRÁFICO – Sección claves y cifrados / Categoría: Oficial / Hora: 10:30 / FECHA: 23/1079 / Destinatário: Sr. Jefe de Investigaciones de la Policía de la Capital / Procedencia: Salto Del Guairá / TEXTO: José Carlos Maria Rios [...], se encuentra detenido em Rio de Janeiro. Mande nota oficial pidiendo su entrega a la Policía Paraguaya. Solicitud que sea portada por un oficial de ese Departamento. / Dr. MOISES DE OLIVEIRA - Jefe de Policía Federal / Guaíra-Brasil - Humberto Rodríguez / Dto. de Comunicaciones M.I.

[19] "Nos separaron y nos llevaron al calabozo, donde nos interrogaron. Me pusieron una capucha negra, cuya base levantaban cada tanto para que pudiera ver algunos informes de la policía de Paraguay, Argentina, Bolivia, sobre dirigentes sindicales, organizaciones sociales y religiosas. Nos preguntaban bastante sobre nuestros vínculos con la Central Latinoamericana de Trabajadores (CLAT), con sede en Venezuela. También sobre un campesino paraguayo, de apellido Coronel, sobre dirigentes de la Central Obrera Boliviana (COB), entre otros. Mientras me interrogaban pasaban música y se escuchaban gritos y golpes de gente torturada. [...] Así pasé toda la noche" (CALLONI, 1999, p. 8).

verte a presença de um jovem brasileiro que teria sido entregue pelo Exército do seu próprio país à ditadura argentina.[20]

O livro de Calloni foi um dos primeiros que se alimentaram da documentação encontrada no Paraguai. A jornalista esclarece sobre casos de brasileiros desaparecidos na Argentina ou abandonados naquele território (casos do major Cerveira e de Edmur Péricles, João Batista Rita, Pedro Lachechia, os irmãos Carvalho e Onofre Pinto, entre outros). Indica, também, o envolvimento do Brasil no sequestro, diante de pedido paraguaio, de cidadãos que se encontravam em território brasileiro.[21] Outra referência menciona o fato de que toda ida de Stroessner a Foz do Iguaçu era precedida pela detenção de todos os exilados paraguaios que se encontravam naquela cidade e sua reclusão em um local militar, afastado da fronteira (p. 124).

Calloni refere-se ao envolvimento de funcionários brasileiros em casos de espionagem a políticos exilados que passaram pela região. Assim, destaca a vigilância imposta ao uruguaio Wilson Ferreira Aldunate, quando da sua estadia para contatos políticos, em Porto Alegre, bem como o envio, pela embaixada brasileira de Assuncão à polícia stronista, de um documento sobre uma reunião na qual participaria Agustín Goiburú, uma das vítimas mais emblemáticas do Condor paraguaio (p. 125). Inúmeros pedidos de informação sobre dissidentes mostram a reciprocidade na relação Brasil-Paraguai. Embora a obra de Calloni apresente algumas imprecisões de fontes ou de localização de fatos, característica de um "texto urgente", mas necessário, a abertura do seu foco não se perde em uma abrangência

[20] "Estando luego en prisión, encerrado en los 'tubos de la Superintendencia de Seguridad Federal, un centro de tortura de la Policía Federal Argentina [...]pude comprender lo que significaba el, Operativo u Operación Cóndor, [...]. En otro 'tubo' se encontraba un joven, Luis P., que el ejército brasileño había secuestrado en San Salvador de Bahía a pedido del gobierno militar argentino y se lo había entregado. Logramos avisar a su esposa, pero nunca supe que sucedió con el joven" (Idem, 9).

[21] Em 01/12/74, "[...] durante a presidência do general Geisel, as forças brasileiras sequestraram, Rodolfo Mongelós, Aníbal Abate, Alejandro Stumpfs e César Cabral, 'e graças à pressão internacional e brasileira não foram enviados a seu país de origem'" (CALLONI, 1999, p. 124)

superficial; ao contrário, contribui de forma sólida na construção de uma percepção da Operação Condor em que ressalta a ação conjunta, mas com muitas ramificações, inclusive extrarregionais (algo que será retomado e aprofundado, posteriormente, por McSherry).

Outra obra de referência é o estudo de John Dinges, *Os anos do Condor: uma década de terrorismo internacional no Cone Sul* (2004). Dinges reconstrói o roteiro da formalização da aliança repressiva e, na medida em que isso é possível, vai indicando a participação brasileira. Desconhece, por exemplo, a identidade dos oficiais brasileiros que participam da primeira reunião fundacional. Atento aos documentos que foi coletando, apontou o estatuto de observador do Brasil na sociedade condor. Fiel ao que indica o cabograma redigido pelo agente estadunidense Robert Scherrer, após o assassinato de Letelier, em Washington, reconhece que o Brasil aparece como integrante que concordou, "experimentalmente, em fornecer dados de inteligência" (p. 52-53). Cruzando com outros casos, consegue esclarecer o desaparecimento da brasileira Regina Marcondes Ferraz, que caiu com o líder do MIR chileno, Edgardo Enríquez, em Buenos Aires, e que foram entregues à DINA chilena, que os desapareceu (p. 215).

De particular interesse é o cuidado com que analisa a Operação Contraofensiva dos montoneros e a rota brasileira, infiltrada e monitorada, que permite deter vários quadros, inclusive o dirigente Horacio Campiglia, junto a Mónica Pinus Binstock (p. 356).[22] O envolvimento do Brasil na Operação Retorno, de Montoneros, é destacado por Dinges. O caso de Lorenzo Ismael Viñas, detido na fronteira argentino-brasileira Paso de Los Libres – Uruguaiana, também é analisado (p. 332-333).

[22] Segundo o relato de Dinges, agentes do Batalhão 601, especializados em infiltrar e preparar armadilhas aos dissidentes que voltavam, após terem sequestrado a Campiglia e a Binstock, geraram pistas diversionistas, ou seja, um rastro de pistas falsas que apontavam para um registro hoteleiro de dois montoneros, o pagamento da conta no mesmo, a saída do estabelecimento e, então, a partida do Brasil num voo comercial. Na prática, eles foram levados para uma das pistas secretas na base do exército em Campo de Mayo, em Buenos Aires.

Finalmente, Dinges indaga, mas sem comprometer-se, sobre as mortes de Juscelino Kubitschek, Carlos Lacerda e João Goulart. Embora agindo de forma cautelosa, assume posição pela necessidade de esclarecimento dos acontecimentos, por mais improváveis que eles possam parecer. Argumenta que fatos duvidosos que ocorrem em uma conjuntura marcada pelos crimes da *condor* contra altos funcionários dos governos atingidos pelos golpes que instauraram ditaduras de segurança nacional não podem ser desconsiderados como se não existissem.[23]

A publicação de Patrice McSherry é a mais recente nessa linhagem de contribuições significativas sobre as que se debruça este artigo. Em *Los Estados depredadores: la Operación Cóndor y la guerra encubierta en América Latina*, a autora aproveita o acúmulo de conhecimento já produzido para avançar, consideravelmente, em alguns aspectos. Desde o início refuta a tese dos dois demônios e o argumento de que os golpes que instalaram ditaduras de segurança nacional pela região foram motivados pela violência revolucionária. Em relação ao Brasil, lembra-se que isso não passou de um pretexto que se sustenta na realidade, pois organizações guerrilheiras só foram aparecer depois que o golpe instalou a ditadura (p. 63). McSherry esclarece que Washington apoiava ações que se opunham às forças que reivindicavam mudanças sociais. Nesse sentido, o governo Goulart causava preocupação aos Estados Unidos e aos setores de direita das Forças Armadas Brasileiras; em 1962, a CIA havia financiado uns 600 candidatos a deputados estaduais, 250 para deputados fede-

[23] Afirma Dinges: "Quando outros líderes militares e democráticos morriam, se as circunstâncias fossem de qualquer modo incertas, a possibilidade de assassinato era inevitavelmente aventada, mesmo que não se pudesse mostrar nenhuma conexão visível com a Operação Condor. Num curto período de anos, tantos opositores preeminentes dos ditadores – civis e militares – morreram de causas naturais e não naturais que certas perguntas têm de ser feitas e as investigações continuar. É o caso de três brasileiros, os quais eram vistos como possíveis alternativas aos militares: o ex-presidente João Goulart morreu de ataque do coração aos 58 anos em sua casa no exílio na Argentina em dezembro de 1976; o ex-presidente Juscelino Kubitschek tinha morrido num acidente de carro alguns meses antes; e o eterno 'candidato presidencial'Carlos Lacerda morreu de repente no mesmo ano" (p. 335-336).

rais, uns quinze para o Senado e 8 candidatos a governos estaduais. Lincoln Gordon, embaixador dos Estados Unidos no Brasil, estava no centro da conspiração, enquanto Vernon Walters, agregado militar, era vinculado aos oficiais golpistas, como Castelo Branco. McSherry junta a esses dados outros mais operativos, inseridos dentro da já reconhecida Operação Brother Sam (p. 96-97).

Ao entrar no sistema Condor, a autora destaca a importância dos serviços de inteligência de cada um dos países envolvidos, particularmente do SNI, "poderoso órgão de inteligência". Citando João Resende-Santos, admite que o SNI se fortalecera de tal forma que, em 1974, se havia convertido em um poder paralelo – espécie de Estado dentro do Estado (p. 109) – e que seria vital na conformação e capacitação da DINA chilena, servindo-lhe de modelo (p. 110).

As pesquisas de McSherry apontam para outras questões transcendentes, porém secundárias no objetivo deste artigo. De qualquer forma, citamos pelo menos a provável anterioridade da formação da aliança repressiva Condor (1974) e o envolvimento nisso do governo Perón (questão altamente delicada) (p. 123). Essa nova datação permitiria incluir o assassinato do general chileno Carlos Prats, ex-ministro de Allende, em Buenos Aires (1974), como caso Condor. Dentro dessa mesma lógica, deveriam ser incluídos, então, os sequestros de Joaquim Pires Cerveira e João Batista Rita, exilados brasileiros que viviam em Buenos Aires, em 1973 (p. 126).

McSherry concorda com Dinges quanto à necessidade de aferir o que há de nebuloso nas mortes de Kubitschek e Joao Goulart em 1976.[24] A autora vai além e insere tais eventos no contexto de colabo-

[24] Francisco Martorell também aponta, embora brevemente, essa questão. Em *Operación Cóndor: el vuelo de la muerte* (1999), Martorell relaciona a morte de Letelier com a de Kubitschek: "Um mês antes do atentado contra Letelier em Washington, havia falecido, em um estranho acidente automobilístico, o ex-presidente do Brasil, Juscelino de Oliveira Kubitschek, quem governou seu país entre 1956 e 1961. Ao abrir-se o caso, em julho de 1996, os familiares do ex-mandatário e do ex-motorista de Kubitschek mencionaram a vinculação que poderia existir entre o assassinato de Letelier e o do seu parente. Ambos dirigentes políticos foram assinalados por Manuel Contreras e João Batista Figueiredo, então chefe de inteligência no Brasil, como um

ração entre as ditaduras do Chile e do Brasil. Citando documentos, aponta para a existência de intencionalidade e cumplicidade na execução de ações que silenciassem lideranças perturbadoras para os interesses das ditaduras. Suas considerações, tecidas em um emaranhado de possibilidades e de fontes, levam a especulação a um campo de plausibilidade bastante concreto (p. 141-144).

Finalmente, em *Operação Condor: o sequestro dos uruguaios. Uma reportagem dos tempos da ditadura*, o jornalista Luiz Cláudio Cunha dissecou a participação brasileira naquele que é um dos casos Condor mais emblemáticos. Tendo sido um dos protagonistas centrais dos eventos do longínquo ano de 1978, Cunha analisa o evento desde a perspectiva do relato jornalístico, situando responsabilidades, incongruências, diversionismos e silêncios. O cotidiano de Porto Alegre naqueles dias de novembro de 1978 ganha intensas cores no texto nervoso de Luiz Cláudio: a dimensão das lides futebolísticas, o Palácio Piratini, a Rua Botafogo, a Rodoviária, o Palácio da Polícia (e a reminiscência essencial do pequeno Camilo, o arroio Dilúvio e a Avenida Ipiranga, evidência concreta da conexão repressiva). É uma paisagem urbana muito conhecida dos porto-alegrenses; a ela se interliga, como encadeamento indissociável, o roteiro geográfico por onde transitou o Condor: as estradas que se dirigem ao sul do estado-país e a característica fronteira pontuada de cidades binacionais separadas por uma rua e de populações cotidianamente irmanadas.

De forma muito pertinente e ágil, o texto conecta constantemente Porto Alegre com Brasília e as articulações políticas no Rio Grande do Sul com as do Governo Federal, apontando para a dimensão do sequestro, na contramarcha do silêncio oficial inicial e da posterior negação, bem como as enormes implicações e responsabilidades existentes. São elucidativos, a esse respeito, o empenho das

problema que os obrigava a adotar 'gestões conjuntas'" (p. 142).

forças de segurança e da comunidade de informações brasileiras na proposição de medidas diversionistas (a "farsa de Bagé") ou na espetacularização, aparentemente incompreensível, de fatos comuns (o enterro da escrivã Faustina, testemunha privilegiada e protagonista constrangida do sequestro e desaparecimento temporário das crianças). A obra traz, ainda, em forma de anexo, novidades importantes em relação à participação do Brasil na sistemática Condor. O papel do DOPS gaúcho, da Polícia Federal, do III Exército, do SNI, do poder civil etc., todos são esmiuçados, avaliados e inseridos dentro de um relato que confere inteligibilidade não só ao caso em questão, mas à lógica condor, mesmo que ela possa ser constituída, por sua vez, de várias lógicas internas. Como caso histórico, não só foi um dos primeiros a fracassar e ajudar a denunciar tal sistemática como dele conhecemos todos os ângulos dos protagonistas envolvidos (menos o dos principais executores).

Reflexões finais

Em tempos de Comissão Nacional da Verdade, de Corte Interamericana de Direitos Humanos julgando o Brasil e de multiplicidade de iniciativas de resgate da memória, a preocupação e o esclarecimento do protagonismo e da atuação brasileira dentro desse grande marco repressivo regional ainda são recheados de incertezas, imprecisões e ambiguidades. O fundamental é salientar que a presença do Brasil foi importante para a consolidação de regimes de exceção na região. Inaugurando, de certa forma, a cronologia dos golpes de Estado e utilizando o peso da sua presença material e simbólica, contribuiu para decantar e inviabilizar que projetos reformistas pudessem persistir por muito tempo. O surrado argumento de proteger suas fronteiras e sua população da contaminação comunista conferiu-lhe uma aparente atitude defensiva que escondeu, quase sempre, atento olhar sobre as linhas demarcatórias de soberanias nacionais e a justa medida de atuar sempre que seus interesses estivessem em risco.

O protagonismo brasileiro na região foi definido pela lógica do combate ao "Inimigo Interno", consagrado pela DSN. Entretanto, quando o mesmo se estabeleceu em outro país, isso não foi motivo para esquecê-lo ou desistir dele. Por outro lado, a desestabilização regional propiciou que surgissem outros inimigos que detinham características políticas e ideológicas semelhantes daqueles que tinham sido enfrentados e derrotados internamente. De fato, "Inimigos Internos" de outros governos passaram a ser encarados como se fossem próprios, em uma atitude solidária que escondia por detrás da retórica do mundo livre e cristão, o aumento dos mecanismos coercitivos de dominação e exploração. Da mesma forma, o surgimento de governos com projetos pautados por esquemas reformistas ou socialistas também deviam ser confrontados e levados à exaustão para que ruíssem sem conseguir viabilizar suas propostas e não gerassem círculos concêntricos de desestabilização regional.

A presença brasileira, ativa, contundente, imperativa, surge das entranhas dos documentos que aos poucos confirmam o que o relato de muitos sobreviventes do Cone Sul ou familiares de vítimas haviam descoberto há muitos anos. A ditadura brasileira não foi coadjuvante no processo de consolidação das ditaduras de segurança nacional, nem dentro da conexão repressiva regional, ou na especificidade Condor. O fato de que as necessidades conjunturais não tenham coincidido, cronologicamente, com as dos países vizinhos pode ter dado uma falsa convicção de que "o Brasil foi diferente". Não foi. Respeitando especificidades e particularismos óbvios, o Brasil sempre foi sócio de fundamental importância. Os documentos policiais do DOPS confirmam isso; a mesma coisa atestam os do Ciex que estão disponíveis. E há tempo o fazem os ainda poucos documentos desclassificados dos Estados Unidos conhecidos que se relacionam com o

Brasil, bem como os registros diplomáticos dos países da região que começam a ganhar visibilidade pública. Na medida em que se avance na conformação de grandes redes de registros orais e na articulação de acervos digitais de base comum pelo Cone Sul, poderemos nos aproximar com mais certeza à essência do Condor e de suas ramificações. Porém, muito mais importante do que isso, poderemos ir até as entranhas de um sistema de colaboração repressiva muito maior, em termos cronológicos, mais denso, global, profundo e de maior alcance, no tempo e no espaço.

REFERÊNCIAS

BUTAZZONI, Fernando. *Seregni-Rosencof. Mano a mano.* Montevideo: Aguilar, 2002.

BAUER, Caroline Silveira. *Avenida João Pessoa, 2050 – 3º andar*: terrorismo de Estado e ação de polícia política do Departamento de Ordem Política e Social do Rio Grande do Sul (1964-1982). Dissertação (Mestrado em História). Porto Alegre: UFRGS, 2006.

BOCCIA PAZ, Alfredo; LÓPEZ, Miguel H.; PECCI, Antonio V.; GIMÉNEZ GUANES, Gloria. *En los sótanos de los generales*. Los documentos ocultos del Operativo Cóndor. Asunción: Expolibro: Servilibro, 2002.

BOCCIA PAZ, Alfredo; GONZÁLEZ, Myrian; PALAU, Rosa. *Es mi informe*: los archivos secretos de la Policía de Stroessner. Asunción: Servilibros, 2006.

BONNEFOY MIRALLES, Pascale. *Terrorismo de Estadio*: prisioneros de guerra en un campo de deportes. Santiago: Chile América/CESOC, 2005.

CALLONI, Stella. *Los años del lobo*. Operación Cóndor. Buenos Aires: Peña Lillo/Continente, 1999.

CASSOL, Gissele. *Prisão e tortura em terra estrangeira*: a colaboração repressiva entre Brasil e Uruguai (1964-1985). Dissertação (Mestrado em História). Santa Maria: UFSM, 2008.

CONADEP. *Nunca Mais*. Informe da Comissão Nacional Sobre o Desaparecimento de Pessoas na Argentina. Porto Alegre: L&PM, s. d.

CONTREIRAS, Hélio. *Militares confissões*. Histórias secretas do Brasil. Rio de Janeiro: Mauad, 1998.

CORRÊA, Manoel Pio. *O mundo em que vivi*. 3. ed. Rio de Janeiro: Expressão e Cultura, 1996. 2 v.

CUNHA, Luiz Cláudio. *Operação Condor*: o sequestro dos uruguaios: uma reportagem dos tempos da ditadura. Porto Alegre: L&PM, 2008.

DEMASI, Carlos. *La caída de la Democracia*. Cronología comparada de la historia reciente del Uruguay (1967-1973). Montevideo: Fundación de Cultura Universitaria, 1996.

DINGES, John. *Os anos do Condor*. São Paulo: Companhia das Letras, 2005.

FERNANDES, Ananda Simões. *Quando o inimigo ultrapassa a fronteira*: as conexões repressivas entre a ditadura civil-militar brasileira e o Uruguai (1964-1973). Dissertação (Mestrado em História). Porto Alegre: UFRGS, 2009.

FERNÁNDEZ, Jorge. *Anclaos em Brasil*: a presença Argentina no Rio Grande do Sul (1966-1989). Tese (Doutorado em História). Porto Alegre: UFRGS, 2011.

FERRI, Omar. *Sequestro no Cone Sul*: o caso Lílian e Universindo. Porto Alegre: Mercado Aberto, 1981.

GRAEL, Dickson. *Aventura, corrupção e terrorismo*. À sombra da impunidade. Petrópolis: Vozes, 1985.

GUTIÉRREZ, Cláudio A. Weyne. *A guerrilha Brancaleone*. Porto Alegre: Editora Proletra, 1999.

LANGGUTH, A. J. *A face oculta do terror*. São Paulo: Círculo do Livro, s. d.

MARIANO, Nilson. *As garras do Condor*: como as ditaduras militares da Argentina, do Chile, do Uruguai do Brasil, da Bolívia e do Paraguai se associaram para eliminar adversários políticos. Petrópolis: Vozes, 2003.

______. *Montoneros no Brasil*. Terrorismo de Estado no sequestro-desaparecimento de seis guerrilheiros argentinos. Dissertação (Mestrado em História). Porto Alegre: PUCRS, 2006.

MARQUES, Teresa Cristina Schneider. *Ditadura, exílio e oposição*: os exilados brasileiros no Uruguai (1964-1967). Dissertação (Mestrado em História). Cuiabá: UFMT, 2006.

MARTORELL, Francisco. *Operación Cóndor – El Vuelo de la Muerte*. Santiago de Chile: LOM Ediciones, 1999.

MCSHERRY, J. Patrice. *Los Estados depredadores*: la Operación Cóndor y la guerra encubierta en América Latina. Montevideo: Banda Oriental, 2009 [2005].

MOTTA, Aricildes de Morães (Coord.). *1964 – 31 de março*: o movimento revolucionário e a sua história. Rio de Janeiro: Biblioteca do Exército Editora, 2003, t. 1.

PADRÓS, Enrique Serra. *Como el Uruguay no hay... Terror de Estado e Segurança Nacional. Uruguai (1968-1985)*: do Pachecato à ditadura civil-militar. 2. v. Tese (Doutorado em História). Porto Alegre: UFRGS, 2005 a.

______. A ditadura brasileira de Segurança Nacional e a Operação 30 horas: intervencionismo ou neocisplatinização do Uruguai? *Ciências & Letras*, Porto Alegre, n. 37, p. 227-249, jan./jun. 2005 b.

PADRÓS, Enrique Serra (Org.). *As ditaduras de Segurança Nacional*: Brasil e Cone Sul. Porto Alegre: CORAG, 2006.

_____. O Rio Grande do Sul e a conexão repressiva no Cone Sul: do exílio brasileiro no Uruguai ao voo rasante da Operação Condor em Porto Alegre. *Ciências & Letras*, Porto Alegre, n. 41, p. 359-389, jan./jun. 2007.

_____. Conexão repressiva internacional: o Rio Grande do Sul e o Brasil na rota do Condor. In: PADRÓS, Enrique Serra *et al*. *A Ditadura de Segurança nacional no Rio Grande do Sul*: história e memória (1964-1985). V. 3: Conexão Repressiva e Operação Condor. Porto Alegre: Corag, 2009.

PALMAR, Aluízio. *Onde foi que enterraram nossos mortos*? Curitiba: Travessa, 2005.

PAZ, Alfredo Boccia *et al*. *En los sótanos de los generales*: los documentos ocultos del Operativo Cóndor. Asunción: Expolibro/ Servilibro, 2002.

QUADRAT, Samantha Viz. *A repressão sem fronteiras*. Perseguição política e colaboração entre as ditaduras do Cone Sul. Tese (Doutorado em História). Niterói: UFF, 2005.

REIS, Ramiro José dos. Terrorismo de Estado e Operação Condor no Brasil: 30 anos do sequestro político internacional dos uruguaios em Porto Alegre. *Revista História & Luta de Classes*, [s. l.], v. 7, p. 52-57, jul./2009.

_____. *Operação Condor e o sequestro dos uruguaios nas ruas de um porto não muito alegre*. Dissertação (Mestrado em História). Porto Alegre: UFRGS, 2012.

ROBIN, Marie-Monique. *Escuadrones de la muerte*: la escuela francesa. Buenos Aires: Sudamericana, 2005.

SERPAJ. *Uruguay Nunca Más*. Informe Sobre la Violación a los Derechos Humanos (1972-1985). Montevideo: SERPAJ, 1989.

SCHILLING, Paulo. *El Expansionismo Brasileño*. México: El Cid Editor, 1978.

TAVARES, Flávio. *Memórias do esquecimento*. São Paulo: Globo, 1999.

VILLALOBOS, Marco Antonio. *Tiranos, tremei!*: Ditadura e resistência popular no Uruguai (1968-1985). Porto Alegre: EDIPUCRS, 2006.

SEGURANÇA NACIONAL, COOPERAÇÃO E CONFLITO: O BRASIL E AS VÁRIAS FACES DA AMÉRICA NA GEOPOLÍTICA DE GOLBERY DO COUTO E SILVA

Helder Gordim da Silveira[1]

O presente texto tem por objetivo revisitar o pensamento de Golbery do Couto e Silva como fonte conceitual da geopolítica da Escola Superior de Guerra (ESG) no contexto da intensa polarização ideológica[2] entre dois projetos concorrentes para a inserção internacional do Brasil, delineada nos campos político e intelectual, ao longo dos anos 1950-60. Tendo em vista esse contexto e as possíveis matrizes conformadoras do pensamento de Golbery, pretende-se examinar o modo como o autor, desde uma posição de ator-intelectual[3], concebe e projeta a posição do Brasil no cenário continental, construindo um quadro complexo e articulado de imagens plurais da América.

No plano ideológico, os referidos projetos de inserção internacional do Brasil encontram-se fortemente associados a concepções

[1] Doutor em História. Professor do Departamento de História e do PPG em História da Pontifícia Universidade Católica do Rio Grande do Sul.

[2] Tomam-se aqui as linhas gerais do conceito de ideologia proposto por John Thompson, segundo o qual fenômenos simbólicos, em geral, e racionalizações discursivas, em particular, têm efeitos ideológicos apenas quando, em um dado contexto sócio-histórico estruturado, em que se difundem através de certo meio de comunicação, concorram para constituir formas de sentido para uma relação estruturalmente assimétrica de poder, não importando, nesse sentido, para a análise da ideologia, a questão da falsidade ou da verdade da forma simbólica assim interpretada (THOMPSON, 1995, p. 43-99).

[3] Faz-se aqui referência ao indivíduo produtor-emissor de discurso textual ideológico, na acepção posta acima, o qual combina e articula posições de poder nas esferas institucionais dos espaços político e cultural-intelectual, na esteira da análise de Amando De Miguel (DE MIGUEL, 1978,p. 67-80).

nacionais concorrentes de desenvolvimento capitalista. A barganha nacionalista de Vargas, que evoluiria doutrinariamente na chamada Política Externa Independente (PEI), aparecia, nessa esquematização típica do confronto ideológico, como a expressão, em política externa, do modelo *nacional-desenvolvimentista* (VIZENTINI, 1995), enquanto a geopolítica da ESG projetava-se como a forma de inserção internacional articulada ao chamado *desenvolvimentismo associado* (BIELSCHOWSKI, 2000). Frise-se, todavia, que a complexidade da prática política interna e externa contrastasse de forma evidente com tais associações esquemáticas, as quais apareciam marcadas no mapa do confronto ideológico.

Ambos os modelos de inserção internacional representavam, a seu modo e nos seus enfrentamentos, uma linha de continuidade forte na política externa brasileira, pelo menos desde os anos 1930, qual seja, a de colocar a questão da modernização econômica e do desenvolvimento como foco central de orientação e de coordenação de ações (CERVO, 2003; SATO, 1998). No contexto do pós-guerra, tratava-se, portanto, de pensar a política externa como eixo central dos projetos concorrentes de superação do subdesenvolvimento, notadamente por meio da aceleração do processo de industrialização de raiz substitutiva no cenário mundial polarizado da Guerra Fria.

Golbery: uma trajetória entre a caserna e a política

Nessa perspectiva, o pensamento de Golbery do Couto e Silva[4] constitui um excelente indício de como se articulam nos círculos es-

[4] Os textos aqui examinados foram produzidos ao longo da década de 1950 e início dos anos 1960, a maioria dos quais sendo conferências do autor na ESG, reunidas em livro, sem alteração de conteúdo, segundo o próprio autor, em 1967 (SILVA, 1967). As características conceituais da obra completa do autor já foram analisadas por um conjunto significativo de autores cujas conclusões embasam o presente exame (COSTA, 2011; MUNDIM, 2007; ASSUNÇÃO, 1999; BIRKNER, 2002; KOCH, 2002; SCHILING, 1981).

guianos e nas esferas político-militares deles aproximadas os conceitos essenciais, componentes de uma visão paradigmática de *nação no mundo*, a fundamentar as noções propriamente geopolíticas.

Vânia N. F. de Assunção propõe um interessante perfil do mais importante estrategista da ESG e grande ideólogo e articulador político de instituições públicas e de ações de bastidores do regime autoritário brasileiro:

> Interlocutor respeitado por líderes como D. Paulo Arns, Julio de Mesquita Neto e Ulysses Guimarães. Odiado pela linha dura [das Forças Armadas] e radicalmente anticomunista e antidemocrático. Nacionalista e defensor da industrialização subordinada ao estrangeiro. Pensador autodidata, eclético, de estilo rocambolesco e árido, que não dispensava consultas a pais de santo. Em uma palavra: controvertido (2007, p. 1).

Golbery do Couto e Silva nasceu em 21 de agosto de 1911, na cidade de Rio Grande, Rio Grande do Sul, fazendo estudos no Ginásio Lemos Júnior daquela cidade. Em 1927, ingressou na emblemática Escola Militar do Realengo e construiu uma trajetória de grande destaque em todas as instituições de formação militar que frequentou. Foi declarado aspirante a oficial, da arma de infantaria, em dezembro de 1930, conquistando o primeiro lugar entre os cadetes de todas as armas. Participou nas operações da Revolução de 1932, servindo sucessivamente no QG da Sexta Brigada de Infantaria, no CPOR de Porto Alegre, na Diretoria de Material Bélico, na Secretaria-Geral do Conselho de Segurança Nacional e na Infantaria Divisionária da Quinta Região Militar.

Em abril de 1940, iniciada a Segunda Guerra, foi transferido para o 13º Batalhão de Caçadores, em Joinvile, Santa Catarina. No final de 1941, prestou concurso de provas livres para admissão na Escola de Estado-Maior, sendo então o único oficial aprovado. Ao concluir o curso, em agosto de 1943, foi designado para servir no Estado-Maior da 3ª Região Militar. Em 1944, foi para os Estados Unidos, recebendo treinamento militar no *Fort Leavenworth* e ingressando posteriormente na Força Expedicionária Brasileira, na condição de oficial de inteligência e informações. Regressando da Itália, em outubro de 1945, foi designado para a Seção de Operações do Estado-Maior da 3ª Região Militar. Em maio de 1946, foi transferido para o Estado-Maior do Exército, sendo, em junho desse ano, promovido a major, por merecimento, e, em dezembro, transferido para o então Estado-Maior Geral, hoje Estado-Maior das Forças Armadas (EMFA). Em março do ano seguinte, foi nomeado membro da Missão Militar Brasileira de Instrução no Exército do Paraguai, permanecendo ali por três anos. Em outubro de 1950, foi classificado no Estado-Maior do Exército, como adjunto da Seção de Informações. No ano seguinte, em outubro, seria promovido a tenente-coronel, novamente por merecimento.

Com essa trajetória, ingressou na ESG, em março 1952, como adjunto no Departamento de Estudos, na Divisão de Assuntos Internacionais, ocupando em seguida posto na Divisão Executiva e na direção da divisão de ensino da instituição, dentro da qual "suas teses acabaram sendo [...] as diretrizes tomadas pela própria escola" (FERNANDES, 2009, p. 852). Em novembro de 1955, em função de suas recentes posições no conturbado clima político nacional, o que o conduzira, inclusive, à prisão, foi exonerado de suas funções na Escola e transferido para o QG da ID/4, em Belo Horizonte. Recorde-se, nesse sentido, que em 1954, Golbery fora redator do célebre *Memorial dos Coronéis*, no qual os militares pressionavam pela demissão de João Goulart do Ministério do Trabalho do governo Vargas. Participou igualmente na redação do *Manifesto dos Generais*, diretamente contra o presidente, e foi um dos articuladores, em 1955, da tentativa de golpe de estado visando impedir a posse do presidente eleito, Juscelino Kubistchek, e de seu vice-presidente, João Goulart.

Certamente, essa experiência na ESG e o concomitante envolvimento político de Golbery seriam essenciais para a elaboração e a publicação das obras *Planejamento Estratégico*, de 1955, e *Geopolítica do Brasil*, de 1958, base dos textos reunidos posteriormente, a partir da edição 1967, que constitui uma referência fundamental para o pensamento geopolítico de todo o Cone Sul.

Em março de 1956, Golbery foi promovido a coronel, sempre por merecimento, e transferido para o Estado-Maior do Exército, Seção de Operações, Subseção de Doutrina. Em setembro de 1960, foi nomeado para o Estado-Maior das Forças Armadas, como chefe da Seção de Operações.

Durante o curto governo Jânio Quadros, em 1961, foi nomeado chefe de gabinete da Secretaria-Geral do Conselho de Segurança Nacional e, quando da surpreendente renúncia do presidente, participou ativamente do movimento civil-militar contra a posse do vice-presidente João Goulart, sendo reconhecidamente um dos elaboradores da conhecida *solução parlamentarista*, então implementada. Em setembro desse ano conturbado, solicitou transferência para a reserva.

No início da vida civil, liderou a organização do Instituto de Pesquisas e Estudos Sociais (IPES), no Rio de Janeiro, bem como do Instituto Brasileiro de Ação Democrática (IBAD), organizações financiadas pelo empresariado brasileiro e sabidamente por recursos estrangeiros, que desenvolveram intensa atividade conspiratória e de propaganda para a desestabilização do governo Goulart (DREIFUSS, 1981).

Vitorioso o golpe de abril de 1964, Golbery tornou-se, até 1967, chefe do poderoso órgão de inteligência do novo regime, o Serviço Nacional de Informações (SNI), o qual ele próprio concebera e articulara.

Quando da ascensão da chamada *linha dura* das Forças Armadas, com Costa e Silva na Presidência ditatorial, o general ficaria em relativo ostracismo, sendo nomeado ministro do Tribunal de Contas da União, entre 1967 e 1969, e indo para a iniciativa privada em 1969, como executivo da filial brasileira da multinacional *Dow Chemical*.

Retornou ao círculo central do poder em 1974, como chefe do Gabinete Civil do governo Ernesto Geisel, cargo no qual permaneceria até 1981, já no governo João Figueiredo. Nesse período, sobretudo no Governo Geisel, tornou-se o principal articulador da distensão política controlada pelo regime autoritário, quando aconselhava o príncipe a "distribuir pauladas à esquerda e à direita" (ASSUNÇÃO, 2007, p. 1), ao mesmo tempo em que se articulavam concessões relativas a ambos. Posteriormente, até sua morte em 1987, aos 76 anos de idade, Golbery do Couto e Silva se manteria afastado da vida pública.

Golbery do Couto e Silva, conforme acima delineado, tem sua formação técnica e intelectual no ambiente dos variados centros de formação de quadros do exército, o que naturalmente foi decisivo para o caráter geral de sua obra e de seus posicionamentos políticos. Seus esquemas analíticos da realidade brasileira encontraram, nessa perspectiva, um enquadramento geral no âmbito da disciplina geopolítica[5], em suas tradições internacionais e nacionais, no interior da qual introduziu elementos de filosofia, sociologia e história que lhe dão um colorido e um estilo bastante peculiar.

Nessa perspectiva, enfatizou o exame detalhado do território e da população nacionais, com o estudo coordenado de suas diversas

[5] A designação *geopolítica* foi empregada pela primeira vez por Rudolf Kjellen (1864-1922), em célebre artigo de 1899 na revista *Ymer*. Embora nunca tenha utilizado a palavra, Friederich Ratzel (1844-1904) é geralmente apontado como o grande precursor da geopolítica, em seus elementos científico-ideológicos fundamentais. Importa aqui destacar que, de forma geral, o pensamento geopolítico, sem ter como finalidade última a formulação de princípios abstratos e universais, buscará sempre analisar a dinâmica da ação de um Estado em particular e seu contexto geográfico, econômico, histórico e político específico, nos planos externo e interno de forma articulada, visando fornecer elementos para a atuação concreta deste em planos diversos e articulados, no presente e no futuro.

regiões a embasar uma geopolítica para o país, como garantia de sua segurança interna e projeção internacional. Tal *geopolítica brasileira* é assim posta como um componente essencial da Doutrina de Segurança Nacional (DSN), segundo a pensa, adapta e reformula o autor. Em 1959, Golbery assim definia a disciplina que dava corpo a seu pensamento:

> Para nós, a geopolítica nada mais é que a fundamentação geográfica de linhas de ação políticas, quando não, por iniciativa, a proposição de diretrizes políticas formuladas à luz dos fatores geográficos, em particular, de uma análise calcada, sobretudo, nos conceitos básicos de espaço e de posição. Um dos ramos, portanto, da política, como o imaginara o próprio Kjellén, e sempre a qualificou, entre nós o mestre Backheuser. [...] Não seria justo, assim, confundi-la com a geografia política nem lhe negar o duplo caráter, quase de todo indissociável, de ciência – na conceituação e fundamentos – e de arte – na práxis que a própria política admite. E, por isso mesmo, como interpretação de uma realidade geográfica e política e, principalmente, como projeção de interesses e aspirações nacionais, só valerá, para nós, de verdade, a geopolítica que se firmar como essencialmente brasileira (*apud* MUNDIM, 2007, p. 126).

Apesar das constantes referências a Everardo Backheuser[6], um seguidor da escola organicista-determinista de Ratzel, Golbery tratará de desvincular seu pensamento geopolítico da escola alemã, incorporando, ao menos nas referências formais, a tradição da Geografia possibilista francesa, de Vidal de la Blache. Segundo a correta interpretação de Luiz Filipe Mundim, isso se verifica porque Golbery tem a preocupação de "liberar a sua teoria da vinculação com as experiências totalitárias de uso da geopolítica", tendo o autor o objetivo

[6] Considerado, junto a Delgado de Carvalho, como um precursor do pensamento propriamente geopolítico brasileiro, nos anos 1920, embora o Barão do Rio Branco seja apontado como um pensador-formulador prático da disciplina no país (MIYAMOTO, 1981).

de "adequar a geopolítica ao contexto da Guerra Fria, inserindo novo conceito de guerra, a guerra constante, interna e psicológica". Assim, "os elementos políticos, econômicos, psicossociais e militares – mencionados exaustivamente na sua obra, e campos-chave da DSN – dão a medida dessa perspectiva possibilista da geopolítica, e relacional, da doutrina" (2007, p. 127).

Nesses termos, a geopolítica em Golbery é a matriz teórica básica a partir da qual se pensa e se projeta a Segurança Nacional, o que aparece no Planejamento Estratégico, construído e posto em prática em seus variados níveis – econômico, psicossocial, militar – pelo Estado, objetivando a realização do potencial da nação e o confronto permanente com seus inimigos e obstáculos. Sobre essa questão refere Golbery que

> o planejamento governamental é um risco – um risco calculado. Mas, nas questões relativas à segurança nacional, onde riscos muito maiores devem ser considerados, envolvendo a vida ou morte da nação, a independência ou subjugação de um povo, o futuro de gerações e gerações, o planejamento a cargo do estado é, sem contestação, imprescindível (*apud* MUNDIM, 2007, p. 129).

Refletindo sobre tal papel atribuído ao Estado na execução do chamado planejamento estratégico, sob uma concepção sempre unificadora de nação, e interesse nacional, Luiz Filipe Mundim recorda que "o autoritarismo conservador de Golbery inseria-se num campo intelectual, que há alguns anos já preparava o terreno da ampla dominação da produção ideológica no Brasil, por meio das figuras intelectuais de autores como Oliveira Vianna e Azevedo Amaral" (2007, p. 129-130).

De Vianna, sobretudo, Golbery irá incorporar à sua geopolítica, como pressuposto epistemológico, a concepção de uma história brasileira fundada no binômio centralização-descentralização, ao qual o general faria referência ainda em 1981, no contexto da transição controlada, sob a forma da célebre metáfora cardíaca, "sístoles-diástoles" (SILVA, 1981, p. 5).

Essa visão da história nacional surge associada às concepções de Spengler e Toynbee, quanto ao devir do processo civilizatório. Do primeiro, Golbery incorpora a noção de *Ocidente em decadência*, reforçada no contexto da Guerra Fria pela ameaça *totalitária* comunista. Do segundo, a ideia das "minorias criativas", que no autor aparecem sob a designação "elites verdadeiras", como componentes do grupo preparado para formular e executar "respostas" aos "desafios" que se colocam historicamente a qualquer ordem civilizatória.

Desse modo, o período histórico 1946-1964 pode aparecer em Golbery, por detrás das formulações estratégicas de cunho modernizador-autoritário e, em larga medida justificando-as, como uma fase de esgotamento de um ciclo histórico descentralizante do país, que aparecia na apatia social aliada à incapacidade da *elite dominante* populista, que conduzia o país ao caos, no interior de um contexto mundial em que a própria civilização ocidental-cristã-democrática aparecia igualmente ameaçada. A saída autoritária podia assim ser posta na dupla perspectiva da necessidade histórica de um novo ciclo centralizador no país, levado a efeito pela nova *elite verdadeira* (civil-militar, em formação, por exemplo, na ESG) e dos imperativos de salvação do mundo ocidental.

Por sua vez, sumariando as linhas gerais que embasaram o pensamento do general, no tocante aos conceitos essenciais nas formulações geopolíticas, Estado e Nação, Vânia N. F. de Assunção afirma que o estrategista

> estava ideologicamente impedido de trabalhar com a ideia de *nação dividida*, elidindo as divisões sociais em função de uma visão homogeneizante. Por isso o Estado aparecia em seus escritos como um ente abstrato, a-his-

> tórico, a quem toda a sociedade serviria. O nacionalismo também era conceito-base no seu pensamento. Muitas vezes confundida com o Estado, a nação só podia existir em segurança, integrada e em função de aspirações comuns. A segurança nacional estaria garantida quando se barrassem os antagonismos a estes objetivos nacionais. Fortemente influenciado pelo organicismo, Golbery percebia a sociedade como um organismo regido por leis análogas às da natureza, do que decorria que tudo que a fortalecesse era visto como positivo e natural, enquanto perturbações da ordem seriam patológicas (2007, p. 2).

Apesar do exagero quanto à influência organicista, em parte rejeitada explicitamente por Golbery, a autora aponta corretamente os pressupostos conceituais e epistemológicos sobre os quais repousam as formulações geopolíticas que, em larga medida, comporiam a face brasileira da DSN.

O Brasil diante das várias Américas

Em pelo menos três textos de *Geopolítica do Brasil*, que se produzem ao longo da década de 1950 e que reafirmam sempre os conceitos-chave acima discutidos, é possível perceber as linhas gerais da imagem complexa que Golbery (re)produz de uma América Latina em relação ao Brasil e, inevitavelmente, aos Estados Unidos e ao sistema hemisférico. Às vezes hispânica, às vezes adstrita ao palco sul-americano, às vezes unificada por traços histórico-culturais e problemáticas geopolíticas comuns, às vezes inimiga potencial, às vezes palco de hegemonia, às vezes aliada possível em certos objetivos estratégicos. Quadro multifacetado que, todavia, se harmoniza pela perspectiva e pelo enquadramento conceitual do Realismo, da Geopolítica, da Defesa Nacional e do Ocidentalismo na ordem da Guerra Fria.

É nessa direção que Golbery reconhece, ao mesmo tempo em que naturaliza, a *inevitabilidade* da preponderância hegemônica dos Estados

Unidos sobre a América Latina no sistema continental, a qual o autor parece caracterizar como uma continuidade histórica progressiva, que atingira seu ápice no pós-1945. Refere, nesse sentido, em texto de 1952:

> O hemisfério em que vivemos não pode escapar à sombra possante da grande nação irmã do norte que fez do Mar das Antilhas um grande lago norte-americano, e cuja expansão decidida para o sul tanto alarmou, em épocas passadas, a consciência latina nestas plagas da América, motivando as explosões de Carlos Pereyra, Blanco-Fombona, Vargas Vila e do nosso Eduardo Prado (SILVA, 1967, p. 50).

Sempre fiel ao realismo, Golbery enfatiza os imperativos econômicos e estratégicos das forças que condicionaram o progressivo abandono por parte de Washington das posições históricas isolacionistas para "agora resolutamente [...] se projetarem além-mar na Europa e na Ásia". Para o continente americano em particular, a expansão estadunidense de caráter global corresponderia

> ao afrouxamento de naturais tensões intracontinentais e tem seu paralelo no abrandamento de uma doutrina de domínio como sempre foi [...] a tese de Monroe (com ou sem corolários), para uma doutrina multilateral de segurança coletiva, na instituição de uma política de boa-vizinhança em substituição à do *Big Stick*, no adoçamento das práticas intervencionistas, a diplomacia dos desembarques de fuzileiros cedendo à diplomacia menos ostensiva do dólar, no reconhecimento enfim de que a união voluntária e a paz continentais são pré-requisitos indispensáveis a planos muito mais altos e, no momento, inadiáveis impostos por exigência de segurança própria, embora expressos por vezes em termos menos realistas de uma nova cruzada pela civilização da Europa (SILVA, 1967, p. 51).

É assim que Golbery parece reproduzir uma racionalização recorrente na diplomacia brasileira e em muitos de seus intérpretes na historiografia desde o Barão do Rio Branco, segundo a qual o monroísmo, originalmente uma ideologia da expansão continental estadunidense e da defesa interna do país, revestida com roupagem pan-americana, assumiria ao longo do tempo, inevitavelmente, um caráter multilateral e hemisférico de cooperação e defesa coletiva. Isso ocorreria em função do crescimento econômico e da estabilidade institucional de países-chave na América Latina, bem como do aprofundamento da expansão global dos Estados Unidos, embora sem jamais perder o seu teor unilateral de origem.

Nessa perspectiva e considerando o contexto da Guerra Fria nos anos 1950, Golbery ressalta que "já não estão pensando os norte-americanos simplesmente em 'completar à perfeição (o seu) conforto político', como dizia Jefferson a Monroe ao encarar 'candidamente' a anexação pura e líquida de Cuba; o jogo é agora muito mais sério e as paradas mais altas" (1967, p. 51).

Segundo a razão realista que fundamenta sempre sua análise, Golbery não vê nos mecanismos cooperativos da Organização dos Estados Americanos (OEA) ou nos termos frouxos do Tratado Interamericano de Assistência Recíproca (TIAR) os meios mais efetivos ou as expressões mais acabadas dessa *necessidade* estadunidense de exercer seu Poder Nacional globalmente com base na liderança do sistema continental interamericano. Ao contrário, os fatores reais do exercício de poder são aqui decisivos e, nesse sentido, para os interesses norte-americanos, segundo Golbery, o subcontinente sul-americano apresenta-se como um palco diferenciado no conjunto da América Latina, pois "a América do Sul está mais longe do que pensavam e constitui de fato um território de ultramar". Nesse sentido, Golbery remete significativamente a Spykman[7], que, segundo sustenta, teria

[7] Nicholas J. Spykman (1893-1943) é geralmente considerado um dos principais introdutores da geopolítica europeia nos Estados Unidos e um dos intelectuais mais influentes na política externa norte-americana do século XX. Adaptando a teoria do *heartland*, do britânico Halford Mackinder (ver adiante), para a projeção internacional estadunidense, Spykman cria o conceito de *rimland*, de

advertido as Forças Armadas estadunidenses que "ao sul de Natal, a América Latina é indefensável".

Ainda para diferenciar, pela distância geoestratégica relativamente aos Estados Unidos, a América do Sul – e sua costa Atlântica – do restante da América Latina, Golbery cita textualmente o jornalista e escritor consagrado nos Estados Unidos, sabidamente um dos principais responsáveis pela popularização do termo *Guerra Fria*, Walter Lippman, cuja voz surge expressivamente no texto do militar brasileiro, afirmando:

> *No Atlântico Sul é essencial a manutenção de fortes bases marítimas e aéreas na projeção oriental do Brasil. Essas bases não podem ser mantidas exclusivamente pelo Brasil, porque esse país não é um arsenal. Os brasileiros têm de ser, portanto, apoiados pelos Estados Unidos. Como não há comunicação terrestre com o Brasil, a defesa estratégica de todo o continente sul-americano do lado do Atlântico de pende das comunicações marítimas* (1967, p. 51). [Grifos do autor]

Emerge assim, na geopolítica golberiana, a tese, de resto recorrente, frise-se, no discurso político-diplomático brasileiro do século XX, relativa à aliança reciprocamente privilegiada nas Américas entre o Brasil e os Estados Unidos, sem dúvida atualizada e potencializada ideologicamente no contexto da Guerra Fria e nos quadros conceituais e doutrinários da DSN. É nesse sentido que o palco sul-americano, base para o projeto brasileiro de liderar a zona de segurança ocidental no Atlântico Sul, que se renova enfaticamente em Golbery e na geopolítica da ESG, surge representado como um conjunto de países *hispano-americanos*, cercando uma *América luso-brasileira* e em contraste de variados matizes com ela. Precisamente nessa direção aponta Golbery:

---

grande influência na estratégia realista de Contenção, durante a Guerra Fria.

> Quando entre nossos vizinhos hispano-americanos recrudesce indisfarçável uma oposição aos Estados Unidos da América que se mascara de *Terceira Posição* ou que outro rótulo tenha, aproveitando-se exatamente daquela enforcação para além-Atlântico e além-Pacífico dos interesses primaciais dos norte-americanos, o Brasil parece estar em condições superiores, pela sua economia não competitiva [com os Estados Unidos], pela sua larga e comprovada tradição de amizade e, sobretudo, pelos trunfos de que dispõe para uma *barganha* leal – o manganês, as areias monazíticas, a posição estratégica do nordeste e da embocadura amazônica com seu tampão da Marajó – de negociar uma aliança bilateral mais expressiva que não só nos assegure os recursos necessários para concorrermos substancialmente na segurança do Atlântico Sul e defendermos, se for o caso, aquelas áreas brasileiras tão expostas a ameaças extracontinentais, [...] mas uma aliança que, por outro lado, traduza o reconhecimento da real estatura do Brasil nesta parte do Oceano Atlântico (1967, p. 52).

São assim atualizados para o contexto os termos da referida tese tradicional, que remonta a Rio Branco, sobre a articulação entre os interesses nacionais brasileiro e estadunidense na política internacional americana, que assumia então desdobramentos e dimensões globais. Nessa direção, o autor tratará de defender que as ameaças externas potenciais ao nordeste semiárido e à Amazônia não mais estariam embasadas em interesses colonialistas clássicos, para os quais a África seria o campo atual mais conveniente. Diferentemente, "o que nos ameaça hoje [...] é uma ameaça não dirigida propriamente contra nós, mas sim indiretamente contra os Estados Unidos da América". Nesse sentido, não seria de todo improvável uma ação militar externa da URSS – nos anos 1960, o autor abandonaria por completo essa possibilidade para centrar-se nas ações do *inimigo interno*, as quais, todavia, apresentam significativamente o mesmo desdobramento estratégico, nos termos da DSN –, contudo a relevância estratégica global do nordeste brasileiro, "um amplo e inigualável porta-aviões", revelar-se-ia "não para nós que nada queremos do outro lado do Atlântico, mas para os Estados Unidos que já se engajaram a fundo na defesa da Europa, como plataforma de ataque ou simplesmente de salto por sobre o Oceano ao continente africano onde desde já se situa, ao norte, o cinturão de importantes bases aéreas das quais se espera deter qualquer avanço comunista para oeste e martelar o coração industrial da Rússia" (1967, p. 52-53).

Desse modo, pode concluir Golbery, inserindo de forma notável a Defesa Nacional brasileira na lógica continental e global da Guerra Fria:

> Forçoso é reconhecer que a segurança e a defesa do Nordeste, do estuário amazônico e do Atlântico Sul são ônus que recaem em nós muito acrescidos agora em consequência daquele antagonismo tremendo [EUA x URSSS]. Não há para nós alternativa outra senão aceitá-los e aceitá-los conscientemente – pois de forma alguma poderíamos abrir mão de deveres que são exclusivamente nossos, como o da defesa da integridade do território nacional e não menos o da segurança do Atlântico Sul ao qual estão vinculadas a nossa prosperidade e, sem dúvida, a nossa sobrevivência.

Tal racionalização de teor geopolítico-estratégico, na qual o Brasil com sua costa nordestina desponta com relevância mundial indiscutível, tem o seu potencial ideológico complementado pelos elementos, sempre subjacentes ao texto de Golbery, oriundos de um potente nacionalismo associado à defesa de uma ordem civilizatória ameaçada:

> O direito de utilização de nosso território, seja para o que for, é um direito exclusivo de nossa soberania que não devemos, de forma alguma, ceder por um prato de lentilhas. Se a geografia atribuiu à costa brasileira e a seu promontório nordestino um quase monopólio de domínio no Atlântico Sul, esse monopólio é brasileiro, deve

> ser exercido por nós exclusivamente, por mais que estejamos, sem tergiversações, dispostos a utilizá-lo em benefício de nossos irmãos do norte, a quem nos ligam tantos e tão tradicionais laços de amizades e de interesses, e em defesa ao mesmo tempo da civilização cristã, que é a nossa, contra o imperialismo comunista de origem exótica (1967, p. 53).

E assim, "também nós podemos invocar um 'destino manifesto', tanto mais quanto ele não colide [...] com os de nossos irmãos maiores do norte..." (1967, p. 54).

Voltando-se desse panorama Atlântico para o interior do palco sul-americano e para a posição geopolítica brasileira diante dele, Golbery traça um quadro de relações e tensões internacionais, influenciado de forma bastante estreita por perspectivas de análise consagradas no Itamaraty – verificando-se referência explícita ao embaixador Macedo Soares, de destacada atuação diplomática nos anos 1930 e idealizador do Instituto Brasileiro de Geografia e Estatística (IBGE) –, bem como pelo consolidador da geopolítica nacional no meio militar, Mário Travassos.

Nessa perspectiva, Golbery renova para os tempos de Guerra Fria um quadro tradicional do contexto sul-americano visto pela diplomacia – e por parte de suas interpretações historiográficas – e pelo pensamento estratégico brasileiro, no qual ressurgem imagens diferenciadoras de uma América hispânica e uma América luso-brasileira. Nesse sentido, refere o autor: "o que vemos nos circundando é uma cintura de nações a que unem, acima de quaisquer dissensões, a mesma origem hispânica, tradições históricas semelhantes e entrelaçadas e, sobretudo, a unidade linguística, quando não tanto os costumes e a cultura". E assim, conclui, não sem ironia, em torno a uma suposta visão hispânica do Brasil:

> Velhas desconfianças e litígios antigos, sem dúvida, as separam, mas não parecem de molde a impedir uma composição de interesses e uma conjugação de esforços, quando se trate de satisfazer todas as ambições e todos os ressentimentos à custa do vizinho exótico, rico demais hoje em virtude de seu imperialismo prepotente, que nem pode aproveitar devidamente suas terras imensas e cuja vontade se julga andar um tanto alquebrada pela contribuição em alta dose de sangue escravo inferior... (1967, p. 54).

Nesse panorama, pode-se dizer histórico-cultural, Golbery introduz critérios propriamente geopolíticos para construir os chamados "dinógrafos", com base no efetivo populacional, na produção de carvão, aço e petróleo e no potencial hidrelétrico instalado. Segundo tais critérios, o autor aponta para a existência de três polos de poder na América do Sul relativamente à posição brasileira no subcontinente. Ao sul, a Argentina; a noroeste, a Colômbia; e a oeste, o Peru. O Chile é igualmente destacado, com a ressalva de que não faz fronteira com o Brasil.

Mesmo considerando que tais polos se efetivam em blocos regionais, felizmente, para o autor, separados uns dos outros – o antigo vice-reinado do Prata, acrescido do Chile; a Colômbia acrescida da Venezuela e do Equador –, Golbery sustenta que seu potencial seria ainda então bastante inferior ao do Brasil, "cuja maior deficiência se acha indiscutivelmente em nossa quase completa dependência do petróleo estrangeiro" (1967, p. 55).

Examinando as tensões e os pontos de fricção reais e potenciais nesse quadro, isto é, de um *Brasil lusitano*, com seu núcleo de poder concentrado no triângulo Rio de Janeiro-São Paulo-Belo Horizonte, cercado por três centros de poder *hispânicos*, Golbery renovará, no contexto de formação da elite esguiana, a argumentação recorrente de que dois daqueles polos não representariam um perigo geoestratégico concreto no momento então presente.

De fato, o autor sustenta que os polos colombiano e peruano estão separados do Brasil pela floresta tropical úmida, na qual se penetra quase exclusivamente pelas vias fluviais, estando assim a linha divisória amplamente desguarnecida de ambos os lados dessa enorme planície passiva. Se o núcleo de poder brasileiro está extraordinariamente distante da região, nucleada em Manaus, os polos hispânicos, em que pese mais próximos, teriam de ultrapassar o obstáculo representado pela descida íngreme da cordilheira andina. Assim, pode o autor concluir que

> não parece [...] razoável temer nesse extenso arco fronteiriço de que Manaus é o centro geográfico [...] a eclosão súbita de um conflito ou o desencadeamento de um ataque, pelo menos sem que sejamos alertados com grande antecedência por uma sensibilização paulatina das fronteiras, um aumento progressivo da pressão exterior e uma sucessão de incidentes que prenunciem a borrasca – algo como o que se passou no Chaco, onde choques intermináveis [...] precederam largamente a deflagração real da luta.

Todavia, se o conflito de larga escala com desdobramento militar é impensável na região, não seria menos preocupante uma penetração lenta, que o autor qualifica como "dissimulada" e que já se mostraria como ameaça presente e real, sobretudo devido ao "abandono em que deixamos aquelas paragens", a qual certamente "poderá acarretar no futuro consequências desastrosas". Embora prevendo uma vitória brasileira em um virtual conflito futuro de larga escala na região, Golbery aconselha a precaução no sentido de prevenir antes de remediar. Tal prevenção seria "o tamponamento efetivo dos caminhos naturais de penetração, que de além-fronteiras conduzem à Amazônia". Sem esclarecer completamente como se faria tal ação, o autor é veemente ao sustentar que "é medida que se impõe, e se impõe com urgência, para que [...] possamos levar a cabo, quando oportuno, tranquila e metodicamente, um plano de integração e valorização daquele imenso mundo ainda perdido" (1967, p. 55). Difícil para o leitor não pensar aqui nos futuros projetos Transamazônia e de integração regional...

Pensada assim a questão das fronteiras setentrionais, adverte Golbery, sempre atualizando noções tradicionais do pensamento estratégico brasileiro, que "ao sul e a S.O. a situação é bem outra", à medida que

> aqui se nos defronta o poder argentino, concentrado em um evidente núcleo central que [...] abarca a grande capital-tentáculo de Buenos Aires e a província do mesmo nome, mais parte de La Pampa e de Santa Fé, e que se articula a N.E. com a Mesopotâmia, a N.O. com um núcleo marginal importante englobando Córdoba, Mendoza e Tucumã, e ao S., em condições precárias, com a região não ecumênica da Patagônia cuja expressão se cifra [...] no petróleo de Comodoro Rivadávia e no carvão de Rio Túrbio (1967, p. 56-57).

Retomando a tese de Mario Travassos (1938), que transpusera para a América do Sul a teoria clássica de Halford Mackinder[8], a respeito do "coração do mundo", na Europa Central, como foco de resolução dos conflitos geopolíticos globais, reafirmaria Golbery, a respeito do foco potencial de resolução do conflito Brasil-Argentina:

---

[8] O britânico Halford Mackinder (1861-1947) é geralmente apontado como o fundador da chamada teoria do poder terrestre, na geopolítica europeia. Lançou as bases de sua geopolítica na célebre conferência *The Geographical Pivot of History*, pronunciada na Sociedade de Londres, em 1904, na qual enunciou o conceito de *heartland*, ou "coração do mundo". Atento aos rumos do imperialismo alemão na Europa, Mackinder elabora um corpo doutrinário, no qual funde elementos históricos e geográficos, para demonstrar que o controle geopolítico da Europa e do mundo decidir-se-ia na região-chave interior do continente compreendida pelas planícies ucranianas e polonesas. As proposições do autor influenciaram a política externa inglesa no início do século e, após o conflito de 1914-18, foram a base teórica para o chamado "cordão sanitário", em torno da URSS. Mário Travassos, no início dos anos 1930, identificaria no Paraguai e na Bolívia o *heartland* sul-americano, onde o Brasil e a Argentina decidiriam a disputa pela supremacia no subcontinente, em obra que influenciou decisivamente o pensamento militar e diplomático no Brasil e em toda a região (TRAVASSOS, 1938).

> Mais ou menos tributários da Argentina, oscilando entre a desconfiança, o ressentimento e a admiração e jungidos pela dependência econômica indiscutível – o Paraguai e a Bolívia, "prisioneiros geopolíticos", muito mais o primeiro que a segunda, valem muito pela sua posição geográfica no flanco aberto e vulnerável do Brasil meridional e central e constituem, sobretudo por sua instabilidade política e econômica, indisfarçáveis zonas de fricção externas onde podem vir a contender, quer queiram quer não, os interesses brasileiros e argentinos.

Para conquistar esse instável e dependente "coração continental", Golbery julga ser decisivas "a vitalização e integração no ecúmeno nacional, do centro-oeste brasileiro, especialmente o Mato Grosso – placa giratória superiormente situada nas cabeceiras comuns das duas grandes bacias hidrográficas [platina e amazônica]".

Entretanto, é no extremo sul do subcontinente que o estrategista brasileiro localiza a zona de máxima tensão presente do antagonismo geopolítico Brasil-Argentina:

> É bem mais ao sul, onde o Uruguai, geograficamente meio brasileiro e meio platino, continua a viver e prosperar galhardamente em seu histórico papel de Estado-Tampão, e aí onde Las Missiones avançam como uma cunha para nordeste modelando o gargalo de Santa Catarina, que se define a linha de tensão máxima no campo sul-americano, reforçada como é pela proximidade maior dos centros de força potencialmente antagônicos, seu dinamismo e potencial superiores, a tradição de choques e conflitos que vêm desde o passado colonial e, por fim, mas não menos importante uma aspiração hegemônica alimentada além do Prata por uma propaganda tenaz e incansável desde os dias já longínquos de Rosas (1967, p. 57).

Golbery conclui o argumento lembrando ser localizada nesse meridional extremo a única fronteira viva do Brasil no subcontinente.

Fica assim traçada a posição geopolítica real e potencial do Brasil na América do Sul, região que, lembre-se, ao ser território de ultramar para os Estados Unidos, deveria ser o espaço terrestre lógico da projeção internacional do Brasil, articulada ao espaço marítimo do Atlântico Sul, onde o país estabeleceria, como se viu, a sua área global de liderança para a defesa do Ocidente, nos quadros da Guerra Fria.

É notável como o discurso de teor geopolítico e estratégico, ao expor diferenças, antagonismos, conflitos e lutas por hegemonia, pode, ao mesmo tempo, incorporar a perspectiva de cooperação em uma América que, nesse sentido, aparece unificada, conceitualmente, como "latina", conceito cuja apropriação era objeto de luta no contexto entre diferentes perspectivas ideológicas quanto ao processo de desenvolvimento capitalista.

O autor é explícito quanto a essa articulação de perspectivas, aparentemente contraditórias, ao afirmar que:

> Fortalecido o sentimento de uma natural comunidade latino-americana que terá tudo a ganhar de uma união sincera e ativa de energias na luta contra o subdesenvolvimento e a fraqueza econômica; vivamente provada a unidade continental em face de ameaças externas que se manifestam, dia a dia, mais próximas e mais tremendas – nem por isso perde um sentido objetivo a compartimentação do continente em áreas estratégicas distintas, antes ganha cada vez maior significação (1967, p. 87-88).

Assim, o conceito *América Latina* surge unificado com base nas noções de subdesenvolvimento e pobreza, num primeiro instante, para, em seguida, articular-se com a ideia mais abrangente de unidade hemisférica interamericana, em contraposição ao avanço comunista. Essa dialética conflito-cooperação é assim posta pelo autor em termos teóricos realistas:

> O sentimento de solidariedade entre nações de uma dada região qualquer será sempre tanto mais forte e resistente quanto mais sérias e prementes forem as ameaças externas e, pois, natural é que oscile ele em intensidade [...], variando até entre os extremos de um quase indiferentismo e de uma quase aliança, ao influxo da atuação [...] sobremodo decisiva dos centros externos de poder de onde possam partir agressões mais ou menos perigosas e como tal reconhecidas (1967, p. 180).

Desse modo, Golbery sustenta que, para cada país latino-americano, as ideias e as práticas de segurança irão oscilar, de forma natural e não contraditória, entre a defesa comum contra a agressão comunista, para a qual a questão do subdesenvolvimento é central, e a defesa individual no enfrentamento dos antagonismos intrarregionais, de modo que momentos de maior tendência integradora se alternem com momentos de conflito, sem que nem um nem outro tenham duração perene na história.

Todavia, "na conjuntura atual, quando, no dizer de Toynbee, a civilização ocidental a que todos pertencemos nesta América Livre se vê de fato cercada pela heresia materialista do imperialismo soviético, a ameaça de origem extracontinental sobreleva, inegavelmente, a quaisquer outras, no exigir de nossa parte atenção redobrada e um esforço deliberado e viril de segurança coletiva" (1967, p. 81). Difícil deixar de entrever aqui uma notável sustentação ideológica para as futuras intervenções brasileiras na região, em apoio aos golpes contrainsurgentes.

O elogio e o caráter necessário de uma atitude latino-americana cooperativa, e o modo como o Ocidente dependeria de um apoio decidido a ela, são postos de forma enfática por Golbery:

> Nenhuma experiência dessa ordem [de cooperação internacional], mais veemente e mais decisiva, se poderia levar a efeito do que a requerida, hoje, pela grave crise

> econômica e social que sufoca e esteriliza os esforços desmesurados das populações latino-americanas, em sua luta por um futuro melhor. Mais resguardadas de interferência por parte do bloco comunista, mais próxima dos centros propulsores do dinamismo norte-americano; dotada de uma boa base territorial e de imensas riquezas ainda quase inexploradas, dispondo de um potencial demográfico de satisfatórios índices de mobilização para tarefas de reconstrução, profundamente cristã, animada de ideais democráticos e criada no seio da própria cultura ocidental, a América Latina, de que o Brasil é, em si mesmo, uma expressão e um espelho, constitui vasto e promissor campo para uma tal experiência, generosa sem dúvida, mas também de alta significação para a defesa dos postulados, dos valores, das crenças, da Civilização toda do Ocidente que, atualmente, já se apresenta quase desnuda na sua esterilidade e na sua incapacidade de atração, ante a arremetida pertinaz e desagregadora da ideologia marxista. Redimindo os povos irmãos desta América o Ocidente redimiria, pela esperança, os povos todos da Terra. E as sereias comunistas cantariam ao vento insensível suas promessas blandiciosas... (1967, p. 256).

Conjugam-se assim, de forma notavelmente rigorosa e coerente, as imagens entrecruzadas de cooperação, conflito, diferenças e unidades, da América e do Brasil dentro dela, numa extraordinária mobilização de diferentes matrizes do pensamento autoritário nacional e internacional. Política interna e política externa articulam-se em um projeto de poder que certamente atuou como fator decisivo de coesão ideológica para a elite civil-militar que conspirava no pré-1964.

Vitorioso o golpe, parece evidente perceber as engrenagens conceituais desse projeto – embora obviamente não fosse o único a concorrer para a efetivação dinâmica da nova ordem – funcionando na concretização da política interna-externa da ditadura, nas intervenções pró-golpes, nos tratados de integração para as Bacias Platina e Amazônica, num aparentemente paradoxal terceiro-mundismo desenvolvimentista e modernizador, nos projetos de colonização e reforma agrária, no fortalecimento das Superintendências para o desenvolvimento e a integração sub-regionais, em Itaipu, na Transamazônica, no mar territorial de 200 milhas, no planejamento das comunicações e do transporte viário, para além do óbvio reaparelhamento do aparato militar.

REFERÊNCIAS

ASSUNÇÃO, Vânia N. F. de. *O Satânico Doutor Go*: a ideologia bonapartista de Golbery do Couto e Silva. Dissertação de Mestrado. PPG em Ciência Política. Pontifícia Universidade Católica de São Paulo, 1999.

______. O Satânico Dr. Go: Golbery e um projeto de desenvolvimento e dependência para o Brasil. *Espaço Acadêmico*, n. 70, mar. 2007.

BIELSCHOWSKY, Ricardo. *Pensamento Econômico Brasileiro* O Ciclo Ideológico do Desenvolvimentismo. Rio de Janeiro: Contraponto, 2000.

BIRKNER, Walter M. K. *O realismo de Golbery*. Segurança Nacional e desenvolvimento global no pensamento de Golbery do Couto e Silva. Itajaí: Ed. UNIVALI, 2002.

CERVO, Amado Luiz. Política exterior e relações internacionais do Brasil: enfoque paradigmático. *Revista Brasileira de Política Internacional*, v. 2, n. 46, 2003.

COSTA, Frederico Carlos de Sá. *Repensando Golbery*. Centro de Pesquisas Estratégicas Paulino Soares de Souza. Universidade Federal de Juiz de Fora. Disponível em: www.ufjf.edu.br/defesa. Acesso em: 2 mar. 2011.

DE MIGUEL, Amando. *El Poder de la Palabra* – Lectura Sociológica de los Intelectuales en Estados Unidos. Madrid: Ed. Tecnos, 1978.

DREIFUSS, René Armand. *1964 – A conquista do Estado:* ação política, poder e golpe de Estado. Petrópolis: Vozes, 1981.

FERNANDES, Ananda Simões. A reformulação da doutrina de Segurança Nacional pela Escola Superior de Guerra no Brasil. *Antíteses*. V.2, n. 4, jul.-dez. 2009.

KOCH, Ana M. *Ocidente cristão em Golbery do Couto e Silva*. Dissertação de Mestrado. PPG em História. São Leopoldo: UNISINOS, 1999.

MIYAMOTO, Shiguenoli. *O pensamento geopolítico brasileiro (1920-1980)*. Dissertação de Mestrado. FFLCH da Universidade de São Paulo, 1981.

MUNDIM, Luiz Felipe C. *Juarez Távora e Golbery do Couto e Silva*: ESG e a Organização do Estado Brasileiro (1930-1960). Dissertação de Mestrado. Universidade Federal de Goiás, 2007.

SATO, Eiti. 40 anos de política externa brasileira, 1958-1998: Três inflexões. *Revista Brasileira de Política Internacional*, n. 41, 1998. *Revista Brasileira de Política Internacional*, v. 2, n. 46, 2003.

SCHILING, Paulo. *O expansionismo brasileiro*: a geopolítica do general Golbery e a diplomacia do Itamaraty. São Paulo: Global, 1981.

SILVA, Golbery do Couto e. *Geopolítica do Brasil*. Rio de Janeiro: Livraria José Olympio Editora, 1967.

______. *Conjuntura política nacional – o poder executivo & geopolítica do Brasil*. Rio de Janeiro: J.Olympio, 1981.

THOMPSON, J. *Ideologia e cultura moderna*. Teoria Social Crítica na Era dos Meios de Comunicação de Massa. Petrópolis: Vozes, 1995.

VIZENTINI, Paulo G. *Relações internacionais e desenvolvimento*. O Nacionalismo e a Política Externa Independente 1951-1964. Petrópolis: Vozes, 1995.

RAÍZES DO PENSAMENTO AUTORITÁRIO NA AMÉRICA LATINA

Claudia Wasserman[1]

Autoritarismo na História da América Latina

O tema do autoritarismo e da cultura política na América Latina remete à reflexão imediatamente para as dificuldades de manutenção de largos períodos democráticos e de estabilidade política na região. É curioso retomar essa temática no Brasil atual, por vivermos no período de mais larga manutenção da experiência democrática do país, longos 28 anos, entre 1984 e 2012. De qualquer modo, há que lembrar que golpes, quarteladas e ditaduras foram regras na história política da América Latina, desde as independências até os dias de hoje.

Ao longo da história, a América Latina vem sendo acusada pelos mais diversos analistas políticos, jornalistas internacionais e cientistas sociais de possuir problemas "congênitos", que impediram o desenvolvimento do exercício democrático e que são responsáveis por uma instabilidade política "crônica".

Segundo Voltaire Schilling, em análise sobre a recente democracia latino-americana, na *Zero Hora* dominical: "de dentro das urnas, só tem pulado coisa esquisita". Sem fazer juízo de valores, são as suas palavras: "funcionariozinhos, grevistas profissionais, ex-favelados,

[1] Professora associada da Universidade Federal do Rio Grande do Sul (UFRGS), Programa de Pós-Graduação em História, Bolsista CNPq.

bispos ou pastores de seitas estranhas, contrabandistas, membros do baixo clero, curandeiros, ex-guerrilheiros, carcereiros, mestre-escola suburbanos, ex-feirantes, carcarás nordestinos, traficantes de drogas reciclados, rábulas, negociantes de favores, foragidos da lei, ignorantões e demagogos de todos os tipos". Voltaire compara esse processo democrático latino-americano com a queda do Império Romano: "O governo dos libertos foi, portanto, a antessala do domínio dos bárbaros". Essa é a visão corrente; de que a América Latina não está preparada para a democracia, pois suas classes populares, "antiga criadagem dos tempos coloniais", conforme Schilling, "colocam tudo a perder...". A linguagem imprópria e preconceituosa do historiador e cronista de *Zero Hora* denota o temor do intelectual com a participação política dos setores populares e, sobretudo, a falta de hábito com o processo democrático.

O predomínio do autoritarismo tem origem no período que se seguiu às independências latino-americanas. Época de intensa luta pelo poder entre os caudilhos regionais, donos de um poderio herdado dos antigos conquistadores ibéricos, esses grupos de elite tiveram dificuldade em afirmar seu domínio depois de terem permitido a participação dos setores populares nos processos de emancipação. Consolidaram-se no poder político aqueles que detinham os principais produtos de exportação, ou seja, os que conseguiram estabelecer um novo nexo com as potências centrais. Mas foi decisiva a atuação das forças de repressão, para subordinar os grupos produtores periféricos, aniquilar as alternativas mais jacobinas e bloquear a participação popular.

Entre o final do século XIX e as primeiras décadas do século XX, as Forças Armadas e a repressão asseguraram a continuidade das oligarquias primário-exportadoras no poder, especialmente nos momentos de crise da economia mundial, nas quais os produtos primários tinham os preços em queda e as compras ficavam muito reduzidas. Quando o domínio das oligarquias foi questionado pelas classes médias, que exigiam acesso a uma esfera superior de consumo, pela burguesia industrial que exigia participação nas decisões de política econômica e pelo movimento operário que exigia redução da jornada de trabalho e melhores salários, foi também o predomínio de governos autoritários e repressivos que permitiu a manutenção do poder daqueles setores rurais.

Nos anos 1960/70, uma nova onda de regimes autoritários espalhou-se pela América Latina, atingindo então países que ainda não conheciam tamanha repressão e conservadorismo. A Revolução Cubana de 1959 havia revelado potencialidades anticapitalistas dos movimentos sociais até então incubadas.

A partir da definição da revolução como socialista, os movimentos populares sentiram-se capazes de enfrentar radicalmente seus problemas, e a burguesia nacional, temerosa de uma explosão social sem precedentes, abandonou os discursos reformistas escondendo-se atrás das forças repressivas representadas pelas Forças Armadas. Formaram-se governos militares cujos objetivos eram a segurança nacional através da contra insurgência e da repressão aos inimigos internos determinados pela guerra fria.

Esses governos autoritários foram predominantes na América do Sul até meados dos anos 1980. Os países da América Central e do Caribe tiveram regimes autoritários e repressivos com duração mais prolongada ainda; as ditaduras oligárquicas se sucederam na Nicarágua, por exemplo, até 1979, sendo eliminadas pela Revolução daquele ano. Em Honduras, El Salvador e Guatemala, as forças repressivas deixaram um saldo de mais de 200 mil mortes até a assinatura da Paz de Chapultepec, em 1992.

De acordo com Octavio Ianni (1989, p. 128-129), "a longa e reiterada vigência do autoritarismo, golpismo ou antidemocracia deve muito à frequente conjugação das forças das burguesias nacional e estrangeira, associando altas hierarquias das Forças Armadas, altas hierarquias da Igreja Católica, setores de classe média e intelectuais. Esse arranjo sempre reaparece nos momentos de crise, difíceis, quando o monopólio do poder estatal pelos grupos e classes dominantes está ameaçado pelo ascenso democrático das forças populares". Nessa fala, de 1989, quando o Brasil transitava da ditadura militar para a democracia, Ianni não poupou os intelectuais conservadores que ficaram ao lado do autoritarismo e foram responsáveis pela legitimação de regimes ditatoriais e repressivos.

O texto que ora apresento aborda justamente a prolongada vigência do pensamento autoritário e conservador a justificar o poder das classes dominantes e a impor limites à participação dos setores populares ao longo da história latino-americana. Nesse sentido, conformou-se uma cultura autoritária que está solidificada nos meios intelectuais latino-americanos e que rivaliza com seu congênere, os intelectuais progressistas e democráticos.

O pensamento autoritário-conservador ao longo da história da América Latina

Se a história latino-americana registra que o autoritarismo foi predominante em relação à democracia, no que diz respeito às elaborações intelectuais na região, pareceu ocorrer justamente o contrário. Ou seja, aparentemente predominaram os intelectuais antissistêmicos ou progressistas, defensores da democracia, contrários ao autoritarismo. Mas, obviamente, esse predomínio dos intelectuais de esquerda ou de progressistas é apenas aparência, fruto provável da não tão distante década de 1960, quando as prédicas dos intelectuais influenciados por Sartre e Marcuse, que lutavam a favor dos direitos humanos, contra o racismo, contra a xenofobia, condenando a discriminação sexual e tendentes à tolerância em todos os âmbitos, eram mais numerosas e manifestas. Ao menos, talvez seja verdade que os intelectuais de esquerda tiveram maior visibilidade em momentos fundamentais da história contemporânea da América Latina. Mas isso não significa dizer que os intelectuais de direita e conservadores, que defenderam o autoritarismo e estiveram a serviço das ditaduras, tenham sido menos importantes na história latino-americana.

A história intelectual latino-americana registra a presença do pensamento autoritário conservador de forma sistemática ao longo de todo o período que vai das independências até os dias de hoje. Caracterizado por justificar o poder das elites primário-exportadoras no período de implantação do capitalismo e, posteriormente, das burguesias empresariais, o pensamento conservador e autoritário define-se como aquele que apoia a utilização do aparato repressivo do estado para excluir os setores populares da participação política e visa impedir a implementação de políticas sociais para proteger esses mesmos setores populares.

A justificativa dos intelectuais conservadores do período imediatamente pós-independência para excluir os grupos populares da participação política era relativa à singularidade dos povos originários do continente americano, concernente à diferença entre as raças brancas europeias, supostamente civilizadas, e os índios, considerados representantes da barbárie. A fórmula arquetípica que opunha civilização e barbárie foi nomeada por Domingos Faustino Sarmiento (1952) para explicitar suas críticas ao caudilhismo, à liderança federalista de Juan Manuel de Rosas, aos seus seguidores, supostamente incivilizados e incapazes de participar da vida política da sociedade argentina.

Uma das formas que assumiu o pensamento conservador do período na Argentina foi concernente ao desprezo com a população original. Alberdi (1981, p. 136), por exemplo, um intelectual da geração de 1837, também ele opositor de Rosas, atribuía à geografia e ao tipo de povoamento as dificuldades da nação e propunha a imigração de estrangeiros como modo de solucionar esses problemas: "Si queremos ver agrandados nuestros Estados en corto tiempo, traigamos de fuera sus elementos ya formados y preparados" (ALBERDI, 1981, p. 90). Nesse caso, o pensamento conservador e autoritário assumia a forma do racismo.

As palavras de Sarmiento (1952, p. 29) refletem bem o modo que se expressava o pensamento conservador na Argentina:

> Muito deve ter contribuído para produzir esse resultado desgraçado a incorporação de indígenas propiciada pela colonização. As raças americanas vivem na ociosidade e se mostram incapazes, ainda que obrigadas, para dedicar-se a um trabalho duro e contínuo. Isso deu a ideia de introduzir negros na América, que tão fatais resultados produziu.

Na mesma época, o conservador mexicano Lucas Alamán (1969) propunha o branqueamento da população mexicana através da imigração. No Brasil, Francisco Varnhagen (1959), o historiador oficial do império, se manifestava admirador da cultura metropolitana. Praticamente todos os intelectuais da época admiravam os modelos externos e desprezavam os costumes dos povos originários e dos africanos. As explicações para todos os "males", "enfermidades", "incompletudes" das sociedades latino-americanas estavam ligadas à incapacidade das raças formadoras, ao clima particularmente adverso e à geografia desfavorável ao desenvolvimento.

Mesmo depois do aparecimento de dissensões ao pensamento racista e determinista, a partir das obras *Ariel*, do uruguaio José Enrique Rodo (1991), e de *Nuestra América*, do cubano José Martí (1991), entre o final do século XIX e o início do século XX, essas elaborações intelectuais conservadoras e tendentes ao pensamento autoritário foram predominantes e atravessaram o século XX, ao menos até aproximadamente 1930.

A inspiração dos intelectuais latino-americanos nas teorias de Darwin e no positivismo de Comte e de Spencer contribuiu para o predomínio do pensamento autoritário conservador. Além do racismo, também as ideias de ordem, administração eficiente, força do poder executivo fizeram fortuna entre aqueles que visavam justificar o poder das elites nos países da América Latina. Entre os exemplos da defesa de "mais administração e menos política", muito semelhante ao lema "ordem e progresso", ou "a questão social é um caso de polícia" estão os "científicos", intelectuais que organizavam e orientavam o governo oligárquico de Porfírio Diaz; os preceitos positivistas da Constituição regional de 1891, redigida pelo então governador do Rio Grande do Sul, Júlio dc Castilhos; as elaborações teóricas de Benjamim Constant e o lema de Washington Luís, o último governante da República Oligárquica no Brasil, para explicar o tratamento dispensado ao movimento operário.

O pensamento nazifascista na América Latina e a modernização conservadora

Nas primeiras décadas do século XX, o nacionalismo surgiu em desacordo com esses preceitos predominantes. Motivado pelo desencanto com as sociedades desenvolvidas europeias que protagonizaram a guerra de 1914, o nacionalismo latino-americano valorizava a contribuição cultural das raças formadoras, do próprio e do autóctone em contraposição aos modelos civilizatórios externos. Rivalizou com o nacionalismo fascista e também com as explicações inspiradas no nazismo pelo predomínio intelectual na América Latina. Aqui não se trata de saber quais são as teorias que predominaram em cada uma das regiões latino-americanas, mas de compreender que o pensamento autoritário conservador, inspirado em teses estrangeiras nazistas, fascistas ou uma combinação particular de ambas, esteve presente em todos os países, com maior ou menor importância, e com mais ou menos originalidade.

A reivindicação de uma ordem autoritária pelos intelectuais ligados aos setores dominantes esteve relacionada diretamente com a aversão dos setores conservadores à efervescência do movimento operário nos anos 1920, mas, sobretudo, se contrapunha aos partidos comunistas que se formaram em toda a América Latina a partir do impacto da Revolução Russa. No Brasil, as ideias de Plínio Salgado, inspirado em Oliveira Viana e Alberto Torres, figuras proeminentes do pensamento autoritário no Brasil, propiciaram a fundação da Ação Integralista Brasileira (AIB) e do Partido da Representação Popular (PRP), que constituem exemplo da incorporação das ideias fascistas e influenciaram o governo ditatorial de Getúlio Vargas, entre 1937 e 1945.

Segundo Ricardo Silva (2001), "Tornou-se quase convencional reportarmo-nos a Oliveira Vianna, Azevedo Amaral e Francisco Campos, dentre outros autores que deixaram sua marca no debate ideológico das décadas de 1920 e 1930, como representantes típicos do pensamento autoritário brasileiro" (p. 3).

O pensamento autoritário conservador do período representado por esses autores teve como principal característica a contraposição ao comunismo e à participação política dos setores populares-operários, mas serviu de instrumento e reforço para as políticas de Estado que defendiam a modernização conservadora. Os representantes do pensamento autoritário dos anos 1930 no Brasil consideravam necessária uma forte e decisiva intervenção do Estado na economia. Autores como Alberto Torres, Oliveira Vianna e Francisco Campos eram favoráveis às reformas modernizadoras, desde que não fossem abaladas as estruturas tradicionais da sociedade brasileira. De acordo com Oliveira Vianna (1952, p. 382), a modernização não poderia "atacar ou destruir coisa alguma da nossa velha ordem tradicional e das nossas tradições cristãs; nem a propriedade individual; nem a empresa privada, nem a autoridade patronal".

Segundo Silene de Moraes Freire (2009, p. 3), "o conjunto das ideias reacionárias, conservadoras, que emergiu de grupos intelectuais formados a partir da Primeira República – que a nossa historiografia convencionou chamar de pensadores autoritários – é exatamente o pensamento político que, de forma mais competente, aborda a 'questão social...' apresenta o mais alto grau de instrumentalidade para a construção de uma modernidade 'pelo alto'".

Por outra parte, a manutenção do racismo como eixo do pensamento conservador brasileiro pode ser exemplificada por Alberto Torres (1982, p. 71-72), que sustentava ideias de hierarquia das raças e degeneração racial. Influenciado por Darwin e Gobineau, Torres entendia que o processo de "seleção natural" era responsável por "nossos defeitos", "nossos vícios", "nossa corrupção", "nossa ignorância" (TORRES, 1982). Embora tentasse fugir do determinismo do século anterior, entendia que "no quadro etnográfico do globo" ou "na escala convencional das raças", o tipo étnico brasileiro está "em plano intermediário" ou "acima de metade, talvez, do gênero humano".

Mas se para Torres a "desigualdade natural das raças" não podia servir de base para determinar os problemas do país, em compensação, atribuía ao clima e à geografia particular uma das causas da "nossa desorganização". Entre outros fatores, ele apontava a colonização portuguesa e as "disparidades da terra colonizada com a terra dos colonizadores" e a "síncope da evolução política, com a vinda da casa de Bragança". Apesar de Torres estar mentalmente ligado às ideologias do século XIX, já apresentava tendências que seriam mais aceitas no começo do século XX: relativizava o determinismo geoclimático e racial para emprestar importância fundamental à política. Ou melhor, para ele, "Só há um fator, uma força, um instrumento, um órgão, uma vontade, uma inteligência, com a função de promover a ação nacional, de manter a vida do país, no que o interessa em conjunto e permanentemente: é o aparelho político-administrativo, com seus vários órgãos" (TORRES, 1982, p. 117).

Na Argentina, o fascismo permeou distintas ideologias que vão desde o peronismo até o antiperonismo, do nacionalismo católico até as concepções repressivas da ditadura de segurança nacional implantada em 1976. O fascismo influenciou a intelectualidade argentina muito mais cedo do que em qualquer outro país da América do Sul. Em 1919, como consequência da Semana Trágica, um episódio de repressão aos trabalhadores metalúrgicos de Buenos Aires, foi criada a Liga Patriótica Argentina, uma organização paramilitar que atraiu apoio das classes médias, de setores economicamente dominantes, dos militares, da Igreja e de organizações empresariais. A Liga suscitava comparações com as organizações paramilitares do fascismo italiano que apareceram na Europa depois de 1918 (ROCK, 1993, p. 83). De acordo com Rock (1993, p. 83), "a diferencia de los fascistas, la Liga exhibía fuertes vínculos con los conservadores y con la Iglesia, asociaciones que ponían particular énfasis alrededor de valores como el 'respeto', el 'orden' y la 'armonía'".

Nos anos 1930, o fascismo se desenvolveu de modo impressionante no país, dando origem à escola do "revisionismo histórico", que procurava dar uma explicação conservadora ao passado argentino (ROCK, 1993, p. 103). As disputas políticas entre liberais – representados pela União Cívica Radical, com Hipolito Yrigoyen no poder – e antiliberais – representados pela Igreja, exército e classes conservadoras – constituíam o panorama das disputas intelectuais da época. O antissemitismo foi marcante na Argentina, representado por intelectuais como Gustavo Martínez Zuviría, diretor da Biblioteca Nacional por muitos anos, entre 1931 e 1955, ministro da Educação e autor de novelas satíricas destinadas ao grande público, com pseudônimo de Hugo Wast, nas quais os judeus eram identificados como uma ameaça para a religião cristã e para a identidade nacional (ROCK, 1993, p. 120).

David Rock (1993, p. 120) refere igualmente intelectuais tais como Leopoldo Lugones e Carlos Octávio Bunge como autores que "describían a la Argentina como a uma nación 'blanca', proponiéndose preservarla como tal. La discriminación racial era común en la política: uno de los insultos propinados a los yrigoyenistas por ejemplo consistía en acusarlos de negritos o pielesrojas".

Em toda a América Latina, as teses fascistas dos anos 1930 propugnavam a superação autoritária de realidades supostamente anárquicas e contaminadas pelo movimento operário e pelo comunismo. Os fascistas consideravam necessária a criação de uma nova ordem que não prescindia da implantação de uma ditadura, um ordenamento corporativo e uma nova definição extremada do inimigo. A partir dessa fase da história latino-americana, o pensamento autoritário conservador foi impregnado pela aversão à "questão social".

No Chile, o Movimento Nacional-Socialista de Chile (MNSCH), que atuou entre 1932 e 1939, fundado pelo sociólogo e economista Carlos Keller Rueff, congregava intelectuais cujas teses se baseavam no nacionalismo corporativista, se opunham ao marxismo e representavam essas ideias autoritárias conservadoras no país austral. Jorge González von Marées, um dos fundadores do Movimento Nacional-Socialista de Chile, tentou derrubar o governo democrático de Arturo Alessandri e implantar uma ditadura militar, mas fracassou. González von Marées escreveu, entre 1932 e 1940, textos sobre a sociedade chilena, a concepção de povo, sobre os males do Chile e constitui um dos principais representantes do pensamento de direita, de inspiração nazista, no país. Entre suas obras, encontra-se, em 1932, *A concepção nazista do Estado*.

Através das revistas *Acción Chilena* e da publicação quinzenal *Trabajo*, o pensamento autoritário conservador chileno expressava as ideias das lideranças do Movimento Nacional Socialista do Chile. O MNSCH era composto por várias organizações paralelas. Seus membros eram conhecidos como "nacistas" e criaram outras instituições paralelas como as Brigadas Femininas, o Grupo Nacista Universitário, a Juventude Naconal Socialista e as Tropas *Nacistas* de Assalto, cuja missão era a de proteger os membros do MNSCH. Em 1935, contava com cerca de 20.000 militantes, defendia a implantação de um governo nacional forte, capaz de superar as divisões entre os partidos, que fosse capaz também de dar impulso de eficiência e austeridade às instituições do Estado. Em relação à ordem econômica e social, defendia os interesses da coletividade nacional sobre os interesses individuais, de grupo ou de classe.

No México, o contexto de crise econômica pós-1929 fez emergir o nacionalismo com conotações autoritárias e racistas. Desde 1931, a Ação Revolucionária Mexicanista (AMR), grupo também conhecido como "Camisas Douradas", atuava contra os "estrangeiros", apontados como responsáveis pela crise. O governo de Pascual Ortiz Rubio (1930-1932) corroborava essas ideias, desalojando cerca de 250 comerciantes judeus do bairro La Merced, onde eles estavam tradicionalmente instalados. Aos "Camisas Douradas" se aliavam a União Nacionalista Mexicana e a Legião Mexicana Nacionalista. Esses grupos espancavam e saqueavam comerciantes judeus. Em 20 de novembro de 1935, os "Camisas Douradas" interromperam os festejos do aniversário da Revolução Mexicana e se chocaram nos desfiles comemorativos com os comunistas mexicanos, provocando um saldo de feridos. Outros agrupamentos fascistas no México, como os Sinarquistas, por exemplo, tiveram repercussão a partir do pensamento autoritário no país.

Nesse sentido, no que se refere ao pensamento autoritário e conservador, os anos 1930 na América Latina, estiveram marcados pela presença mais ou menos acentuada de movimentos inspirados no nazismo e/ou no fascismo, que se posicionavam contra a participação política dos setores populares, notadamente contra o proletariado. Eram partidários de uma forte intervenção do Estado na economia e de reformas modernizantes, mas que tivessem como premissa a conservação da tradição e a eliminação, ainda que pelo uso da força, dos conflitos sociais.

O predomínio do nacional-desenvolvimentismo

Ainda que a inspiração nas ideias fascistas e nazistas tenha deixado sua marca na intelectualidade conservadora latino-americana, nos anos posteriores à Segunda Guerra Mundial, sob o impacto da vitória dos aliados e o desgaste do nazifascismo, predominaram os intelectuais de esquerda. As ideias nacional-desenvolvimentistas, tanto por parte dos intelectuais burgueses, como Celso Furtado e Raul Prebisch, que trabalharam em prol dos governos populistas em seus respectivos países, como também por parte dos intelectuais marxistas/comunistas, como Nelson Werneck Sodré, por exemplo, encontraram eco nas sociedades latino-americanas e foram se consolidando como predominantes.

Impulsionados pelo crescimento das economias dos países sul-americanos no pós-guerra, induzido pela industrialização substitutiva, os intelectuais burgueses tinham como meta o desenvolvimento autônomo do capitalismo, ou, no caso dos comunistas, pensavam na possibilidade de eliminação dos resquícios feudais, no acirramento das contradições capitalistas e, como consequência, na revolução socialista.

Mesmo assim, ainda que hegemônico, o pensamento nacional-desenvolvimentista, que contaminou igualmente intelectuais burgueses e comunistas, esteve acompanhado por seu congênere conservador que era caracterizado pelo liberalismo e pela aversão aos controles e à regulação do estado. É certo que o neoliberalismo, tal como concebemos, só tornou-se predominante na América Latina no final dos anos 1980 e nos anos 1990, mas o aparecimento de intelectuais vinculados aos setores dominantes, sobretudo aqueles que se contrapunham ao populismo, é evidente no pós-Segunda Guerra Mundial.

Diante da hegemonia do nacional-desenvolvimentismo e da atividade constante e aberta dos comunistas, a visibilidade das ideias conservadoras era quase insignificante. Mesmo presentes na vida pública e relativamente atuantes, os intelectuais de direita, conservadores e tendentes à cultura autoritária, não tinham grande ressonância nesse período.

As instituições que abrigavam os intelectuais burgueses adeptos ao nacional-desenvolvimentismo e os comunistas tinham grande visibilidade naquela época, notadamente a Comissão Econômica para América Latina (CEPAL), fundada em 1948, com sede na capital chilena. No Brasil, a instituição que abrigava os comunistas e intelectuais progressistas burgueses era o Instituto Superior de Estudos Brasileiros (ISEB), fundado em 1955, e que teve uma participação significativa nos debates acerca do desenvolvimento brasileiro, servindo inclusive como orientação para as políticas públicas de Estado definidas na época. O Instituto Latino-americano e do Caribe de Planificação Econômica e Social (ILPES), um congênere da CEPAL no campo da sociologia, foi fundado em 1962 e pretendia apoiar os governos e elaborar estratégias, destinadas a alcançar o desenvolvimento.[2] No Chile havia o Centro de Estudos Socioeconômicos (CESO), da Faculdade de Economia da Universidade do Chile, local de discussão sobre o capitalismo latino-americano e as possibilidades de desenvolvimento nacional e autônomo. No México, foram criados centros de estudos sobre economia e sociedade latino-americanos, igualmente dedicados ao diagnóstico dessas preocupações.[3]

Acalorados debates emanavam dessas instituições e de outras tantas destinadas a discutir dois problemas dos países latino-americanos considerados obstáculos ao desenvolvimento: o atraso e a dependência. Conjugados esses dois problemas, terminavam por organizar a intelectualidade em torno das propostas de reforma ou revolução; uns tendentes ao desenvolvimento autônomo do capitalismo, outros tendentes à transição ao socialismo. Em todos os casos, predominavam intelectuais progressistas, alguns comunistas, outros não. O contexto intelectual da época nos países latino-americanos foi descrito por Aguirre Rojas: "[...] dada esta situación de periferia y de semi-periferia del mundo capitalista, que en América Latina se ha reproducido durante el último medio milenio, es que se explican ciertos procesos de desarrollo institucional, de excepcional receptividad y de enorme cosmopolitismo cultural que caracterizan a nuestros estudios históricos latinoamericanos" (2001, p. 77).

É provável que a noção de que os grupos intelectuais da América Latina têm historicamente uma posição de esquerda advenha dessa época, de maior predomínio dos comunistas e dos autonomistas. É também provável que, pelo mesmo motivo, a vida dos intelectuais

[2] No site do ILPES evidencia-se o objetivo principal da instituição: "[...] apoyo a los gobiernos en el diseño y perfeccionamiento de estructuras institucionales orientadas, con visión de largo plazo, al desarrollo económico y social.", ou, "...el fin de apoyar a los Gobiernos de la región en el campo de la planificación y gestión pública, mediante la prestación de servicios de capacitación, asesoría e investigación.". Acesso em: 24 de agosto de 2009.

[3] Em 1960, por exemplo, foi fundado o Centro de Estudos Internacionais (CEI), por Daniel Cosío Villegas, presidente do Colégio de México (COLMEX), e o Centro de Estudos Latinoamericanos (CELA), por Pablo González Casanova, da Universidad Nacional Autónoma de México (UNAM).

conservadores não tenha sido nada fácil nessa mesma época. Precisamente em 1950, Octávio Paz voltava da União Soviética e escrevia um artigo criticando o sistema repressivo comunista. Nos anos 1990, ele refletia sobre o impacto de suas críticas: "la reacción de los intelectuales progresistas fue el silencio. Nadie comentó mi estudio pero se recrudeció la campaña de insinuaciones y alusiones torcidas comenzada unos años antes por Neruda y sus amigos mexicanos" (PAZ, 1990, p. 242).

O contexto intelectual pós-Segunda Guerra Mundial não favorecia, portanto, os defensores do autoritarismo e do conservadorismo. Concretamente, as revoluções nacionalistas na Bolívia (1952), na Guatemala (1954) e a Revolução Cubana (1959), bem como os governos populistas de Juan Domingo Perón (1946-55), na Argentina, Getúlio Vargas (1950-54) e João Goulart (1961-64), no Brasil, e Lazaro Cárdenas (1934-40), no México, propiciavam um contexto favorável aos pensadores progressistas e de esquerda.

O neoliberalismo na América Latina e o pensamento autoritário

No âmbito do pensamento econômico, no entanto, a presença dos intelectuais conservadores foi bastante significativa a partir dos anos 1950, mesmo sem tanta exposição. Eduardo Deves Valdes (2003, p. 261-262) observa que "El (neo)liberalismo se instala, en las ideas, como uma reposición del paradigma modernizador, cosa que han formulado tanto economistas y políticos como José Piñera o Roberto de Oliveira Campos, cuanto ensayistas como Mario Vargas Llosa, Carlos Alberto Montaner, Carlos Rangel o José Guilherme Merquior". Significa dizer que o neoliberalismo foi responsável por "atualizar" o pensamento de modernização conservadora dos anos 1930. Esse último esteve muito influenciado pelos efeitos da crise de 1929 e pela necessidade de controle da economia pelo Estado; julgava necessária a intervenção do Estado para promoção do desenvolvimento, o que, segundo seus defensores, requeria a consolidação de uma ordem autoritária. Depois da Segunda Guerra Mundial, ressurge com força a ideia liberal para realçar a necessidade de uma redução do papel do Estado, a exaltação do mercado e a crítica à planificação.

Segundo Ricardo Bielschowsky (2000, p. 37), o pensamento neoliberal vigorou no Brasil entre 1930 e 1964 (período ao qual se refere sua pesquisa) e disputou com o pensamento desenvolvimentista a formulação das políticas econômicas:

> A corrente neoliberal foi, juntamente com a desenvolvimentista nacionalista, a mais importante expressão do pensamento econômico brasileiro no período estudado. Foi sempre uma ativa participante do debate, seja como formuladora de políticas econômicas criticadas pelos desenvolvimentistas, seja como formuladora de críticas às proposições destes últimos.

No Brasil, os economistas Octávio Bulhões e Eugênio Gudin criticavam abertamente a criação de empresas controladas pelo Estado, acusadas de ineficiência, nepotismo e de asfixiar a iniciativa privada; criticavam o controle dos preços por organismos estatais e a regulação do comércio internacional pelo Estado. Instituições como a Fundação Getúlio Vargas (FGV) e o Instituto Brasileiro de Economia (IBRE) abrigavam esses intelectuais que, através de publicações como *Conjuntura Econômica* e *Revista Brasileira de Economia*, expressavam o pensamento conservador brasileiro da época.

No Chile, o neoliberalismo atuou de modo mais consistente do que em qualquer outro país da América Latina, por meio da Universidad Católica de Chile (UCC), que, para fazer frente ao predomínio do nacional-desenvolvimentismo, criou o Centro de Investigaciones Económicas (CIE), resultado de uma missão de célebres economistas de Chicago, defensores do livre mercado. Foi estabelecido um acordo/convênio entre as duas universidades e um programa de bolsas de estudo para estudantes chilenos nos Estados Unidos, que, segundo o site da própria Universidad Católica, alcançaram "notoriedade como acadêmicos, consultores internacionais, funcionários públicos e executivos de importantes empresas. Desse intercâmbio nasceram os Chicago Boys" (acesso em março de 2012). Miguel Rojas Mix (2004, p. 22) corrobora a precocidade chilena em relação ao neoliberalismo, e a ideia de seu aparecimento denota uma atualização do pensamento conservador na América Latina: "En 1975 el discurso neoliberal se implanta en Chile y reemplaza al nacional catolicismo como legitimación del Golpe; y los 'Chicago Boys' irrumpen em política desplazando a los antigos conservadores".

Mais conhecido no que diz respeito aos aspectos econômicos (antiestatismo, flexibilização das leis sociais, contra controles e regulações ao livre-comércio), o neoliberalismo também teve uma faceta literária. Os afamados escritores Mario Vargas Llosa e Octávio Paz se associaram ao neoliberalismo e produziram uma versão para a literatura e de resto para a discussão sobre o papel do intelectual em obras como *El ogro filantrópico: história y política (1971-1978)* e *La cultura de la libertad, la libertad de la cultura.*[4] Nessas obras, os dois autores discutem fortemente a relação entre arte e política e sobre o compromisso do intelectual. No caso da faceta literária, o neoliberalismo serve para defender a liberdade do escritor, do artista, e afirmar a aversão dos autores pela arte engajada. Ambos os autores se posicionam contra qualquer tentativa de colocar a literatura e a arte a serviço de uma causa, um partido, uma Igreja ou um governo. Acreditam que a literatura comprometida com a política não serve para liberar, mas para "difundir um novo conformismo" (PAZ, 1981,

[4] Respectivamente, Octávio Paz (1981) e Mario Vargas Llosa (1985).

p. 7). Vargas Llosa (1985, p. 13) exalta o indivíduo como produto da liberdade, um ser emancipado dos tempos pré-históricos, da horda. Ainda em 1984, uma polêmica entre os escritores Mario Benedetti e Mario Vargas Llosa expôs as diferenças entre os artistas engajados politicamente no campo da esquerda e aqueles, como o último, que renegam essa militância, considerando-a oportunismo, cinismo ou conformismo.[5]

Ainda assim, mesmo que o neoliberalismo já fosse uma realidade no âmbito teórico, que tivesse uma expressão no campo artístico e estivesse solidamente incorporado pelos intelectuais inspirados nas recomendações de Bretton Woods[6], o conservadorismo na esfera intelectual ainda era caracterizado pela defesa das ditaduras de Segurança Nacional. A chamada DSN pode não ter sido sistematizada (COMBLIN, 1980), mas as formulações produzidas nas escolas de guerra de cada um dos países da América do Sul, através de suas revistas e cursos de formação, tiveram um papel fundamental na justificação das ditaduras.

Inspirados na Doutrina de Segurança Nacional, os governos golpistas e autoritários dos anos 1960/70 na América do Sul empreenderam luta contra o comunismo e declararam guerra a todos os que não concordavam com a organização autoritária da sociedade. O pensamento conservador e autoritário latino-americano se "atualizava" mais uma vez, vinculando a temática da segurança nacional à questão geopolítica e estratégica. Destinada a estudar a relação entre a geografia e o Estado, considerando a história, posicionamento

[5] Para compreender melhor a polêmica, recomenda-se a leitura dos textos de cada um dos escritores no site http://www.alumnos.unican.es/~uc1531/mario/marios4.html

[6] As conferências de Bretton Woods, de 1944, definiram um sistema de regras, instituições e procedimentos para regular a política econômica internacional, estabeleceram o Banco Internacional para a Reconstrução e Desenvolvimento (*International Bank for Reconstruction and Development*, ou BIRD) que, mais tarde, foi subdividido entre o Banco Mundial (BM) e o Fundo Monetário Internacional (FMI). Essas organizações tornaram-se operacionais em 1946, depois que um número suficiente de países ratificou o acordo.

estratégico no conjunto das nações e o destino do país, a geopolítica fornece um escopo supostamente científico à DSN. Entre os militares envolvidos nos golpes de Estado e na implantação dos regimes autoritários na América Latina, muitos estudaram a geopolítica para definir os objetivos da segurança nacional[7], quais sejam, a defesa dos valores ocidentais e a luta contra o comunismo.

> Assim, a visão do mundo baseada na geopolítica é a de uma rivalidade de Nações [...] Essas Nações estão reagrupadas em duas alianças opostas. Uma representa o bem e a outra o mal. A primeira se chama Ocidente e a outra Comunismo [...] Quanto ao que se relaciona à América Latina, ela faz parte do Ocidente. Não há o que hesitar: é preciso seguir a grande potência que dirige o Ocidente quanto ao anticomunismo, os Estados Unidos (COMBLIN, 1980, p. 31).

Diante desses estudos de geopolítica e da DSN, o pensamento autoritário e conservador latino-americano se impõe uma missão: maximizar o poderio da Nação para defesa do hemisfério ocidental e de sua segurança, contra os inimigos, direcionando os países ao seu grandioso destino. Esses elementos do pensamento conservador da época de implantação e consolidação dos regimes de segurança nacional não deixavam de representar uma faceta do pensamento desenvolvimentista emanado das Forças Armadas nos países da América do Sul, especialmente Brasil, Argentina e Chile.

Pensamento autoritário e o antipopulismo

Igualmente tiveram grande protagonismo diversos setores e atores civis que atuaram como articuladores das últimas experiências autoritárias latino-americanas, tais como o complexo IPES/

[7] Entre os quais se destacam Golbery do Couto e Silva no Brasil e o general Augusto Pinochet no Chile, que escreveram respectivamente os livros *Geopolítica no Brasil* e *Geopolítica*.

IBAD, no Brasil, o grupo Azcuénaga ou grupo Perriaux (em referência a Jaime Perriaux, fundador de ambos os grupos e um dos civis mais ligados a justificar o Processo de Reorganização Nacional – PRN), na Argentina. Há evidências que os membros desses grupos tiveram participação nos governos militares e auxiliaram na consecução das políticas repressivas e na elaboração da política econômica tendente ao liberalismo, caracterizados como profundamente antipopulistas, em referência aos governos Jango e Perón, para os casos específicos do Brasil e da Argentina.

O antipopulismo desses intelectuais, representantes do pensamento autoritário conservador da época, se refere, sobretudo, à ideia de que lideranças como Vargas, Jango ou Perón teriam a capacidade de manipular as massas populares através de medidas demagógicas, como implementação de legislação do trabalho e políticas sociais voltadas para os setores menos favorecidos. Consideravam o populismo como uma deformação da democracia. Manifestavam-se, nesse sentido, favoráveis ao cancelamento das políticas sociais que beneficiavam as classes trabalhadoras e à limitação da participação política desses setores sociais, o que caracteriza essas elaborações como autoritárias, conservadoras, mas também como tendentes ao neoliberalismo, que seria a tônica do período seguinte.

Ricardo Zinn, por exemplo, foi figura civil central nos ataques ao peronismo e na legitimação do Processo de Reconstrução Nacional, nomenclatura escolhida pelos militares golpistas de 1976 na Argentina:

> Impulsor del Centro de Estudios Macroeconómicos de la Argentina (CEMA), gran cantera de funcionarios procesistas, y la Escuela de Dirección y Negocios, IAE, hoy parte de la Universidad Austral, y asesor de dirección de la publicación política *A fondo*. Junto al empresario Gilberto Montagna creó la Fundación Carlos Pellegrini, otro nucleamiento liberalconservaduror y participó en

> la Fundación Piñeiro Pacheco, de escandaloso final legal. Una vez acabada la última dictadura militar, Zinn fue hombre de la Ucedé, tuvo fuertes relaciones con la Fundación de Investigaciones Económicas Latinoamericanas, FIEL, el Consejo Argentino para las Relaciones Internacionales, CARI, y la Asociación de Bancos Argentinos, ADEBA, al tiempo que colaboró frecuentemente con *La Nación*. En los primeros años de la presidencia de Carlos Menem fue asesor de María Julia Alsogaray en las privatizaciones de ENTEL y SOMISA, junto con Mariano Grondona. Murió en 1995, junto a José Stenssoro, de quien era asesor en la privatización de YPF, en un accidente aéreo sospechado, justamente, de su carácter accidental. Tras su muerte la Fundación Carlos Pellegrini publicó un compilado de sus escritos, titulado weberianamente *Ricardo Zinn: Por una ética de la responsabilidad* (VICENTE, 2011, p. 6).

Da mesma forma, no Brasil foi construída uma rede institucional civil para apoio aos militares golpistas: o complexo IPES/IBAD. O Instituto de Pesquisas e Estudos Sociais (IPES) foi fundado em 1961, por um grupo de empresários de São Paulo e do Rio de Janeiro, e o Instituto Brasileiro de Ação Democrática (IBAD) foi fundado no princípio de 1959. O IPES, por exemplo, mandava publicar artigos nos principais jornais do país; produziu uma série de catorze filmes de "doutrinação democrática", apresentados em todo o país; financiou cursos, seminários, conferências públicas; publicou e distribuiu inúmeros livros, folhetos e panfletos anticomunistas, dentre os quais *UNE, instrumento de subversão*, de Sônia Seganfredo, dirigido aos estudantes universitários, então tidos como um dos pilares da infiltração comunista. O livro de Sonia Seganfreddo foi publicado pela Editora GRD, de Gumercindo Rocha Dórea, antigo diretor dos Centros Culturais da Juventude, organização que tinha o integralista Plínio Salgado como seu presidente de Honra. A GRD publicou também diversos títulos pró-golpe em parceria com o IPES, após a instalação da Ditadura Civil-Militar no Brasil.

Calcula-se que o IPES esteve no centro de uma teia que gastou provavelmente o equivalente a 100 milhões de dólares para financiar um novo projeto político para a América Latina. Com uma dinâmica de grande empresa, esse dinheiro foi gasto para financiar políticos nas eleições de 1962, grupos de estudantes e operários durante as agitações de 1963 e para imprimir propaganda – 280 mil exemplares de livros e 2,5 milhões de impressos apenas em 1963. Outras atividades que envolviam grandes empresários brasileiros a financiar a campanha do IPES: diretores das três grandes companhias aéreas brasileiras (Varig, Cruzeiro e Panair) deram ao IPES franquias de voo para a movimentação de seus dirigentes; no início de 1962, o IPES desencadeou uma campanha destinada a mostrar que o comu nismo rondava o país. Para isso, articulou uma equipe de trinta pessoas para escrever artigos nos principais órgãos de imprensa, com um pagamento de 5 mil cruzeiros por artigo (o pagamento era feito pela cervejaria Antarctica); para esconder financiadores que não queriam aparecer, o IPES criou mecanismos para limpar o dinheiro: agências de publicidade recebiam os valores dos empresários como se estivessem prestando serviços a eles e repassavam ao instituto; também as relações com o clero conservador eram uma forma de limpar o dinheiro (doações à Igreja repassadas ao Instituto) e financiavam os seminários dos padres e suas campanhas, como, por exemplo, aquelas marchas lideradas pelo ex-reitor da PUC do Rio de Janeiro, padre Velloso, ou pelo padre Leovigildo Balestieri, vigário de Ipanema, que ajudou a criar a Campanha da Mulher pela Democracia e organizou grandes marchas contra Goulart; o IPES ainda reunia-se frequentemente com anunciantes de jornais e TV para que eles pressionassem a mídia contra a presença da esquerda nos seus quadros. Enquanto funcionário do IPES, entre 1961 e 1964, o general Golbery coordenou a montagem de um fichário de nomes que foi levado para o SNI e se tornou o núcleo central do hoje quilométrico catálogo dos esquerdistas brasileiros.[8]

A campanha contra o governo Goulart – considerado ineficiente, inepto, excessivamente burocrático – constitui expressão do pensamento conservador e autoritário contra as lideranças populistas na América Latina. Na realidade, expressava igualmente a contrariedade dos setores conservadores ao vínculo de Jango com os setores populares, a aversão ao nacionalismo econômico e a oposição às tímidas políticas públicas implementadas em sua gestão.

Redemocratizações conservadoras

O fim das ditaduras, em meados dos anos 1980, determinou a retomada dos processos eleitorais, o retorno dos partidos políticos e a anistia nos países do Cone Sul, mas as novas democracias sul-americanas podem ser caracterizadas como conservadoras:

> O conservadorismo atual aparece dissimulado em aberturas democráticas que são uma realidade, mas o caráter conservador reside no fato de que aproveitando o refluxo causado pelas derrotas passadas, pretende chegar à identidade definitiva entre a razão democrática, à qual sem vacilar aderimos, e a "razão" capitalista-imperialista que nos oprime [...] é essa identidade que define o pensamento conservador latino-americano de hoje (CUEVA, 1989, p. 36).

O neoliberalismo corresponde ao que Agustín Cueva chama de "razão" capitalista-imperialista e tornou-se predominante na maior parte dos países da América Latina nos anos 1990. Entre seus objetivos estavam diminuir ainda mais as já limitadas legislações traba-

[8] Todas as informações referentes ao IPES foram retiradas do livro de René Armand Dreifuss, *1964: a conquista do Estado. Ação política, poder e golpe de classe*. Petrópolis: Vozes, 1981.

lhistas e os benefícios sociais direcionados aos setores mais pobres da população, além da privatização de serviços públicos, que resultou no aumento do preço desses serviços e na deterioração ainda maior da qualidade de vida dos setores populares em nossos países. As negociações que puseram fim às ditaduras do Cone Sul impuseram a aceitação parcial da tese da democracia sem adjetivos, ou seja, a concretização apenas e tão somente dos aspectos mais formais, como retorno dos partidos, eleições regulares etc.

Expressões dessa "democracia negociada" foram as regras impostas pela Lei do Punto Final e da Obediência Devida, na Argentina, a tolerância com a continuidade de Pinochet como senador vitalício, no Chile, e a anistia irrestrita no Brasil. Tratava-se de uma redemocratização conservadora, proposta pela burguesia latino-americana que, devido à conjuntura da economia mundial capitalista, propicia o aparecimento de governantes neoliberais, cujos exemplos mais evidentes foram os de Carlos Menen, na Argentina, Fernando Collor de Mello e Fernando Henrique Cardoso, no Brasil, Carlos Andrés Perez, na Venezuela, Sanchez de Losada, na Bolívia, Salinas de Gotari, no México e Fujimori, no Peru.

As ideias de "fim da história" e da vitória do pensamento único eram a tônica no cenário intelectual mundial e terceiro-mundista, com recuo visível da intelectualidade autonomista, comunista e de esquerda revolucionária que predominara nos anos 1960/70.[9]

O neoliberalismo teve como correlato a "direitização do Ocidente", que começou nos anos 1980 e se estendeu até o final dos anos 1990, culminando com o atentado das torres em Nova York em setembro de 2001, e o renascimento impetuoso de todos os tipos de atitudes discriminatórias contra setores populares e culturas não ocidentais.

[9] A ideia de fim da história, originalmente hegeliana, ressurgiu em 1989 e 1992 a partir de artigos e livros publicados pelo norte-americano Francis Fukuyama. Segundo suas teses, e a partir da queda da URSS, o capitalismo e a democracia se constituíam como o coroamento da história da humanidade, ponto culminante da evolução do homem e, por isso mesmo, o da solução final para a humanidade.

As medidas neoliberais – privatizações, flexibilização das leis sociais, cancelamento de políticas públicas, liberalização do fluxo de capitais estrangeiros – não fizeram mais do que piorar as condições das combalidas economias latino-americanas, devastadas pela dívida externa e pela inflação. Medidas que pioraram de modo mais intenso as condições de vida da população em geral e fizeram reaparecer as críticas ao capitalismo. Desde 1989, com a eclosão do Caracazo[10] na Venezuela, e em 1994, com a eclosão do Movimento Neoapatista[11] no México, evidenciou-se uma reestruturação da esquerda latino-americana a partir da oposição ao neoliberalismo. O ápice dessa recuperação da esquerda latino-americana e de sua nova característica no cenário subcontinental seria promovido pelo advento do Fórum Social Mundial que ocorreu em Porto Alegre, em janeiro de 2001. Com o *slogan* "Outro mundo é possível", organizações sociais e movimentos de esquerda se comprometem a elaborar alternativas para uma transformação social global.

Atualmente, mesmo diante do reerguimento da esquerda na América Latina e da efervescência dos movimentos sociais inspirados na tese de que "um outro mundo é possível", assistimos a prédica de um sem-número de intelectuais de direita, conservadores e autoritários que, mesmo depois de passada a euforia neoliberal, são representantes do conservadorismo.

Os "novos" e mais atuais representantes do pensamento autoritário na América Latina são contrários às políticas de inclusão

[10] Protestos contra o governo de Carlos Andrés Perez perto da cidade de Caracas, e que em pouco tempo se espalharam pela capital, contra o aumento das passagens do transporte urbano coletivo.

[11] Os indígenas e camponeses de Chiapas no sul do México protestam contra as medidas neoliberais do governo Carlos Salinas de Gotari e se insurgem surpreendendo aos analistas políticos justamente no dia 1º de janeiro de 1994, na mesma data da assinatura do tratado de livre-comércio entre o México, os Estados Unidos e o Canadá, NAFTA, como forma de protestar contra essa medida.

social, a pretexto de que elas incentivam a inatividade dos setores populares, criam mais discriminação, entre outras justificativas encontradas para continuar limitando o acesso das classes populares à participação política e aos benefícios econômicos do Estado. O grupo composto por jornalistas e pela grande imprensa, responsáveis por criminalizar movimentos sociais, desqualificar as lutas indígenas e camponesas, acusando-as de antimodernização; pelos deputados, juízes e católicos, responsáveis por impedir a promulgação de leis de descriminalização do aborto e da utilização de células-tronco em pesquisas científicas; por uma classe de tecnocratas, que defende a utilização indiscriminada e predatória dos recursos naturais e são frontalmente contrários aos movimentos de preservação ambiental; e por alguns estudantes e intelectuais, que se posicionam contra as cotas sociais e raciais nas Universidades e no Serviço Público, os atuais representantes do pensamento autoritário na América Latina estão muito ativos e prontos para justificar as maiores atrocidades em nome do progresso.

Ainda que os regimes autoritários estejam em baixa, a reflexão precedente nos propicia o entendimento que o pensamento autoritário conservador tem uma lógica de longa duração na América Latina. As ideias racistas, xenófobas, homofóbicas, ultracatólicas e predatórias são evidência gritante desse conservadorismo autoritário e estão bem vivas e atuantes em toda a região, ainda que não estejam no poder na maior parte dos países do subcontinente.

REFERÊNCIAS

AGUIRRE ROJAS, Carlos Antonio. *América Latina. História y presente*. Morelia: Red Utopia & Jitanjáfora Morelia Editorial, 2001.

ALAMÁN, Lucas. *História de mejico*. México, 5 volumes, 1969, V. IV.

ALBERDI, J. B. *Bases y puntos de partida para la organización política de la República argentina*. 4. ed. Buenos Aires: Plus Ultra, 1981.

COMBLIN, Pe. Joseph. *A ideologia da segurança nacional*. 3. ed. Rio de Janeiro: Civilização Brasileira, 1980.

COUTO E SILVA, Golbery. *Geopolítica do Brasil*. Rio de Janeiro: José Olympio, 1967.

CUEVA, Agustín. *Tempos conservadores*. São Paulo: Hucitec, 1989.

DREIFUSS, René Armand. *1964*: a conquista do Estado. Ação política, poder e golpe de classe. Petrópolis: Vozes, 1981.

FREIRE, Silene de Moraes. Pensamento autoritário e modernidade no Brasil. Rio de Janeiro. *Revista em Pauta* (Revista da Faculdade de Serviço Social da Universidade do Estado do Rio de Janeiro), v. 6, n. 23, jul. 2009.

IANNI, Octávio. A nova república no Brasil. In: CUEVA, Agustín. *Tempos conservadores*. São Paulo: Hucitec, 1989.

MARTÍ, José. *Nossa América. Antologia*. São Paulo: Hucitec, 1991. Os escritos de Martí inseridos nessa antologia datam de 1881 até 1895.

PAZ, Octavio. *El ogro filantrópico*. Barcelona: Seix Barral, 1990.

PINOCHET UGARTE, Augusto. *Geopolítica de Chile*. 4. ed. Santiago de Chile: Editorial Andrés Bello, 1984.

ROCK, David. *La Argentina autoritaria*, Montevideo: Ariel, 1993.

RODÓ, José Enrique. *Ariel*. Campinas: Editora da Unicamp, 1991.

ROJAS MIX, Miguel. La dictadura militar en Chile e América Latina. In: WASSERMAN, Claudia; GUAZZELLI, Cesar Augusto Barcellos. *Ditaduras militares na América Latina*. Porto Alegre: EDUFRGS, 2004, p. 11-25.

SARMIENTO, D. F. *Facundo o civilización y barbarie*. 5. ed. Buenos Aires: Editorial Sopena, 1952.

SILVA, Ricardo. *Ideologia de estado e autoritarismo no Brasil*. São Paulo: Cadernos de Pesquisa PPGSP/UFSC, n. 26, abril de 2001.

TORRES, Alberto. *O problema nacional brasileiro*: introdução a um programa de organização nacional. 4. ed. São Paulo: Ed. Nacional, 1982.

VARGAS LLOSA, Mário. *La cultura de la libertad, la libertad de la cultura*. Santiago do Chile: Fundación Eduardo Frei, 1985.

VARNHAGEN, F. A. *História geral do Brasil. Antes de sua separação e independência de Portugal*. 7. ed., 6 tomos, Tomo I. São Paulo: Melhoramentos, 1959.

VIANNA, Oliveira. *Problemas de organização e problemas de direção*: o povo e o governo. Rio de Janeiro: José Olympio, 1952.

VICENTE, Martín. *Los intelectuales liberal-conservadores argentinos y la última dictadura. El caso de Ricardo Zinn*. Escobar, Aletheia, v. 2, n. 3, novembro 2011.

O PROCESSO DE LEGITIMAÇÃO DA INDUSTRIALIZAÇÃO PLANEJADA NAS PÁGINAS DA GRANDE IMPRENSA BRASILEIRA:

PROJETOS DE DESENVOLVIMENTO EM DISPUTA

Luis Carlos dos Passos Martins[1]

O objetivo deste texto é apresentar, em linhas gerais, a pesquisa que venho desenvolvendo ultimamente[1], que procura investigar o "processo de legitimação" da industrialização planejada e acelerada ocorrida no Brasil entre os anos 1930 e 1960. Mais especificamente, pretendo trabalhar a forma – ou as formas – como as principais questões que envolveram a complexa e profunda transformação do Brasil de país essencialmente agrícola e rural para uma nação urbana e industrializada foram abordadas no debate público que se estabeleceu em torno das mesmas, tendo como foco a grande imprensa do centro do país.

---

[1] Professor do Departamento de História da PUCRS, doutor em História pela mesma universidade. Envolvendo a minha tese de doutorado – *A grande imprensa "liberal" da Capital Federal (RJ) e a política econômica do segundo governo Vargas (1951-1954): conflito entre projetos de desenvolvimento nacional* – e o grupo de pesquisa da qual eu faço parte "Estado, Desenvolvimento Econômico e Inserção Internacional: Tradições Autoritárias e Desenvolvimentismo no Discurso dos Intelectuais e da Grande Imprensa no Brasil Contemporâneo (1930-1985)", coordenado pelo professor dr. Luciano Aronne de Abreu.

Esse tema de pesquisa se justifica porque tal processo de industrialização acelerada esteve longe de ser tranquilo ou consensual, na medida em que:

- implicou inúmeros problemas correlatos, como inflação, desequilíbrio no balanço de pagamentos, endividamento público e uma série de dificuldades urbanas – carestia, estrangulamento do sistema de transportes, favelas (BAER, 1966);
- teve que enfrentar diversos interesses contrariados, como o comércio de exportação-importação e o próprio Estados Unidos no pós-Segunda Guerra Mundial, ambos interessados na manutenção do país como exportador de bens primários e importador de manufaturados (FONSECA, 1987; BASTOS, 2009);
- acarretou um considerável aumento do intervencionismo estatal na economia – com a criação de empresas públicas, de novos tributos e de novas agências do Estado – e, consequentemente, esteve associado a significativas mudanças políticas, em especial o aumento de poder do Executivo Federal (DRAIBE, 1985; LEOPOLDI, 2000).
- por fim – e o que mais nos interessa –, enfrentou fortes tradições intelectuais que defendiam a manutenção do Brasil como essencialmente agroexportador: de um lado, a visão do país como uma "potência natural" (CHAUÍ, 2000; ORLANDI, 1993), de outro lado, a corrente liberal e, no pós-guerra, a neoliberal, ambas defensoras da teoria das vantagens comparativas, que, ao menos até os anos 1950, colocaram-se contrários ao processo de industrialização acelerada e planejada do país (LUZ, 1978; BIELSCHOWISKY, 2000).

Por tudo isso, não é difícil aceitar que a emergência e, acima de tudo, a continuidade do processo industrializante exigiram um amplo trabalho de legitimação, ou seja, era necessário difundir e fazer vencer a ideia de que a industrialização acelerada do país, com presença ativa do Estado, era não só possível como também necessária para o seu desenvolvimento. Tarefa que exigia, dentre outras questões, a busca de alternativas conceituais à ortodoxia econômica que permitissem aos defensores da industrialização, ao mesmo tempo, justificar e orientar o processo em curso. Porém, como toda a luta simbólica – ou seja, nos termos de Bourdieu (1990, p. 163-169), como toda a luta pela imposição de uma visão mais legítima sobre a realidade social capaz de agir, não apenas no pensamento sobre a realidade, mas na própria realidade pelas mudanças que provoca nesse pensamento –, a busca pela legitimação do processo industrializante não foi mero reflexo das mudanças em curso. Ao contrário, ela constituiu um momento decisivo no qual as principais alternativas para a continuidade ou não das mudanças foram elaboradas, contestadas e/ou difundidas.

Com base nessas questões, podemos entender melhor a escolha da grande imprensa como objeto específico de pesquisa nesse tema, escolha que ainda pode ser justificada por mais dois fatores, em especial:

- os estudos que falam da hegemonia de um projeto industrializante e/ou do nacional-desenvolvimentismo (FONSECA, *op.cit.*; BASTOS, *op.cit.*; LEOPOLDI; *op.cit.*) focam essencialmente na análise do universo intelectual (economistas) e da tomada de decisões em políticas públicas (políticos, burocratas), não colocando como questão relevante o papel da grande imprensa no processo de construção dessa "hegemonia";
- além disso, as poucas e fragmentadas interpretações a respeito do posicionamento da grande imprensa diante desse debate colocam-na como defensora do projeto liberal e, dessa forma, ao menos em tese, contrária à alternativa que teria se tornado "hegemônica" (SKIDMORE, 1996; SODRÉ 1993; RIBEIRO, 2003).

Por fim, devido aos limites deste trabalho e ao estágio ainda embrionário da pesquisa sobre o tema na grande imprensa dos anos 1930, irei focar a minha análise empírica nos anos 1950, durante o segundo Governo Vargas. Nessa conjuntura, o tema da necessidade ou não da industrialização acelerada do país ganha enorme espaço no debate público, especialmente em torno dos programas de investimento apresentados pelo Executivo, como a criação da Petrobras, da Eletrobras e do BNDE.[2]

Tendo em vista esses objetivos gerais, este texto irá se dividir em três partes, afora essa introdução: inicialmente, iremos fazer um histórico do debate teórico e político sobre a industrialização no Brasil, iniciando nos anos 1930 e terminando nos anos 1950; depois, faremos uma análise da forma como essa questão foi abordada pela grande imprensa carioca no segundo Governo Vargas, deixando bem claro que o nosso objetivo não é avaliar o posicionamento desses impressos em relação ao governo, mas tentar entender a sua posição diante do projeto de industrialização planejada; por fim, apresentaremos uma pequena conclusão.

Industrialização e projetos para o Brasil

Embora o progresso da indústria no Brasil seja uma característica mais específica do século XX, o debate em torno da sua possibilidade – e mesmo necessidade – remonta, no mínimo, à segunda metade do século XIX, em especial através do chamado *movimento industrialista*.[3] Mas a defesa da industrialização do país não era tarefa fácil, tendo em vista que os seus adversários, além de comportarem grupos poderosos e influentes – como o setor agroexportador –, estavam calcados em dois robustos alicerces ideológicos: de um lado, a forte tradição intelectual que associava a especialização primária

---

[2] Iremos focar a análise no levantamento feito para a tese de doutorado que irá se restringir à grande imprensa carioca classificada como "liberal", representada pelos jornais *O Globo*, *O Jornal*, *Jornal do Brasil* e *Correio da Manhã*. Essa escolha se deve ao fato de a imprensa carioca ser, na conjuntura em questão, a mais influente do país e os jornais considerados "liberais" oferecerem um bom campo de análises sobre a receptividade do programa industrializante.

[3] Sobre o uso do conceito de *industrialista* e a composição social dos mesmos, ver LEOPOLDI, *op. cit*, p. 61 e LUZ, *op.cit.*, p. 15.

a uma infindável "potencialidade natural" do país[4]; de outro lado, os princípios basilares do liberalismo econômico que sustentavam, com rigor intelectual e ampla legitimidade acadêmica, a especialização do Brasil como produtor primário, com base na teoria das vantagens comparativas e nas prédicas a favor das benesses do livre-comércio (LUZ, *op. cit.*; BIELSCHOWISKY, *op. cit.*).

Para enfrentar esses fortes adversários, porém, os defensores da industrialização se encontravam insuficientemente dotados de argumentos teóricos, na medida em que, como afirma Diniz, sua proposta de industrialização era limitada à própria estrutura vigente, defendendo o protecionismo com argumentos empíricos, sem dispor de uma teoria que oferecesse propostas alternativas de políticas públicas diferentes do receituário liberal (DINIZ, 1978, p. 96). Ademais, sofriam uma forte campanha pública, especialmente da grande imprensa, que acusava a indústria brasileira de ser "artificial", ineficiente e, assim, causar o encarecimento da vida urbana (LUZ, *op. cit.*).

Dessa maneira, o movimento industrialista teve que esperar o fim da Primeira República e os anos 1930-40 para encontrar condições mais favoráveis às suas propostas. Nesse período de crise econômica e de esforço mundial com o conflito iniciado em 1939, a vulnerabilidade do setor externo da economia brasileira derivada da sua condição de país agrário tornou-se mais evidente, facilitando a tarefa dos defensores da industrialização (BIELSCHOWSKY, *op. cit.*, p. 253). Para levar adiante essa tarefa, as lideranças da manufatura partiram para um duplo *front*: de um lado, conscientizar internamente a classe empresarial a respeito de seus interesses e papéis específicos na economia e na sociedade brasileiras; de outro lado, difundir

[4] Marilena Chauí (*op. cit.*) considera essa visão sobre o país como parte do "mito fundador" da identidade nacional, sintetizado na noção de "verde-amarelismo", e Eni Orlandi (*op. cit.*) a associa ao "discurso fundador" da sociedade brasileira, condensado na ideia de que "aqui se plantando tudo dá". Não é propósito, agora, discutir os conceitos de discurso fundador e de mito fundador, mas salientar a força das imagens por eles assinaladas no pensamento brasileiro.

a importância do progresso industrial para a coletividade como um todo (LEOPOLDI, *op. cit.*).

Em termos argumentativos, essa campanha retomou alguns temas que já vinham sendo abordados – como o vínculo entre o desenvolvimento das manufaturas e os interesses coletivos –, mas procurou avançar, apresentando um discurso cada vez mais elaborado e integrado, como a ênfase dada ao mercado interno e apresentando uma visão mais ampla do papel reservado ao Estado (SIMONSEN, 1973; LODI, 1949). Além de tarifas alfandegárias protecionistas, os novos líderes fabris reivindicavam uma participação mais extensa e, pode-se dizer, orgânica do poder público, através de medidas como: uma política de crédito fomentadora da industrialização, chegando a se falar de um banco industrial, uma política cambial que privilegiasse a compra subsidiada de equipamentos e insumos para o setor manufatureiro e investimentos públicos em infraestrutura (energia e transporte) e em indústrias de base (LEOPOLDI, *op. cit.*, p. 110-113; DINIZ, *idem*, p. 98-99).

Embora seja lícito afirmar que o esboço desse projeto industrializante tenha sido gestado entre as lideranças industriais, devemos ressaltar que ele não ficou restrito às classes empresariais, na medida em que também recebeu a contribuição do próprio aparato estatal, com o apoio da burocracia, tanto civil quanto militar, o qual tornou possível a sua transformação em política pública efetiva.[5]

Todo esse apoio social e político dado à defesa da industrialização durante os anos 1930 e 1940 reforçou o movimento industrialista, mas não o eximiu da tarefa de encontrar suporte teórico às suas propostas

[5] Durante os anos 1930 e 1940, surgiu um arcabouço de agências reguladoras e controladoras da atividade econômica no Brasil, como o Departamento Administrativo do Serviço Público (DASP - 1938), o Conselho Federal de Comércio Exterior (CFCE - 1934), a Comissão de Mobilização Econômica (CME - 1942) e o Conselho Nacional de Política Industrial e Comercial (CNPIC - 1944), em que a questão da industrialização do país era amplamente debatida (DINIZ, *op. cit.*; BIELSCHOWSKY, *op. cit.*; DRAIBE, *op. cit.* e LEOPOLDI, *op. cit.*). Quanto ao pensamento industrialista entre os militares, consultar: SILVA, p. 95 e WIRTH, 1973; para um contraponto, ver TRONCA, 1986.

a fim de enfrentar a tradicional oposição liberal.[6] Autores como o político e economista romeno Mihail Manoilescu e o economista alemão Friedrich List foram traduzidos para o português e eram seguidamente citados pelos industrialistas. Mas, embora defendesse o protecionismo, esse arsenal intelectual demonstrou-se ainda inadequado para dar o suporte que o movimento necessitava.[7] Em consequência, como argumenta Bielschowisky, diante da "ideologia liberal, a defesa do desenvolvimento pela industrialização tinha no imediato pós-guerra a inconveniência de encontrar-se insuficientemente instrumentalizada de um ponto de vista analítico. Havia, para os defensores da industrialização, uma espécie de 'vazio teórico'" (*op. cit.*, p. 24).

De qualquer maneira, no pós-guera, o debate em torno da necessidade e da forma mais adequada de alavancar a industrialização brasileira irá herdar o tema central da discussão durante o conflito: a questão do planejamento econômico. Nessa nova conjuntura, porém, segundo autores como Bielschowsky (*op. cit.*, p. 270), a concordância com a necessidade de alguma forma de planejamento econômico será facilitada pela consciência, difundida entre a elite política e empresarial brasileira, de que o país precisava fazer um esforço a mais para sair do subdesenvolvimento e que tal esforço passava pelo robustecimento de seu parque fabril e por uma ingerência mais ativa do Estado na economia.

[6] Sobre a oposição que os líderes industrialistas faziam ao liberalismo ou *laiser-faire*, ver, por exemplo, SIMONSEN, 1973, p. 81, e LODI, *op. cit.*, p. 26.

[7] Manoilescu - duro crítico da "teoria das vantagens comparativas" e cuja obra *Theoria do protecionismo e da permuta internacional* foi traduzida no Brasil, em 1931, a pedido do Ciesp - defendia a necessidade de industrialização, mas não era um acadêmico, e sua ligação com o fascismo o tornava alvo fácil das críticas dos liberais. Por outro lado, List, apesar de ser um autor mais prestigiado, não era tão citado pelos industrialistas porque sua proposta de proteção à "indústria infante", além de ser bastante limitada (tanto em relação à intensidade do protecionismo, restrito a cifras baixas, quanto em relação ao tempo do mesmo), já havia sido incorporado pelos pensadores liberais, que aceitavam algumas de suas teses centrais. Quanto às ideias de List, consultar: RODRIGUES, 2005, p. 52-61; já sobre Manilescu, ver LOVE, 1998.

Entretanto, a aceitação em termos teóricos e mesmo a aplicação em termos práticos do planejamento econômico ainda receberia severas restrições. A começar pela própria origem da noção, inspirada mais em experiências concretas do que em elaborações acadêmicas, cujos maiores e complicados exemplos eram oferecidos pelos Planos Quinquenais soviéticos. Já as experiências nos países capitalistas eram baseadas teoricamente no debate sobre as crises do sistema, que tinha na obra do economista britânico Johan Maynard Keynes a sua principal referência, a qual, porém, também apresentava limites para orientar e legitimar o planejamento econômico em países como o Brasil.[8]

Em consequência, na passagem dos anos 1940 para os 1950, a busca de justificativas teóricas para a industrialização planejada voltada para a realidade brasileira e latino-americana continuava sem uma solução acabada. Problema que se tornou ainda mais complicado, porque, com o fim da Segunda Guerra Mundial e do Estado Novo, a teoria liberal iria receber um significativo reforço no mundo e no Brasil.

O debate nos anos 1950

Depois de passar duas décadas em uma situação defensiva tanto em termos acadêmicos quanto no que se refere à sua aplicação como política econômica, a teoria liberal ganhou, no pós-guerra, um considerado reforço através de um movimento intelectual bastante amplo denominado pela bibliografia de neoliberalismo (BIELSCHOWISKY, *op. cit.*; ANDERSON, 1995). Tendo como expoentes os economistas austríacos Ludwig Von Mises e Friedrich Hayek, em nível internacional, e

[8] Como lembra Fonseca, o keynesianismo era direcionado às economias desenvolvidas que passavam por problemas cíclicos derivados da carência de demanda efetiva e, dessa maneira, defendia um intervencionismo estatal pontuado, como medida anticíclica. Já as economias latino-americanas necessitavam de políticas públicas permanentes que aumentassem a capacidade de poupança e gerassem investimentos a fim de atingir o desenvolvimento (FONSECA, 2000, p. 23-46).

Eugênio Gudin, em nível nacional, o neoliberalismo é considerado uma reação ao Estado de Bem-Estar e às medidas de intervenção estatal na economia, originadas ou acirradas com a Crise de 29.

Os pensadores neoliberais, porém, não se limitaram a negar as críticas que se faziam às insuficiências da teoria clássica. Ao contrário, procuraram incorporar parte das mesmas para respondê-las, em particular as dúvidas lançadas sobre a capacidade do capitalismo em resolver automaticamente os seus entraves. Fazendo isso, tais autores aceitavam certo grau de intervenção econômica do Estado para superar "as crises cíclicas" do sistema ou corrigir as possíveis "imperfeições do mercado" (como os monopólios). Contudo, isso não significava tolerância com programas de desenvolvimento que implicassem em "planejamento econômico". Na verdade, o neoliberalismo tornou-se um ferrenho crítico dessas propostas, que ele associava ao fim do mercado e ao início do totalitarismo em países capitalistas (HAYEK, 1994; GUDIN, 1977).

No que se refere ao caso brasileiro e à questão da industrialização, o pensamento neoliberal no país não fez uma pregação contrária à sua necessidade. Diferentemente disso, o próprio Gudin (*op. cit.*) afirmava que, devido às suas carências naturais, o Brasil precisaria desenvolver também as manufaturas. Entretanto, partidários do princípio das vantagens comparativas, liberais e neoliberais defendiam que a saída para o atraso brasileiro estava, primeiro, no acirramento da especialização agrária e, só depois, na industrialização. Esta, por sua vez, deveria ser espontânea, ou seja, o resultado natural do progresso das forças produtivas e não induzida pelo Estado. O intervencionismo estatal para promover a industrialização iria acarretar o desvio do emprego "natural" dos fatores produtivos da agricultura para a indústria, produzindo um setor manufatureiro incompetente, aceleração dos preços e sobrecarga tributária, reforçando e não diminuindo a ineficiência da economia (GUDIN, 1954; 1959).

O principal contraponto, em termos de teoria econômica, a essa reinvestida liberal será dada pela CEPAL. A Comissão Econômica para a América Latina foi criada em fevereiro de 1948, pelo Conselho Econômico e Social da ONU, com o objetivo de definir uma "política frente ao subdesenvolvimento" para a região sul do continente americano (BIELSCHOWIKY, 2000b).

Esse novo organismo das Nações Unidas obteve boa receptividade por parte dos países latino-americanos, cujas principais economias desejam manter ou aumentar seu nível de desenvolvimento através da industrialização, como o México, o Chile e o Brasil. Em virtude desse apoio, em 1951, a CEPAL – que havia sido projetada para funcionar por apenas três anos – foi constituída em comissão permanente da ONU, passando a figurar no panorama intelectual, político e diplomático da América Latina nas décadas seguintes (AYERBE, 2002, p. 75), apesar da oposição dos Estados Unidos (MORAES, 1995, p. 20).

Para entendermos melhor as ideias defendidas pela CEPAL, vamos avaliar os escritos de Raul Prebisch, o grande intelectual cepalino, que presidiu a entidade nos seus primeiros momentos e deu a ela os seus textos mais essenciais. Em linhas gerais, Prebisch partia do pressuposto que a economia mundial não era homogênea, mas estava estruturalmente dividida em dois polos distintos: de um lado, o centro, constituído pelos países industrializados, dotados de forte concentração de capital e de tecnologia, o que lhes permitia altos e crescentes índices de produtividade; de outro lado, a periferia, formada pelas nações subdesenvolvidas e especializadas na produção primária, com menores índices de concentração de capital e de tecnologia e, consequentemente, com baixa produtividade e pouca capacidade de poupança interna.

Esses dois polos da economia mundial eram, para Prebisch, não apenas diferentes, mais desiguais, na medida em que o centro apresentava condições (tecnologia, densidade de capital, renda etc.) muito superiores às da periferia. Essa desigualdade teria se originado na difusão do progresso técnico mais rápido nos países industrializados do que na periferia e na maior capacidade dos primeiros em reter para si os frutos desse progresso, pois, nos períodos de queda dos ciclos, as classes trabalhadoras das nações desenvolvidas tendiam a manter a sua renda salarial enquanto que as dos países subdesenvolvidos perdiam (PREBISCH, 2000, p. 81).

Em consequência dessa relação hierárquica entre centro e periferia, o comércio internacional, em vez de proporcionar a difusão do progresso técnico entre ambos os polos do sistema, promovia, nos termos de Prebisch, a *deterioração dos termos de troca* para os países de produção primária: com o passar dos anos, essas nações tinham que fornecer maiores quantidades de bens para adquirir o mesmo volume de produtos industrializados (PREBISCH, *op. cit.*).

Para solucionar esse problema, o autor defendia que os investimentos na produção primária deveriam ser acompanhados de inversões no setor industrial ou transferidos diretamente para ele. Nos países subdesenvolvidos, dizia Prebisch, a indústria era a única capaz de absorver a mão de obra excedente ou ociosa na agricultura; além disso, como a manufatura apresentava maiores índices de produtividade do que a produção agrícola, ela não só absorveria a mão de obra desempregada como também poderia atrair trabalhadores sublocados no setor primário, promovendo um aumento geral dos salários e, assim, das rendas (PREBISCH, *op. cit.*, p. 89 e 117).

Tendo como base a industrialização, não é de surpreender que o programa de desenvolvimento proposto pela CEPAL previsse um papel relativamente intenso ao Estado: a) pela necessidade de proteção à indústria emergente, cuja baixa produtividade em relação às do centro não lhe permitia concorrer em um sistema de livre-mercado; b) pela necessidade da ação estatal na formação de capital em virtude da carência de poupança interna e, por fim, c) pela falta de divisas para importar os bens de capital e os insumos indispensáveis ao desenvolvimento industrial, o que implicava em controle público tanto sobre o comércio exterior quanto sobre o fluxo de capital.

Muito embora seja aceitável o argumento de Fonseca segundo o qual as principais ideias da CEPAL já eram defendidas e mesmo aplicadas no Brasil antes da criação do órgão da ONU, é também indiscutível que as pesquisas e os escritos de seus economistas e técnicos deram um grau de sofisticação teórica e um respaldo acadêmicos que as mesmas não tinham. O resultado disso foi a consolidação de uma corrente de pensamento econômico muito influente na América Latina, ou seja, o desenvolvimento, baseado na ideia de que os países da região apenas sairiam do subdesenvolvimento através da industrialização e que a mesma não ocorreria de forma espontânea, sendo obrigatório o planejamento estatal (BIELSCHOWISKY, 2000, p. 7).

Em consequência, não é de surpreender que o pensamento cepalino tenha recebido grande receptividade e influência no Brasil, em especial entre os industriais, carentes de uma liderança intelectual desde o falecimento de Simonsen, em 1948. Em outras palavras: o "encontro com a CEPAL contribuiu, assim, para a renovação e atualização do ideário industrialista que se havia forjado sobretudo a partir da década de 1920" (COLISETI, 2002, p. 144). De outra parte, foi durante o segundo Governo Vargas que se formou uma forte aproximação entre o empresariado brasileiro, o poder público e a CEPAL, tendo as ideias cepalinas de industrialização planejada conquistado espaço nos discursos e nas práticas tanto do empresariado fabril quanto dos responsáveis pela política econômica do governo.

Industrialização planejada *vs.* agrarismo nas páginas dos jornais: projetos de desenvolvimento em disputa

O tema do desenvolvimento econômico do Brasil foi um assunto constante nas páginas dos jornais cariocas no segundo Governo Vargas. Correspondendo ainda a um período de recuperação da economia mundial do pós-guerra e de grandes transformações estruturais no Brasil, não surpreende a ênfase que a questão tenha recebido dos periódicos estudados, nessa conjuntura.

Muito embora não seja possível, nem mesmo seja o objetivo deste trabalho encontrar convergência de opiniões nos órgãos de imprensa estudados, a análise de seu posicionamento pode nos dar uma boa ideia do nível de circulação e mesmo de aceitação das visões sobre o tema aqui abordado acerca da economia nacional.

O *Jornal do Brasil* não deixou muitas dúvidas sobre o seu ponto de vista nesse debate. Se acompanharmos a posição do jornal sobre a criação da Comissão de Desenvolvimento Industrial (CDI) pelo Governo Vargas, podemos perceber que o *JB* não só lhe dá apoio como também espera que essa Comissão possa "ampliar e criar novos produtos de exportação" – o que poderia restringir "a dependência do consumidor brasileiro" e, assim, a evasão de divisas – e, mais importante, viabilizar "energia e transporte" para toda a economia nacional.[9] Ademais, o jornal ainda faz considerações gerais sobre a indústria nacional, afirmando que o "parque industrial brasileiro é motivo de orgulho como obra que avança sem esmorecimento. Ampliá-lo ainda mais, fortalecê-lo e ampará-lo é dever precípuo dos que se envaidecem de ter nascido nesse torrão e lutam por torná-lo farto, rico e poderoso".[10] Em síntese: o *JB* concebe a possibilidade de industrialização do Brasil, defendendo a ação do Estado no provimento da

[9] "Produção barata e escoamento fácil", *Jornal do Brasil*, 31 de agosto de 1951, Caderno 1, página 5.

[10] O que fica mais claro quando lemos outro editorial, publicado já perto do final do ano, em que o *JB* faz uma avaliação positiva dos programas econômicos do governo: "Dando a esses problemas a solução adequada, não restará dúvida alguma quanto ao ingresso dos brasileiros numa fase de largo aproveitamento das suas riquezas naturais, além de maior revelação da capacidade dos seus labores no campo das indústrias representativas da própria soberania nacional" ("Nova política econômico-financeira", *Jornal do Brasil*, 15 de dezembro de 1951, Caderno 1, página 5).

infraestrutura e vinculando a industrialização ao melhor aproveitamento dos recursos naturais do país e à sua força como nação diante das demais.

Mas o otimismo quanto às possibilidades e potencialidades da industrialização brasileira iria se arrefecer no jornal. Desde o ano de 1951, o *JB* já demonstra muita preocupação com a queda de rendimento da produção agrícola brasileira, vinculando-a à carência do fator mão de obra provocada pelo excessivo êxodo rural, que tirava os braços da lavoura e superlotava as cidades[11] e, a partir de 1952, vai começar a associar os problemas da agricultura a uma espécie de hipertrofia do setor fabril.[12]

Aqui vemos claramente os limites da aceitação, por parte do *JB*, do desenvolvimento industrial brasileiro: não provocar o desvio dos recursos produtivos (mão de obra e investimentos) para a indústria em detrimento da agricultura. Além disso, o *JB* demonstra apreensão com uma espécie de vitória doutrinária do industrialismo sobre o agrarismo, a qual elege como uma das causas principais das atuais distorções.[13] Nessa campanha em prol do setor agrícola, o jornal não chega a fazer uma pregação anti-industrializante, mas afirma que a indústria só poderia se desenvolver depois de estar consolidada a agricultura e que a industrialização indesejada é aquela baseada no que chama de "indústria fictícia".[14] Ou seja, não defende um retrocesso das manufaturas, mas um desenvolvimento equilibrado entre os dois setores, que deveria dar prioridade para a consolidação da agricultura e para os investimentos em infraestrutura. Somente depois seria aceitável o esforço industrializante.[15]

---

[11] "Benefícios que mais se esperam", *Jornal do Brasil*, 28 fevereiro de 1951, Caderno 1, página 5.

[12] "Binômio Energia e Transporte", *Jornal do Brasil*, 22 janeiro de 1952, Caderno 1, página 5.

[13] "Predomínio da atividade agrícola", *Jornal do Brasil*, 30 novembro de 1952, Caderno 1, página 5.

[14] "Atividade agrícola e expansão industrial", *Jornal do Brasil*, 8 janeiro de 1953, Caderno 1, página 5.

[15] "Predomínio da atividade agrícola", *Jornal do Brasil*, 30 novembro de 1952, Caderno 1, página 5.

Na análise do *Correio da Manhã*, *O Jornal* e *O Globo*, encontramos algumas constatações semelhantes às do *JB*. Entretanto, esses jornais divergiram do primeiro em pontos essenciais.

Durante o decorrer do mandato de Vargas, esses diários demonstram uma preocupação crescente com os possíveis desequilíbrios entre o desenvolvimento da indústria e da agricultura. Mas, acima de tudo, não procuram localizar a causa desse desequilíbrio no desenvolvimento industrial, situando a origem do problema na própria falta de produtividade do setor agrícola. Ademais, a indústria aparece, nesses momentos, mais como solução do que como problema, na medida em que poderia facilitar a mecanização da agricultura.

Já no que se refere à sua posição sobre o papel das manufaturas, no geral, esses periódicos defenderam que a industrialização não era apenas uma alternativa econômica para o desenvolvimento do país. Era também uma necessidade, uma espécie de caminho sem volta, na medida em que dela dependia a própria independência e a grandeza nacionais. Como deixou claro *O Jornal*:

> Chegou, portanto, o momento de executar um programa de desenvolvimento industrial, que nos habilite a produzir as nossas próprias máquinas e a explorar tecnicamente os recursos naturais do país. *Não há outro caminho a seguir, se desejarmos (fugir) à classificação de nação incluída na área de povos subdesenvolvidos e conquistar a verdadeira independência econômica.*[16]

[16] "Expansão industrial como base da segurança", *O Jornal*, 29 de agosto de 1951, Caderno 1, página 4. Nesse mesmo sentido, argumentou o *Correio da Manhã*: "como estamos em lua de mel com a indústria, dizermos a importância que tem para nós é fazer obra ociosa. Não há brasileiro que não queira ver o país ultrapassar a fase puramente agrícola e extrativa da economia nacional. Os países fortes e grandes têm indústrias poderosas. Não há nenhuma exceção a essa regra" ("Política rural", *Correio da Manhã*, 6 de janeiro de 1952, Caderno 1, página 4). Ou ainda, o *Correio da Manhã* foi mais incisivo, ao afirmar corrosivamente: "A famosa definição do Brasil como país *essencialmente agrícola* já caiu no domínio dos humoristas, talvez devido aos sucessivos fracassos dos diversos ciclos de exploração agricultural: do açúcar, da borracha. Hoje, já nos encontramos em um ciclo diferente:

Além do entusiasmo com que esses três jornais abordam a criação da CDI[17], encontramos diversas passagens em que o tema da necessidade da industrialização aparece nitidamente. O *Correio da Manhã*,, por exemplo, coloca-se como um verdadeiro arauto da imperiosidade de o país acirrar o seu processo industrializante, abordando assim uma reunião de industriais, ocorrida na Fiesp:

> Até o presente, a chamada burguesia brasileira vinha sendo liderada pelo seu setor comercial. E a indústria não compreendia que, por baixo dos interesses comuns, profundas diferenças a opunham ao comércio. Entre estas vale acentuar o fato de o comércio brasileiro depender, principalmente, da venda, a preços altos, de produtos acabados, importados do exterior, e da compra, a preços baixos, de produtos primários, destinados à exportação. *Tende o comércio, por isto, a manter o país na condição de exportador de artigos primários e importador de produtos acabados, o que contraria, frontalmente, o interesse da indústria, e o próprio interesse nacional, que é o de produzir, no país, produtos acabados, para melhorar nossos termos de troca.*[18]

Por essa passagem, o jornal deixa bem claro a sua visão sobre a fragilidade da manutenção do país na condição de produtor de bens primários e importador de bens manufaturados. Além disso, para superar essa condição, apoia abertamente a alternativa de se procurar "uma política de coordenação entre a ação do Estado e a iniciativa particular, mediante um planejamento geral da economia brasileira", condenando o *laisser faire* como sendo um regime que só pode interessar àqueles que se beneficiam com a especulação.

o da industrialização" ("Indústria e a Agricultura", *Correio da Manhã*, 22 de novembro de 1951, Caderno 1, página 4). Quanto ao *O Globo*, ver "O grande desenvolvimento industrial brasileiro", *O Globo*, 31 de março de 1953, Caderno 1, página 2.

[17] Ver, por exemplo: "Indústria e planejamento", *Correio da Manhã*, 15 de agosto de 1951, Caderno 1, página 4, "Expansão industrial como base da segurança", *O Jornal*, 29 de agosto de 1951, Caderno 1, página 4 e "Um novo órgão", *O Globo*, 7 de julho de 1951, Caderno 1, página 3.

[18] "Consciência industrial", *Correio da Manhã*, 6 de junho de 1953, Caderno 1, página 4.

Em *O Jornal* e em *O Globo*, encontramos uma percepção semelhante. *O Jornal* foi bastante eloquente em um editorial intitulado "Manufaturas contra matéria-prima", em que afirma:

> *O mal de que padece o nosso comércio exterior está, assim, menos na importação de manufaturas necessárias* [referindo-se às máquinas e equipamentos para a produção] que *na exportação de matérias-primas, principalmente das destinadas à transformação industrial em outros países, quando muitas delas poderiam ser aproveitadas dentro do próprio Brasil e exportadas como produtos acabados.* [...]
>
> Em resumo, *o que nos cumpre fazer é diversificar e intensificar a produção de bens de consumo, quer para o país, quer para o exterior, a fim de abastecer melhor a população brasileira e obter maiores somas de divisas.*[19]

O Globo também argumentou nesse mesmo sentido:

> O *surto de industrialização do Brasil* tem causado espanto aos técnicos estrangeiros que nos visitam. Realmente, nos últimos anos *o nosso país resolveu elevar os níveis de sua economia semicolonial.* Queremos agora *criar riquezas pela exploração intensiva e transformação racional dos nossos bens primários. Exportar apenas gêneros e matérias-primas significaria a eternização do pauperismo nacional.*[20]

Vemos por essas passagens como esses três jornais não apenas diferem do *JB* como também se distanciam completamente do receituário liberal e neoliberal para a economia brasileira, aproximando-se muito das teses defendidas por desenvolvimentistas e, especialmente, por cepalinos.

Com o intuito de explorar melhor essa questão, é interessante verificar como esses impressos abordam diretamente as ideias sus-

[19] *O Jornal*, 5 de setembro de 1952, Caderno 1, página 4.

[20] "O surto de nossa industrialização", *O Globo*, 6 de abril de 1951, Caderno 1, página 3.

tentadas pela CEPAL em relação às economias latino-americanas. Para tanto, iremos avaliar a cobertura dos mesmos sobre o 5º Período de Sessões da entidade, realizado no Brasil, entre os dias 9 e 24 de abril de 1953, no Hotel Quitandinha, em Petrópolis (RJ), encontro que foi em parte financiado pela Fiesp e teve Euvaldo Lodi como seu presidente.

De todos os periódicos pesquisados, o menor destaque ao conclave aparece no *Jornal do Brasil*, pois ele foi o único que não esteve em todas as reuniões. Além disso, no seu editorial sobre o evento, curiosamente, é ressaltado que o principal problema discutido foi a dificuldade da agricultura continental.[21]

Já no que se refere ao *O Jornal*, este dá cobertura diária ao encontro da CEPAL e trata do mesmo em dois editoriais distintos. No primeiro, intitulado "Contribuição inestimável"[22], aborda o discurso inaugural do presidente Getúlio Vargas, associando os elogios ao órgão da ONU em se dedicar "mais ao exame dos problemas inerentes à América Latina" com a defesa do Executivo, pois, "[n]o que toca ao Brasil, disse o presidente Vargas que os assuntos que têm sido objeto de exame por parte da CEPAL constituem preocupações predominantes do seu governo".

No segundo editorial, o diário discorre mais claramente sobre as ideias discutidas no encontro, mas salienta uma questão que, embora importante, não era o centro das argumentações cepalinas: a necessidade do capital estrangeiro na América Latina.[23] Segundo o jornal, as diversas delegações estrangeiras na V Reunião da CEPAL teriam se manifestado "francamente favoráveis às inversões de capitais estrangeiros nos respectivos territórios, com o propósito de colaborarem na exploração de suas riquezas e em outros empreen-

---

[21] "Desenvolvimento da agricultura continental", *Jornal do Brasil*, 10 de junho de 1951.

[22] *O Jornal*, 11 de abril de 1953, Caderno 1, página 4.

[23] "Os capitais estrangeiros e a América Latina", *O Jornal*, 15 de abril de 1953, Caderno 1, página 4.

dimentos de interesse nacional". Procurando combater a ideia defendida por muitos de que os investimentos externos significavam outra "colonização", *O Jornal* sustenta que o grande perigo que corria o país não era o risco de um novo colonialismo, e sim de "viver nas condições precárias em que nos debatemos, sem consentir que a iniciativa, a técnica e os capitais estrangeiros nos tragam os benefícios de seu concurso".

> O *Correio da Manhã* também dá grande cobertura ao encontro. No editorial em que comenta a abertura, faz um elogio à CEPAL exatamente em um dos seus pontos essenciais: a "de elaborar uma teoria do subdesenvolvimento e de analisar o processo econômico da América Latina":
>
> Vale observar a esse respeito, que *a ciência econômica é obra de europeus e norte-americanos, assim refletindo os problemas particulares a um capitalismo de apogeu de países plenamente desenvolvidos.* Daí *a necessidade de uma reflexão teórica sobe os problemas da economia subdesenvolvida*, que estenda a doutrina econômica à análise de seus fenômenos.[24]

Argumentando dessa maneira, o *Correio da Manhã* dá respaldo a um dos elementos básicos das teses cepalinas, ou seja, a negação da universalidade da teoria econômica defendida pelos liberais e a necessidade da elaboração de um arcabouço conceitual específico para a América Latina.

O Globo é o jornal que dá mais ênfase à reunião da CEPAL, pois, além de cobrir diariamente os seus encontros, estes ainda recebem uma manchete do jornal e estão seguidamente presentes em chamadas na sua capa. No editorial destinado a avaliar o encontro, o vespertino aborda o tema central do debate cepalino, ou seja, a relação entre industrialização e produção primária, mas o faz discutindo

---

[24] "Elogio da Cepal", *Correio da Manhã*, 10 de abril de 1953, Caderno 1, página 4.

os possíveis confrontos entre atividades agrícolas e manufatureiras, através do pronunciamento de Euvaldo Lodi:

> Como se sabe, o líder industrial brasileiro opôs-se, de certa feita, à tese defendida pelo Sr. John Abbink, segundo a qual o Brasil deveria cuidar apenas da agricultura, deixando para daqui a cinquenta anos a industrialização. Dessa tese, que, se fosse concretizada, conduziria o nosso país a uma situação de completa dependência econômica, penitenciou-se recentemente o Sr. John Abbink, ao reconhecer publicamente, em New York, o seu erro, durante um banquete oferecido ao Sr. Euvaldo Lodi.

Termina afirmando que "as indicações dos trabalhos da CEPAL, aceitas pela Conferência, apontam para a industrialização 'como chave do crescimento do nível latino-americano'", citando Lodi novamente. Em consequência, notamos que a leitura que *O Globo* apresenta da reunião da CEPAL não se limita a elogiar a sua importância, mas também incorpora a sua tese básica sobre a necessidade da industrialização.[25]

O que podemos concluir dessa análise?

Primeiro, a boa aceitação que a CEPAL recebe na imprensa brasileira como organismo legítimo de discussão dos problemas da América Latina, o que se evidencia não só pelo destaque que lhe é destinado nos periódicos mais afeitos às suas ideias como pela recepção que obtém no próprio diário mais distanciado delas, o *Jornal do Brasil*. Segundo, podemos perceber uma leitura bastante seletiva dos jornais sobre os debates da CEPAL, na medida em que cada um esco-

[25] Em um editorial fora do enclave, o jornal afirma: "Necessidade de Industrialização" (*O Globo*, 3 de setembro de 1951, Caderno 1, página 3.), no qual o vespertino comenta uma palestra de Prebisch no Brasil no ano de 1951: "É de se destacar a exposição sobre a necessidade vital e inadiável de industrialização nos países latino-americanos, os quais, explica Prebisch, com reduzida produção industrial, se abastecem de produtos manufaturados no estrangeiro, em sua maior parte, que são pagos com exportações de produtos primários, muito mais baratos que aqueles".

lheu, em seus editoriais e reportagens, aspectos que correspondiam às linhas de ação previamente defendidas por eles.

Na análise desse episódio e de toda a exposição anterior, é possível perceber também que, se um periódico como o *JB* ainda se mantém partidário da especialização agrícola do Brasil, nos demais jornais, constatamos uma intensa penetração de conceitos próprios ao pensamento cepalino, como a deterioração dos termos de troca das economias primárias, a necessidade de uma teoria econômica específica para promover o desenvolvimento latino-americano e brasileiro e a importância da industrialização na obtenção desse objetivo. O que indica como o posicionamento de boa parte da imprensa sobre a economia brasileira – no nosso caso, os diários *O Globo*, *O Jornal* e o *Correio da Manhã* – escapa dos cânones do liberalismo e do neoliberalismo para se aproximar do desenvolvimentismo.

Sendo assim, para encerrar essa exposição, seria interessante observar de que maneira os jornais perceberam o papel do Estado nesse processo de industrialização.

Em linhas gerais, percebemos que os jornais pesquisados foram bastante receptivos às medidas do Executivo que ampliaram a arrecadação e a concentração de recursos no aparato estatal, como na criação do BNDE. Em relação à intervenção direta nas atividades produtivas, especialmente nas indústrias de base, encontramos apoios dos jornais ao projeto inicial de criação da Petrobras[26], às propostas de investimento no setor carbonífero e à Companhia Siderúrgica de Volta Redonda. Nesse último caso, o *Correio da Manhã* não só teceu seguidos elogios à importância dessa empresa para o desenvolvimento do país como ainda apoiou a ampliação do papel do Estado

[26] O tema da criação da Petrobras e sua avaliação pelos jornais é bastante complexo e, assim, devido aos limites deste texto, não será abordado diretamente. Uma análise mais completa sobre o mesmo pode ser encontrada na minha tese de doutorado, referida anteriormente.

no setor siderúrgico.[27] O *JB* e *O Jornal* também foram bastante eloquentes em defender a relevância de Volta Redonda para a economia nacional, especialmente por seu incentivo às atividades privadas a ela vinculadas.[28]

Esses exemplos nos oferecem importantes indícios do grau de aceitação da intervenção estatal nas atividades produtivas pelos jornais: esta é sustentada desde que o investimento se dê nos setores de base nos quais a inciativa privada seja inadequada ou insuficiente, como no caso do petróleo, do aço e do carvão; porém, não se apoia intervencionismo estatal que possa sufocar ou substituir a inversão particular em que ela já atua ou pode atuar eficientemente. Contudo, apesar desses limites, ainda é uma concepção que ultrapassa uma visão liberal mais estrita, que condenava qualquer ação industrial do Estado.

Quando questionamos, porém, os jornais sobre a forma como viam o planejamento econômico, encontramos poucos indícios concretos. Com efeito, apenas o *Correio da Manhã* aborda diretamente esse tema, o qual aparece tanto na forma com que esse impresso apoiou as iniciativas do governo voltadas ao desenvolvimento econômico e à industrialização (CDI, BNDE etc.) quanto nas iniciativas do próprio jornal em firmar a importância dessa noção para a realidade brasileira. O *Correio da Manhã* não apenas defende a industrialização planejada como saída para o subdesenvolvimento do país como também prega um modelo de planejamento bastante centralizado, o que o aproxima muito da corrente desenvolvimentista e o afasta do pensamento (neo)liberal, contrariando a forma tradicional com que esse diário é classificado em termos doutrinários.[29]

---

[27] "Comissão Mista, Volta Redonda e Central do Brasil", *Correio da Manhã,* 22 de julho de 1951, Caderno 1, página 4.

[28] "Vamos produzir mais aço", *O Jornal,* 9 junho de 1951, Caderno 1, página 4. Ver também: "Siderurgia e carvão vegetal", *O Jornal,* 21 janeiro de 1951, Caderno 1, página 4 e "Não perdeu tempo", *O Jornal,* 17 maio de 1951, Caderno 1, página 4. Quanto ao *JB,* consultar: "A siderurgia no caminho certo", *Jornal do Brasil,* 3 de junho de 1952, Caderno 1, página 5 e "Nova política econômico-financeira", *Jornal do Brasil,* 15 de dezembro de 1951, Caderno 1, página 5.

[29] Quanto a isso, o *Correio da Manhã* não deixa dúvidas fazendo um combate explícito às associações

Nenhum dos demais periódicos pesquisados apresenta uma defesa e uma aplicação tão nítida e sistemática do conceito de planejamento econômico, embora possamos identificar a aceitação da necessidade de planos e de programações para ações mais localizadas.[30] Já no que se refere propriamente ao conteúdo das propostas, notamos que os demais diários igualmente apoiaram a criação das agências planejadoras como alternativa na integração entre Estado e iniciativa privada, o que permite concluir que, embora sem a clareza ou mesmo consequência conceitual do *Correio da Manhã*, incorporavam implicitamente o mesmo na forma como compreendia a realidade brasileira de então.[31]

Considerações finais

Com base no exposto, iremos apresentar algumas conclusões e interpretações sobre os resultados aqui apresentados.

---

que os liberais faziam entre planificação, socialismo e totalitarismo. Por exemplo, ao apoiar a criação da CDI e a necessidade de industrialização do país, o *Correio da Manhã* salienta que, no mundo contemporâneo, não é mais possível conseguir uma industrialização espontânea em países subdesenvolvidos, tendo em vista que, até mesmo nações como o Japão e a Rússia, "de regime político e de cultura tão diferentes, adotaram, igualmente, o sistema do planejamento quando resolveram industrializar-se". Conclui afirmando: "o planejamento econômico, surgido com as doutrinas socialistas e depois endossada pelo fascismo, não é mais considerado como dependente do totalitarismo, sendo unânimes os autores quanto à possibilidade de ser ele empreendido em plena vigência das liberdades democráticas. Independentemente das controvérsias ideológicas, há certos princípios socioeconômicos que se podem considerar cientificamente estabelecidos. Assim, deve-se reconhecer como regra pacífica a possibilidade e, mais que esta, a necessidade do entrosamento entre a intervenção planejadora do Estado e a livre iniciativa das empresas. Somente pela adoção de um plano se pode proceder em prazo curto e em bases econômicas à recuperação de uma economia subdesenvolvida" (Indústria e planejamento", *Correio da Manhã*, 15 de agosto de 1951, Caderno 1, página 4).

[30] Ver, por exemplo: "O problema principal", *O Jornal*, 4 de janeiro de 1952, Caderno 1, página 4; "Quando o governo vai apelar para um empréstimo interno", *O Globo*, 24 de outubro de 1951, Caderno 1, página 1 e "O relatório do ministro da Fazenda", *Jornal do Brasil*, 1 de novembro de 1951, Caderno 1, página 5.

[31] "Um novo órgão", *O Globo*, 7 de julho de 1951, Caderno 1, página 3; "Justificado otimismo", *O Jornal*, 9 junho de 1951, Caderno 1, página 4 e "Produção barata e escoamento fácil", *Jornal do Brasil*, 31 de agosto de 1951, Caderno 1, página 5.

Notamos, com esta análise, como os jornais estudados constituíram um verdadeiro campo de batalha em torno da definição do projeto mais apropriado para o desenvolvimento do país, ou seja, a opção entre a manutenção da especialização agrária do Brasil ou o apoio à industrialização acelerada. Visivelmente, porém, a tese da necessidade da industrialização ganhou vasto terreno em tão intrincada disputa, sendo apoiada pela maior parte dos jornais estudados. O que pode nos servir de indicativo do grau de legitimidade que a industrialização alcança no debate público e na própria sociedade brasileira de então.

Para compreendermos esse posicionamento, é importante considerar que, nos anos 1950, o discurso que associava Nação, Nacionalismo e industrialização ganhava cada vez mais densidade simbólica na sociedade brasileira, permitindo ganhos de legitimidade a quem dele se apropriasse na esfera pública, pois a ideia de modernidade estava cada vez mais vinculada à de industrialização e à de urbanização. Dessa maneira, tomar uma posição contrária a essas mudanças distanciaria os periódicos das próprias transformações estruturais e simbólicas pela qual passava o país e, dessa maneira, de seu próprio público leitor. Além disso, é importante considerar que os jornais também eram beneficiários do projeto desenvolvimentista: urbanização, alfabetização, incremento dos salários e do emprego industrial aumentavam a renda dos jornais em publicidade e a sua "clientela de consumidores", o que permitia maior força econômica e maior peso na esfera de debates aos periódicos que se adaptassem a essas alterações estruturais.

Por fim, em termos de doutrina econômica e, especialmente, na visão sobre o papel do Estado, percebem-se que as formas de intervenção estatal recomendadas e/ou toleradas pelos jornais se aproximavam mais do que era proposto pelo nacional-desenvolvimentismo do que era pregado pelo pensamento liberal ou neoliberal do período, com exceção parcial do *Jornal do Brasil*. Isso pode ser melhor compreendido quando consideramos que o apelo a noções tipicamente desenvolvimentistas e cepalinas, como "planejamento", "pontos de estrangulamento", "crise de crescimento" e "macrorrentabilidade econômica", que encontramos nos jornais ao longo da pesquisa, indica como o liberalismo já não era capaz de fornecer elementos conceituais suficientes e/ou apropriados para que esses impressos pudessem apreender e se posicionar diante da realidade brasileira do período.

Interessados em ocupar uma posição de porta-vozes mais legítimos da coletividade na esfera de debates, tais periódicos se veem diante da necessidade de buscar novos modelos intelectuais que lhes permitam interpelar eficazmente o seu público leitor. Na conjuntura dos anos 1950, esses modelos deveriam ser capazes de associar ao discurso da imprensa um tom de "modernidade", de apoio ao "progresso da nação" e de "superação do subdesenvolvimento", tarefa para qual o desenvolvimentismo se demonstra muito mais adequado que os cânones da ortodoxia.

REFERÊNCIAS

ANDERSON, Perry. Balanço do Neoliberalismo In: SADER, Emir;, GENTILI, Pablo (Org.). *Pós-neoliberalismo*: as políticas sociais e o estado democrático. Rio de Janeiro: Paz e Terra, 1995.

AYERBE, Luis Fernando. *Estados Unidos e América Latina*: a construção da hegemonia. São Paulo: Editora UNESP, 2002

BAER, Werner. A industrialização e o desenvolvimento econômico do Brasil. Rio de Janeiro: Fundação Getúlio Vargas, 1966.

BASTOS, Pedro Paulo. *A dependência em progresso*: fragilidade financeira, vulnerabilidade comercial e crises cambiais no Brasil (1890-1954). Tese de Doutorado – Unicamp – Campinas – SP – 2001 (s.n.). Disponível em http://libdigi.unicamp.br/

document/?code=vtls000232699, consultado em outubro de 2009.

BIELSCHOWSKY, Ricardo. *Pensamento econômico brasileiro*: o ciclo ideológico do desenvolvimento. 4. ed. Rio de Janeiro: Contraponto, 2000.

______. Cinquenta anos do pensamento da Cepal – uma resenha. In: BIELSCHOWSKY, Ricardo (Org.). *Cinquenta anos do pensamento da Cepal*. Rio de Janeiro: Record, 2000b.

BOURDIEU, Pierre. *Coisas ditas*. São Paulo: Brasiliense,1990, p. 163-169. Em especial Espaço Social e Poder Simbólico.

CHAUI, Marilena. *Brasil*: mito fundador e sociedade autoritária. São Paulo: Fundação Perseu Abramo, 2000.

COLISETE, Renato Perin. A força das ideias: a Cepal e o industrialismo no Brasil no início dos anos 50. In: SZMRECSÁNYI, Tamás; SUZIGAN, Wilson (Org.). *História econômica do Brasil contemporâneo*. 2. ed. São Paulo – HUCITEC/Associação Brasileira de Pesquisadores em História Econômica/Editora da Universidade de São Paulo/Imprensa Oficial, 2002.

DINIZ, Eli. *Empresário estado e capitalismo no Brasil*: 1930-1945. Rio de Janeiro: Paz e Terra, 1978.

DRAIBE, Sônia. *Rumos e metamorfoses – Estado e industrialização no Brasil*: 1930/1960. Rio de Janeiro: Paz e Terra, 1985.

FONSECA, Pedro César Dutra. *Vargas*: o capitalismo em construção: 1906-1954. São Paulo: Ed. Brasiliense, 1987.

______. As origens teóricas do pensamento da CEPAL. In: POLLETO, Dorival Walmor (Org.). *50 anos do Manifesto da CEPAL*. Porto Alegre: EDIPUCRS, 2000.

GUDIN, Eugênio. Rumos da política econômica. In.: SIMONSEN, Roberto Cochrane. *A controvérsia do planejamento na economia brasileira*. Rio de Janeiro: IPEA, 1977.

______. Produtividade. *Revista Brasileira de Economia*. V. 8, n. 3 (1954), p. 9-70.

______. *Inflação, importação e exportação, café e crédito, desenvolvimento e industrialização*. 2. ed. Rio de Janeiro: Livraria Agir Editora, 1959.

HAYEK, Friedrich August von. *O caminho da servidão*. Rio de Janeiro: Biblioteca do Exército, 1994.

LEOPOLDI, Maria Antonieta Parahyba Leopoldi. *Política e interesses na industrialização brasileira:* as associações industriais, a política econômica e o Estado. São Paulo: Paz e Terra, 2000.

LODI, Euvaldo. *A indústria e a economia nacional*. Rio de Janeiro: Irmãos Pongetti, Editores, 1949.

LOVE, Joseph L. *A construção do terceiro mundo*: teorias do subdesenvolvimento na Romênia e no Brasil. Rio de Janeiro: Paz e Terra, 1998. 643 p.

LUZ, Nícia Vilela. *A luta pela industrialização*. São Paulo: Editora Alfa Omega, 1978.

ORLANDI, Eni. *Discurso fundador*: a formação do país e a construção da identidade nacional. Campinas: Pontes, 1993.

MORAES, Reginaldo C. Corrêa de Moraes. *Celso Furtado*: o subdesenvolvimento e as ideias da Cepal. Rio de Janeiro: Ática, 1995

PREBISCH, Raúl. O desenvolvimento econômico da América Latina e alguns de seus problemas principais. In: BIELSCHOWSKY, Ricardo (Org.). *Cinquenta anos do pensamento da Cepal*. Rio de Janeiro: Record, 2000b, p. 69-136.

RIBEIRO, Ana Paula Goulart. *Imprensa e história no Rio de Janeiro dos anos 50*. Rio de Janeiro: E-papers, 2007

RODRIGUES, Carlos Henrique Lopes. *A questão do protecionismo no debate entre Roberto Simonsen e Eugenio Gudin*. Dissertação de Mestrado – Universidade Estadual de Campinas – Instituto de Economia, 2005.

SKIDMORE, Thomas. *Brasil*: de Getúlio Vargas a Castelo Branco (1930-1964). 11. reimp. Rio de Janeiro: Paz e Terra, 1996.

SILVA, Ligia Osório. Desenvolvimentismo e intervencionismo militar. *E-Premissas* – revistas de Estudos Estratégicos – Dossiê Dreifuss – n. 1 – junho/dezembro de 2006, p. 94. Disponível em http://www.unicamp.br/nee/epremissas/pdfs/01.07.pdf. Acesso em: 12 de janeiro de 2010.

SIMONSEN, Roberto Cochrane. *Evolução industrial do Brasil e outros estudos*. São Paulo: Ed. Nacional & Ed. USP, 1973.

SODRE, Nelson Werneck. *Historia da imprensa no Brasil*. São Paulo: Martins Fontes, 1983.

TRONCA, Ítalo. O exército e a industrialização: entre as armas e Volta Redonda. In: FAUSTO, Bóris (Org.). *História geral da civilização brasileira*. T. 3, v. 3. São Paulo: DIFEL, 1986.

WIRTH, John D. *A política do desenvolvimento na Era de Vargas*. Trad. de Jefferson Barata. Rio de Janeiro: Fundação Getúlio Vargas, 1973.

ARTICULAÇÃO DAS ESCALAS ECONÔMICAS E DESENVOLVIMENTO INDUSTRIAL NA DITADURA CIVIL MILITAR BRASILEIRA:

O CASO DE NOVO HAMBURGO/VALE DO RIO DOS SINOS - RS (1969-1979)[1]

Rodrigo Perla Martins[2]

Analisar a expansão produtiva e a exportação do calçado, produzido em Novo Hamburgo e no Vale do Rio dos Sinos, no Rio Grande do Sul, entre 1969 e 1979, e como esse processo articulou-se à escala nacional e esta ao sistema global de comércio é o objetivo principal deste artigo.

O Rio Grande do Sul e suas localidades estavam em processo de consolidação de sua indústria, sejam as tradicionais, sejam as dinâmicas. Sendo que no período da Primeira República (1889-1930) houve uma decadência da economia agropastoril e o avanço de uma indústria de transformação em razão de políticas públicas direcionadas. A partir da década de 1930, no processo de início da industrialização nacional, o RS perdeu um certo espaço em seus produtos exportados

[1] Este artigo tem como base minha apresentação na mesa "Desenvolvimento econômico e Autoritarismo" dentro do Seminário Autoritarismo e Cultura Política ocorrido na PUCRS em junho de 2012. A mesma também é resultado da minha tese de doutorado *A produção calçadista em Novo Hamburgo e no Vale do Rio dos Sinos na industrialização: exportação, inserção comercial e política externa: 1969-1979*. Porto Alegre, 2011. Tese (Doutorado em História) – Programa de Pós-Graduação em História, Pontifícia Universidade Católica do Rio Grande do Sul (PUCRS).

[2] Professor adjunto de História do Brasil Contemporâneo na Universidade Feevale. Doutor em História pela PUCRS.

para o centro econômico do país. Um quase isolamento histórico do estado – característica interna e reforçada pelas precárias ligações com o centro do país – incentivou um mercado interno de consumo dos produtos agrícolas e industriais produzidos. Conforme Herrlein Jr. e Coraza (*apud* GERTZ, 2007, p. 144) [grifos do autor]:

> A economia gaúcha continuava a se articular com o *mercado nacional* como uma economia à parte, com sua própria unidade interna, mesmo que vinculada à demanda do Centro. O grau de unidade interna dessa economia regional manifestava-se pela solidariedade existente entre o desempenho do setor agropecuário e o da indústria, fosse pelo fornecimento de matérias-primas a quase 70% da indústria, fosse através da expansão do mercado regional à produção industrial.

Do ponto de vista da industrialização, parece que o RS acompanhou o processo nacional, ja que as estruturas instaladas anteriormente deixaram de existir ou se fortaleceram com as políticas federais de incentivo à industrialização.

As escalas local/regional/nacional/global no processo econômico industrial brasileiro.

A ideia geral de que governos e planos desenvolvimentistas tiveram seu limite nos governos pós-1964 pode ser contestada, já que se pode, assim, sugerir que os planos tiveram continuidade e atravessaram a maioria dos governos pós-1964, principalmente a partir do período Costa e Silva (1967-1969) e nos governos Médici (1969-1974) e Geisel (1974-1979). Foi exatamente nesses dois últimos governos que a escala local (Novo Hamburgo) e a regional (Vale do Rio dos Sinos), no Rio Grande do Sul, reproduziram a lógica do capitalismo global e se articularam ao projeto nacional de desenvolvimento industrial, com vistas à exportação de manufaturados (calçado) para o

Centro do sistema capitalista global. A partir do golpe civil-militar de 1964, o Brasil buscou dinamizar sua estrutura econômica e resolver "gargalos" políticos e econômicos considerados insuperáveis para o novo perfil de inserção brasileira, pretendido pela ditadura.

Tentar entender e explicar a política externa brasileira a partir dos conceitos explicitados tem como base o conhecimento de que, depois de 1930, o Brasil tentou construir uma nova inserção nesse sistema mundial, padronizado por uma relação de dominação e de dependência, segundo a lógica primária da dinâmica de expansão do Capitalismo. Esse novo tipo de inserção baseou-se na maximização dos esforços no aspecto externo, para resolver os problemas econômicos internos, em busca de recursos que acelerassem o desenvolvimento industrial, diminuindo, assim, o perfil agroexportador do país e constituindo o perfil de potência regional no sistema internacional.

Nessa relação dependente e subordinada da periferia, países como o Brasil, a partir de certo momento histórico, tentaram, de todas as maneiras, minimizar as relações assimétricas desse sistema. Assim, arquitetaram distanciamentos diplomáticos e construíram opções diversas no sistema internacional, para facilitar seu desenvolvimento industrial interno, com o objetivo de o país não ser mais apenas fornecedor de produtos primários, impedindo, com isso, o aprofundamento de uma dependência industrial-tecnológica em relação ao Centro desse sistema. É o Estado como suporte político de um projeto hegemônico, que se põe como escala intermediária entre as esferas local, regional e global.

Entende-se que a retomada do desenvolvimento industrial vinha junto à inserção em novos parâmetros no sistema mundial, isto é, a consolidação do Brasil no sistema internacional passava pela produção de manufaturas e sua exportação. Essa industrialização do Brasil constituía-se concretamente em suas localidades e regionalidades, as quais tinham que se articular com esses interesses do projeto nacional, que representava a hegemonia das classes e frações de classes que compunham o bloco dominante da ditadura civil-militar.

Isso se refletiu de maneira contundente nos governos Médici e Geisel entre os anos de 1969 e 1979. Por isso, este artigo discute a importância das escalas local e regional de produção no desenvolvimento industrial brasileiro e da sua articulação com o capitalismo global, tendo como interface a escala nacional.

Conforme Carlos Brandão[3], Raúl Prebisch em seus estudos já tinha reconhecido que "[...] pesquisadores latino-americanos propagaram uma concepção macroeconômica de planificação sem chegar ao regional e sub-regional que daria conteúdo concreto a nossa tarefa". Assim, apresentaremos aqui como as escalas local-regional brasileiras articularam-se na nacional para produzir um novo tipo de inserção nacional no sistema global capitalista. Brandão mostra também como as escalas locais e regionais se relacionaram, como constituíram os aglomerados territoriais articulados à escala nacional e a interface desta com o sistema econômico internacional. Nesse processo multiescalar, o autor explica como o capitalismo se desenvolveu no Brasil, principalmente após o processo de industrialização depois da década de 1930.

Apresentar a articulação das escalas econômicas local-regional-nacional brasileiras, em interface com o capitalismo global, é o objetivo central deste trabalho. Nos governos apresentados, as escalas local e regional obtiveram estímulos financeiros e reforços políticos em suas especificidades produtivas, para contribuir com a inserção brasileira no sistema capitalista internacional.

O espaço analisado aqui – Novo Hamburgo e Vale do Rio dos Sinos (local e regional, respectivamente) – já tinha sido tocado pelo sistema produtor de mercadorias desde o século XIX, início da produção

---

[3] BRANDÃO, C. *Território e desenvolvimento*: as múltiplas escalas entre o local e o global. Campinas: Unicamp, 2007.

de calçados. Com isso, pode-se dizer que a homogeneização produtiva já existia, isto é, lógicas do capital já atravessavam as relações sociais e constituíam classes, interesses econômicos e disputas econômicas na espacialidade local-regional. O estudo analítico, tendo como base as escalas espaciais local-regional, de alguma forma, apresenta a essência daquilo que se compreende como país, porque é nessas escalas espaciais que as pessoas habitam, produzem e estabelecem relações sociais.

O espaço local é uma territorialidade produzida a partir das relações sociais concretas. Conforme Carlos Brandão, o mesmo não pode ser entendido como um lugar natural, mas, sim, construído pela ação humana. A escala local deve ser observada como era antes das articulações com as escalas regional e com a nacional, isto é, a local existe independentemente de suas articulações com as últimas. É, pois, na escala micro que existem pessoas e relações sociais concretas e que os processos de articulação são feitos pela via política e econômica, como construções humanas atravessadas por disputas, lutas e interesses concretos de classe. Portanto, entende-se que a escala regional e a nacional podem ser interpretadas como construções diretas do espaço local e, por isso, são espacialidades artificiais que podem mudar ao longo do processo histórico, bem como articular-se de forma diversa, dependendo do momento histórico e dos interesses em jogo, na formação social nacional específica.

De maneira geral, isso acontece, conforme Brandão, porque o capitalismo global articula-se diretamente com a escala local e não com o país-nação, porque não necessariamente se necessita de um país para a expansão territorial do sistema econômico.

Carlos Brandão sintetiza, para o entendimento da dinâmica capitalista e suas relações com o espaço, quatro dimensões da dinâmica expansiva própria do capitalismo: a Homogeneização, a Integração, a Polarização e a Hegemonia. Esses conceitos são da natureza processual do capitalismo e constituem a base para a economia política do sistema como um todo, em seu processo de expansão produtiva, nas escalas em que atua desde seus primórdios.

A Homogeneização produzida pelo capitalismo concretizou a uniformização das fronteiras e das regiões produtoras de mercadorias no planeta. Para Brandão[4], é a forma mais simples, geral e abstrata do movimento capitalista: "[...] buscando criar condições básicas universais, abrindo horizontes e dispondo de espaços para a valorização capitalista mais ampla".

Assim, as regiões periféricas foram conectadas ao centro dinâmico do capitalismo com a função de fornecer matéria-prima, consumir produtos e oferecer mão de obra de baixo custo. Pode-se dizer que esse processo de homogeneização/unificação definiu o centro econômico e industrial do sistema e sua periferia dependente e agrícola, em escala global.

Uma segunda dimensão, a Integração, por sua vez, acontece quando as estruturas produtivas das escalas local-regional modernizam-se e têm capacidade de produzir a mercadoria demandada pelo centro do sistema. Esse centro pode ser da escala nacional, que está conectada ao centro global na produção homogênea de mercadorias demandadas. Assim, cada espacialidade busca integrar-se ao mercado nacional produtor de mercadorias, inserindo-se "[...] (de forma) especializada e complementar em elos específicos das cadeias produtivas constitutivas da 'matriz produtiva nacional', que se encontra espacializada em território doméstico".[5]

A dimensão da Polarização ocorre quando se reproduz a lógica da economia política em escala micro (local-regional) e nela se constrói uma hegemonia política, estruturando, assim, um centro e uma periferia em escala local-regional. Em outras palavras, ela se

[4] Idem.

[5] Idem, p. 79-80.

polariza ao construir uma hierarquia de poder político no espaço polarizado. Essa dimensão é, de acordo com Brandão (2007, p. 81), da natureza desigual e combinada do capitalismo. Assim, centros construídos sobre periferias tendem a: "[...] serem dotados de estruturas complexas de serviços, infraestruturas, centros de armazenagem, comercialização, consumo, gestão, controle e poder político e cultural".

Já a dimensão de Hegemonia, que também é um processo natural da lógica capitalista, se dá quando o capitalismo estabelece centros de poder político com uma periferia fornecedora de matéria-prima e mão de obra em abundância. Nessa "micro" relação centro-periférica, o capitalismo é reproduzido em todas as suas facetas a partir de um polo político hegemônico, que sustenta determinada espacialidade, e de uma coesão social construída.

Assim, o local-regional conecta-se ao centro geral do modo de produção, não somente pela via produtiva econômica, mas também e, principalmente, pelo aspecto político-ideológico. Reproduz, assim, o macro em escala micro, não só na produção concreta de mercadorias, mas também na ação política de construção de coesão social do bloco histórico dirigente e articulado com os interesses de classe da escala nacional.

A partir disso, entende-se que somente com a ditadura civil-militar aconteceu o processo de integração total do Brasil e de suas escalas aos mercados globais de comércio. Nesse aspecto, só foi possível a integração das escalas local-regional do país a partir de investimentos fiscais e de crédito, oriundos do projeto hegemônico, constituído na expansão produtiva e qualificação do produto exportado. Paralelamente, pode-se dizer que houve a construção de um polo econômico na territorialidade em torno do Vale do Rio dos Sinos. Essa polarização, entre um novo centro de poder político e econômico (Novo Hamburgo) e sua periferia (Vale do Rio dos Sinos), constituiu também um discurso político hegemônico de desenvolvimento por parte da elite local (empresários, jornal local, exportadores, vendedores e população em geral), articulado à sua congênere nacional e seus interesses hegemônicos de industrialização, expansão produtiva e exportação de manufaturados.

Esse bloco de poder regional, dirigido pela classe burguesa industrial, aqui denominado setor coureiro-calçadista, tinha interesses específicos comuns à escala nacional, ou seja, aumentar a produção de calçado e acessar mercados externos consumidores. Para isso, reproduziu a lógica capitalista global no território local, articulando o espaço regional em seu entorno. Construiu-se, assim, um Centro – Novo Hamburgo –, constituído por exportadores, agências de propaganda, grupo midiático local, empresários, trabalhadores, estilistas –, articulado com uma periferia dependente, subordinada (Vale do Rio dos Sinos) e fornecedora de mão de obra em abundância, recursos naturais e matéria-prima de qualidade. Cabe salientar que essas escalas estavam articuladas há mais tempo, pelo menos desde o início do século XX, de modo que o setor é considerado um dos mais completos do país.[6]

O setor coureiro-calçadista da cidade de Novo Hamburgo e da região do Vale do Rio dos Sinos estava estruturado e tinha domínio da técnica de produção calçadista desde o século XIX. Entretanto, sua consolidação se deu como resultado direto dos incentivos fiscais, de crédito e de apoio à melhoria da qualidade do produto pelo Estado no período da ditadura civil-militar.

Há uma discussão a respeito da pertinência do uso do conceito "setor coureiro-calçadista". Isso porque parte da bibliografia[7] so-

[6] Há estudos de Economia e História que apontam isso. A especialização e a completude da cadeia produtiva podem ser determinadas por diversas variáveis, cuja principal pode ser creditada a certo isolamento das comunidades germânicas, entre o final do século XX e meados da década de 1940, como já foi apresentado anteriormente neste trabalho.

[7] FENSTERSEIFER, J. E. (Org.) *O complexo calçadista em perspectiva: tecnologia e competitividade*. Porto Alegre: Ortiz, 1995, p. 97-181; COSTA, A. B.; PASSOS, M. C. (Orgs.) *A indústria calçadista no Rio Grande do Sul*. São Leopoldo: UNISINOS, 2004, p. 9-98. SCHEMES *et al. Memória do setor coureiro-*

bre o assunto, hoje, analisa-o a partir do conceito *cluster*[8] do calçado, que é utilizado a partir de estudos regionais e locais da década de 1990.[9] Esse conceito foi construído com base em concepções teóricas que identificam as potencialidades locais e regionais, relacionando--as somente à sua capacidade interna de produção da manufatura, visando à completa cadeia produtiva instalada na cidade-região. As concepções teóricas apontam, ainda, que essas escalas se bastam e não precisam de nenhum tipo de articulação nacional para o posicionamento e a venda do produto em escala global.

Os estudos que trabalham com o conceito *cluster* têm como premissa a quase inexistência de articulação entre os interesses globais e nacionais na produção do calçado. Eles relacionam diretamente o local-regional com o global, deixando de lado, assim, possíveis projetos nacionais da elite ou de sua totalidadc, como é o caso do Brasil. Ainda, nesses estudos, parece que o conhecimento, a história, a produção e a especificidade das escalas local e regional aconteceram como que por um impulso na produção da manufatura do calçado. Parece que, "milagrosamente", concretizou-se uma riqueza que ali estava, faltando somente a iniciativa pessoal e local, para organizar a produção.

Algumas produções acadêmicas locais, da década de 1990, atribuem, então, o conceito *cluster* para a espacialidade econômica que se formou na cidade-região (Novo Hamburgo e o Vale do Rio dos Sinos). Também consideram que o aspecto geográfico foi fundamental para sua construção. Conforme Mosmann[10]:

---

calçadista: pioneiros e empreendedores do Vale do Rio dos Sinos. Novo Hamburgo: Feevale, 2005.

[8] Com base na bibliografia, *Cluster* são espaços onde se concentram empresas interligadas de um setor específico, colaborando e contribuindo para a produção, inovação e venda do produto. Muitas vezes inclusive tendo relações diretamente com os consumidores e fornecedores.

[9] BRANDÃO, C. *Território e desenvolvimento: as múltiplas escalas entre o local e o global*. Campinas: Unicamp, 2007.

[10] 1995, p. 20.

> [...] a concentração coureiro-calçadista do Vale do Rio dos Sinos, no RS, constitui o maior "cluster" (conglomerado) desse segmento em todo o mundo, dado à sua ampla produção própria de couros, produtos químicos, componentes, máquinas-equipamentos e serviços especializados – na ponta do suprimento; e, de calçados e artefatos – na ponta dos produtos finais.

Outros também defendem a ideia de que a especialização na produção calçadista ocorreu em função do isolamento[11] da cidade-região em relação ao Brasil.[12] Parece que a indústria do calçado, a cidade e a região não tinham relação alguma com o país nos seus vários aspectos, mas diretamente com o consumidor final, seja ele interno ou externo. Segundo esses estudos, ainda, a indústria de calçados do Vale do Rio dos Sinos concretizou-se somente pela vontade, pelo apoio e pelo empreendedorismo dos agentes históricos locais e regionais, bem como pela união da cidade-região em torno de um ideal a ser perseguido. Por fim, essa interpretação, produzida a partir do consenso gerado nessas escalas, entendia que esse *cluster* completo, produtivo e gerador de riqueza, beneficiaria toda a cidade e a região. Assim, entende-se que quando, hoje, se fala em *cluster* do calçado, faz-se referência a estudos que se consolidaram na década de 1990, o que não dá conta do objeto de estudo aqui proposto.

Para Brandão, há uma "endogenia exagerada" nessa questão do local-regional acima do nacional. O mesmo autor também aponta os limites desse conceito ao afirmar que:

> Muitos desses trabalhos negligenciam que há hierarquias inter-regionais, e o comando maior desses processos, geralmente, está fora do espaço sob análise [...].

[11] KLEIN, E. E. *La cadena de distribución y la competitividad de las exportaciones latinoamericanas: las exportaciones de calzado del Brasil*. Santiago: CEPAL (Comisión Económica para America Latina y el Caribe), 1991.

[12] COSTA, A. B.; PASSOS, M. C. (Orgs.) *A indústria calçadista no Rio Grande do Sul*. São Leopoldo: UNISINOS, 2004, p. 9-98.

> Talvez a falha mais grave, em última instância [...] (do) sobre o desenvolvimento local e regional seja que ela negligencia totalmente a questão fundamental da hegemonia e do poder político (BRANDÃO, 2007, p, 48-50).

Portanto, em consonância com Carlos Brandão, faz-se uso do conceito “setor coureiro-calçadista”, porque se parte da premissa de que o calçado produzido na cidade e na região representou somente uma parte do parque industrial brasileiro, por conseguinte, um setor. Ou seja, o processo industrial brasileiro, financiado pelo Estado, com interesses em um novo tipo de inserção global, a partir da década de 1930, foi constituído por diversos setores, em suas várias fases. Esses setores estiveram articulados na relação do Brasil com o capitalismo global. Além disso, o processo político e econômico da escala nacional, ao longo da ditadura civil-militar, foi o de articular outras escalas produtivas do país no esforço de produzir manufaturas exportáveis e assim consolidar a industrialização nacional nos moldes capitalistas. Internamente, Novo Hamburgo reproduziu a lógica hegemônica do poder em relação ao Vale do Rio dos Sinos e assim constituiu o Setor Coureiro-Calçadista.

A própria pauta de exportações do país deve ser vista como um conjunto de setores que oferta manufaturados para a inserção comercial do país no sistema comercial internacional. O que se afirma aqui é que esses setores econômicos não existiram por conta e risco e não se formaram “ao natural”. Especificamente em relação a Novo Hamburgo e ao Vale do Rio dos Sinos, entende-se que esse setor estava articulado ao processo geral de consolidação da indústria brasileira, ao longo do século XX.

Assim, o setor coureiro-calçadista produziu um parque industrial regional, cujo polo dinâmico era a escala local, em Novo Hamburgo e sua periferia, baseada nos municípios que compõem o Vale do Rio dos Sinos. Com essa estrutura, estabeleceu relações econômicas com a escala nacional, representando, também, um início de desconcentração industrial em relação ao Sudeste brasileiro. Além disso, consolidou a articulação da cidade-região com o capitalismo global na produção e no fornecimento de manufaturas e respondeu aos incentivos ofertados pela escala nacional, que buscava a construção de um perfil de potência regional para o Brasil.

Assim, pode-se até concordar que esse quase isolamento geográfico da cidade-região aconteceu de fato e que o setor surgiu a partir disso. Mas defende-se que o setor coureiro-calçadista de Novo Hamburgo e do Vale do Rio dos Sinos, sua consolidação, expansão produtiva e posterior exportação, esteve articulado à expansão global do capitalismo, na segunda fase no século XIX, e, no Brasil, a partir da década de 50 do século XX, e aos interesses econômicos do projeto industrial brasileiro. Além disso, ao longo da ditadura civil-militar, o setor atendeu e representou os interesses industriais da classe dominante brasileira, seguindo a lógica de inserção, no sistema global, como produtor de manufaturas e não somente de matéria-prima.

Considera-se, também, que a produção industrial calçadista da cidade-região foi tributária dos reflexos que a industrialização brasileira sofreu desde finais do século XIX e do início do século XX. Especificamente, os efeitos da Primeira Grande Guerra europeia[13] também contribuíram para que o Vale do Rio dos Sinos aumentasse a produção de calçados, já que não se podia importar a manufatura, entre 1914 e 1918.

O setor coureiro-calçadista brasileiro como um todo beneficiou-se do debate econômico nacional, a partir de 1930, a respeito das

---

[13] Ver: PRADO, L. C. D.; EARP, F. S. O "milagre" brasileiro: crescimento acelerado, integração internacional e concentração de renda (1967-1973). In: DELGADO, L. de A. N.; FERREIRA, J. *O Brasil republicano: o tempo da ditadura (regime militar e movimentos sociais em fins do século XX)*. Rio de Janeiro: Civilização Brasileira, 2003. SUZIGAN, W. Origens do desenvolvimento industrial brasileiro: principais interpretações. In: SUZIGAN, W. (Org.) *Indústria brasileira: origem e desenvolvimento*. São Paulo: Hucitec; Campinas: Unicamp, 2000, p. 23-77.

vantagens entre "Indústria natural" e "Indústria artificial".[14] A produção calçadista abrigava-se na primeira, visto que o país dispunha do couro, matéria-prima que se não precisava importar, ao contrário de outras indústrias do parque industrial brasileiro. Isso, de alguma forma, contribuiu para que a indústria calçadista recebesse incentivos – tanto no quesito produção quanto exportação –, a partir do final da década de 1960. Assim, o setor coureiro-calçadista revestiu-se de fundamental importância, não só para a região do Vale do Rio dos Sinos, no RS, como também para a economia brasileira como um todo.

Esse setor fez parte do contexto maior de desenvolvimento industrial brasileiro quando foi empreendida certa desconcentração industrial no Brasil, no período de 1959 a 1970, diminuindo, assim, o ritmo da concentração de indústrias no Sudeste, em geral, e em São Paulo, no particular. Assim, depois dos investimentos estatais na desconcentração industrial brasileira, em 1970, o Rio Grande do Sul tinha uma indústria 98% maior que em 1959 e um polo econômico calçadista, que dominava a região do Vale do Rio dos Sinos, no contexto do capitalismo nacional.[15]

Esse movimento de capital em direção à periferia do polo industrial brasileiro deu-se pelo fato de que o excedente gerado em São Paulo não tinha condições de ser transformado em capital produtivo no próprio polo. Além disso, incentivos fiscais e de crédito, oriundos do Estado (primeiramente regionais, após setoriais), puderam "escorrer" para outras regiões[16]:

---

[14] Conforme Bielschowsky (BIELCHOWISK, R. *Pensamento econômico brasileiro: o ciclo ideológico do desenvolvimentismo*. São Paulo: Contraponto, 1988.), o pensamento liberal considerava que havia dificuldades e custos de uma industrialização no Brasil em certos setores, já que isso despendia muitos gastos na pauta de importações do Brasil. A importação de matéria-prima era um dos motivos apontados por eles para a não industrialização, ao contrário da produção do calçado, que exigia basicamente a importação de máquinas em um primeiro momento.

[15] BRANDÃO, C. *Território e desenvolvimento: as múltiplas escalas entre o local e o global*. Campinas: Unicamp, 2007.

[16] Idem.

> [...] a partir desse momento, as maiores decisões privadas de inversão (incentivadas ou não) na periferia nacional, do capital industrial sediado no "polo", seriam tomadas quase que independentemente das decisões da tecnocracia e das burguesias regionais. A determinação seria efetuada, evidentemente, pelo capital, fosse público ou privado, majoritariamente concentrado em São Paulo (BRANDÃO, 2007, p. 253).

A partir desse movimento capitalista para a periferia da escala nacional econômica brasileira com vistas à articulação do projeto industrial, setores produtivos foram incorporados à economia nacional e incentivados a produzir para exportação. Assim entendemos que o setor coureiro-calçadista foi incorporado à escala nacional de produção de manufaturados e não somente um *cluster* que existia e continuou produzindo sem relações com o Brasil. Por tudo isso, emprega-se neste trabalho o conceito "setor coureiro-calçadista" e não *cluster* do calçado.

Existem muitas variáveis que procuram explicar a causa principal do aumento da produção de calçado na cidade de Novo Hamburgo e da região do Vale do Rio dos Sinos, bem como a busca por mercados externos para o produto. A principal seria o empreendedorismo do empresário calçadista. Assim, há trabalhos que apresentam[17] o início da produção em larga escala e a exportação como sendo algo de cunho mais voluntarista, por parte do empresariado local, do que algo planejado ou esperado pelo mercado internacional. Essas atitudes individuais podem ser relacionadas ao conceito de empreendedorismo schumpeteriano, mas entende-se que este pode não explicar tudo.

---

[17] Em *Empresário industrial e desenvolvimento econômico no Brasil* (São Paulo: DIFEL, 1972), Fernando Henrique Cardoso publicou trabalho muito importante especificamente sobre o conceito de empreendedorismo e sobre o empresariado paulista do período estudado por esta tese. Neste, Cardoso aplica conceitos de Schumpeter para explicar fenômenos relacionados ao desenvolvimento de algumas indústrias paulistas.

Mesmo assim, Claudia Schemes[18] faz um levantamento sobre a bibliografia de tal conceito e relaciona-o com o princípio da produção industrial de Novo Hamburgo, no início do século.[19] O conceito de empreendedorismo, *grosso modo*, pode ser entendido como um conjunto de ações individuais que pode determinar certa mudança econômica e social, a partir da articulação de interesses locais e regionais, e que pode alterar o ambiente produtivo.

No caso específico de Novo Hamburgo e região, parece que não somente o empresariado esteve em consonância com esse conceito, mas boa parte da cidade e da região (prefeitura, associações de vendedores, estilistas), e até mesmo o grupo de comunicação local esteve envolvido no esforço empreendedor de expansão produtiva do calçado. Essa articulação de interesses internos teve o empreendedorismo como uma de suas facetas, mas não a única, porque a relação escalar do nacional com o local-regional pode ser mais importante que ações individuais. Ou, então, que a articulação escalar local-regional é maior que uma ação individual, a qual é explicada pelo "espírito" empreendedor do fabricante de calçado. Além disso, o sapato produzido na cidade região era comprado pelo mercado internacional e não vendido[20] ao mercado externo. Com isso, mesmo concordando que atitudes empreendedoras podem promover uma mudança qualitativa na economia, parece que isso não foi o determinante para a expansão produtiva e a posterior exportação.

Com isso, apesar dos estudos sobre empreendedorismo, este trabalho discute a questão sob outra perspectiva. Entende-se que o

[18] SCHEMES, Claudia. *Pedro Adams Filho: empreendedorismo, indústria calçadista e emancipação de Novo Hamburgo (1901-1935)*. Porto Alegre, 2006. Tese (Doutorado em História) – Programa de Pós-Graduação em História, Pontifícia Universidade Católica do Rio Grande do Sul.

[19] Este trabalho não tem por objetivo essa discussão, em que pese entender a importância da questão para o fenômeno.

[20] Expressão que indica a demanda por sapatos de qualidade a baixo custo pelo centro hegemônico do sistema. A mesma é utilizada por parte do setor coureiro-calçadista da região para entender o crescimento da produção na década de 1970. Ver; MARTINS, Rodrigo Perla. Tese de doutorado.

empreendedorismo existiu na medida em que o capitalismo, como ordem socioeconômica, não pôde prescindir, obviamente, da ação individual-empresarial/criativa, que está sempre condicionada pelas lógicas estruturais e históricas do sistema, nas quais o Estado – o projeto nacional – ocupa lugar essencial.

Paralelamente ao empreendedorismo, houve uma articulação local-regional para a consolidação do polo produtor-exportador do calçado, sendo que até mesmo entidades não diretamente ligadas à produção da manufatura tinham interesses no processo, nesse caso, o Grupo Editorial Sinos. O que se sugere e se reforça com isso é que a existência de Novo Hamburgo e do Vale do Rio dos Sinos, como produtores e exportadores de calçados, esteve ligada ao projeto industrial capitalista brasileiro de inserção no sistema global de comércio, com vistas à constituição do país como uma potência regional.

Um estrato da elite local, os empresários do calçado, conseguiu polarizar e hegemonizar a expansão produtiva, o discurso e a articulação com os interesses políticos e econômicos da escala nacional, contribuindo, assim, com o projeto industrial de construção de um perfil de potência regional para o Brasil, no sistema capitalista global.

A elite local reproduziu a lógica capitalista global e nacional em seu discurso modernizador e de progresso na cidade e na região. O estrato da classe dominante local, articulada aos interesses do projeto industrial brasileiro de produção de manufaturados e sua exportação, para ajudar a mudar o perfil brasileiro de inserção internacional, criou um discurso de euforia na comunidade, legitimado pelas circunstâncias nacionais.

Além disso, Novo Hamburgo tornou-se centro político e econômico ao polarizar e liderar o processo de expansão produtiva do calçado, constituindo, assim, uma periferia regional – o conjunto de municípios do Vale do Rio dos Sinos, que forneceu mão de obra e matéria-prima para a produção do calçado. O polo mais dinâmico do setor coureiro-calçadista localizava-se em Novo Hamburgo, e essa escala local consolidou o processo de hegemonia e de articulação com o projeto industrial da ditadura civil-militar.

Isso se deve ao fato de que os principais serviços, *tradings*[21], grupo de comunicação, agências de propaganda e escritórios das grandes empresas manufatureiras de calçado, tinham sede em Novo Hamburgo. No Vale do Rio dos Sinos, como um todo, ficava a maioria das fábricas, a mão de obra e a matéria-prima disponível para a produção do calçado e afins. Assim, a lógica da economia política capitalista global foi reproduzida pela elite de Novo Hamburgo, que criou mecanismos sociais de produção de consenso, apresentados à "comunidade". Esse estrato da classe dominante articulou-se com os interesses industriais da escala nacional nesse período. Isso tudo resultou em um produto de grande qualidade com preço baixo, de que tanto necessitava o sistema de comércio global.

Assim entendemos que a ideologia do "Brasil Grande Potência" e do "Brasil grande e moderno"[22] foi concretizada nas escalas locais e regionais com a reprodução da lógica capitalista global e dos interesses industriais da escala nacional. Essa ideologia buscava a construção de um novo perfil de inserção brasileira no sistema de comércio internacional: o de potência regional exportadora de manufaturados.

O financiamento dessa produção industrial partiu, hegemonicamente, do Estado brasileiro. No movimento interno, o Estado incentivou financeira e politicamente o aumento da produção de manufaturas no período da ditadura civil-militar, assim como o lastro da industrialização no imediato pós-1930. Ou seja, o Estado financiou a

---

[21] Companhias de exportação ou *tradings*: empresas que intermediavam a venda do calçado para o exterior.

[22] FICO, C. *Reinventando o otimismo: ditadura, propaganda e imaginário social no Brasil*. Rio de Janeiro: FGV, 1997.

mudança econômica interna do país e buscou o aumento de produção de produtos manufaturados para exportação, a fim de consolidar um novo perfil econômico externo para o país.

Entende-se que a burguesia brasileira, enquanto classe, surgiu à beira da ação do Estado e constituiu seu aparato, fez suas escolhas e seus investimentos. Assim, esse bloco histórico desenvolvimentista construiu seu discurso – interna e externamente – como sendo o de toda sociedade e o legitimou com base no desenvolvimento industrial nacional.

É nesse sentido então que minha pesquisa dialogou com o conceito "ditadura civil-militar"[23], pelo entendimento de que houve relação direta entre o momento vivido pelo setor coureiro-calçadista, quando da expansão produtiva do calçado, entre os anos 1969-1979, e a ideologia hegemônica burguesa desenvolvimentista nacional, empreendida também nas escalas local-regional.

Em Novo Hamburgo e no Vale do Rio dos Sinos também se universalizou o discurso da burguesia nacional, com base em seus interesses desenvolvimentistas. Assim como aconteceu na escala nacional, quando a burguesia tinha capital acumulado e interesses objetivos, calcados no respaldo emprestado dos militares no poder. Na escala local-regional, a burguesia local liderou o bloco de apoio ao regime e constituiu simbolicamente, no plano discursivo e concreto voltado ao espaço público, uma realidade baseada na indústria e que traria benefícios para todos na cidade-região.

Considera-se, ainda, que a origem dessa integração econômica das escalas brasileiras tenha iniciado no período histórico do Estado Novo (1937-1945).[24] A partir desse momento, o Brasil, com uma polí-

[23] DREIFUSS, R. A. *1964, a conquista do estado: ação política, poder e golpe de classe*. Petrópolis: Vozes, 1981.

[24] DINIZ, E. Empresariado, regime autoritário e modernização capitalista: 1964-1985. In: SOARES, G. A. D.; ARAÚJO, M. C. (Orgs.) *21 anos de regime militar: balanços e perspectivas*. Rio de Janeiro: FGV, 1994, p. 198-231.

tica de centralização do poder político[25] e econômico, passou a ter um projeto de desenvolvimento industrial factível e exequível. O projeto industrial brasileiro teve, na escala nacional, o protagonismo de seu surgimento. Conforme Brandão[26]: "A constituição de densas estruturas produtivas e complexas e de variadas economias urbanas nas cinco macrorregiões brasileiras se deu sob decisiva ação do Estado".

Entende-se, assim, que o caso de Novo Hamburgo e do Vale do Rio dos Sinos não pode ser visto como um localismo determinista[27], já que as escalas local e regional não contam com prerrogativas do Estado nacional (política de incentivos, de juros, de exportação etc.), para levar adiante um projeto industrial de escala nacional. As escalas local e regional não podem atuar sozinhas, porque o âmbito restrito de suas relações impede articulações com os objetivos nacionais de uma política industrial de desenvolvimento.

Também não se pode considerar que o local-regional existe somente por determinações exógenas, impostas pela escala nacional brasileira, uma vez que a cidade-região já tinha uma especialidade na produção do couro e do calçado desde o século XIX, como já foi dito. Contudo, a partir da ditadura civil-militar, a escala nacional interveio para dinamizar e expandir a produção do calçado, sem agredir a especificidade produtiva da estrutura capitalista local. Ao contrário, para reforçá-la.

A história produtiva da região, a experiência passada e o espaço construído afirmam cicatrizes, sinais e vestígios que posicionam "rugosidades", conforme Milton Santos.[28] Assim, a articulaçao das escalas local e regional, calcadas em seus interesses econômico-

[25] Cabe lembrar aqui a simbólica cerimônia de queima das bandeiras regionais, no governo Vargas.

[26] BRANDÃO, C. *Território e desenvolvimento: as múltiplas escalas entre o local e o global.* Campinas: Unicamp, 2007.

[27] Idem.

[28] *Apud* BRANDÃO, C. *Território e desenvolvimento: as múltiplas escalas entre o local e o global.* Campinas: Unicamp, 2007.

-produtivos, com as escalas nacional e global tem como base a não determinação de importância da escala econômica, mas a do reforço da estrutura econômica, historicamente construída.

Entende-se, assim, que as possíveis determinações do processo de desenvolvimento industrial acontecem em dimensões multiescalares espaciais, as quais são construções políticas e históricas que interagem, articulam interesses e integram o país entre si e ao sistema internacional. Conforme Brandão[29], essas construções humanas devem ter a perspectiva multiescalar no horizonte, bem como um processo aberto, porque as escalas tornam-se locais, regionais, nacionais e globais, não sendo naturais no processo. Ou seja, não existem naturalmente e, ao se construírem, estão à mercê de forças políticas e econômicas que lhes deem conteúdo. Assim, a análise de uma realidade deve ser vista na ótica multiescalar, em que nenhuma escala tem prioridade na análise. No âmbito interno, o todo nacional é composto das partes local e regional. Contudo, essas escalas não o compõem pela soma, mas por suas inter-relações, articulações e relações, diretamente relacionadas à escala global. Conforme Carlos Brandão[30], é possível afirmar que nenhuma escala pode ser considerada a principal nesse processo: "Elas [as escalas] ganham maior ou menor significação em cada momento histórico particular". Portanto, isso dependerá do momento, das condições e dos objetivos do processo produtivo.

Diante desse conjunto de ideias, entende-se como possível, necessário e determinante, para este estudo, o diálogo entre as escalas micro e macro (o local-regional com o nacional-global), com base nos interesses comerciais e econômicos locais-regionais, articulados com os interesses do país no momento estudado. A partir disso, aponta-se que o projeto hegemônico tinha interesses na exportação de manu-

[29] Idem.

[30] Idem, p. 20.

faturados para o mercado externo, com o objetivo de amenizar a relação assimétrica, dependente e desvantajosa para quem produzia e vendia somente produtos agrícolas para o centro econômico e político do sistema internacional.

O setor coureiro-calçadista de Novo Hamburgo e do Vale do Rio dos Sinos, então, articulou-se à escala nacional, e todas (local-regional-nacional) integraram-se totalmente à nova divisão internacional do trabalho capitalista, por meio da produção de manufaturados com qualidade e preço baixo. Esse produto penetrou em regiões centrais do sistema capitalista global, como na Europa ocidental e nos Estados Unidos.

Essa territorialidade já existia como escala local-regional produtora de calçado desde princípios do século XIX, mesmo que de forma incipiente até meados da década de 1960. A partir de 1964, com o regime civil-militar, houve um reforço na articulação dessa escala local-regional para com a escala nacional e dessa para com a global, quanto à produção e à exportação de manufaturados. A especialidade de Novo Hamburgo e da região, a qualidade do produto, a mão de obra em grande quantidade, as matérias-primas em abundância, o domínio da técnica de produção da manufatura, o preço competitivo do calçado, com base nos incentivos fiscais, de crédito e tecnológicos, oriundos de investimentos estatais (municipal, estadual e federal), construíram um setor coureiro-calçadista moderno, pronto para responder às demandas do centro do sistema, no fornecimento de produtos manufaturados.

Com base nisso, neste trabalho, é empregado o binômio escalar (local-regional) para entendimento da proposta. A escala nacional, então, aparece como poder central do aglomerado nacional e de seu projeto de industrialização, desde meados da década de 1930. Por último, a escala global pode ser identificada pelo sistema internacional político, econômico e comercial, que demandava produtos manufaturados da periferia do sistema. Com base em Brandão, concebe-se que essas escalas interagiram para a construção da condição de potência regional brasileira, no sistema internacional, seja produzindo manufatura, seja criando condições para essa produção, seja comprando o produto.

No caso específico de Novo Hamburgo e do Vale do Rio dos Sinos, houve momentos em que o local-regional foi a escala mais importante no processo (produção e venda do calçado). Já a escala nacional, por sua vez, se relacionava com a escala local-regional por meio de políticas públicas de incentivo (fiscal e de crédito) ao aumento da produção de calçado e sua exportação para a escala global. Esta última se integrava a essas escalas do país na compra do produto e na interdependência do centro do sistema com essa semiperiferia, que se constituía no processo de produção-exportação do calçado.

Assim, a nova fase da divisão internacional do trabalho do sistema capitalista, a partir da década de 50, do século XX, integrou a cidade de Novo Hamburgo e o Vale do Rio dos Sinos ao sistema global de produção de mercadorias, atendendo a interesses comuns das escalas local, regional e nacional, no período da ditadura civil-militar.

Entendemos com isso que, internamente, o Estado brasileiro e a burguesia industrial buscaram amenizar a desvalorização dos termos de troca, incentivando a produção e a exportação de manufaturados para o centro do sistema capitalista. Externamente, a nova fase do capitalismo articulou regiões produtoras de manufaturas. Assim, no processo de construção de um país industrial, as escalas local-regional (Novo Hamburgo e Vale do Rio dos Sinos), nos governos Médici e Geisel, aumentaram a produção do calçado, por meio da articulação com a escala nacional (Brasil), e esta encarregou-se de realizar a interface com a escala global (mercado consumidor externo), para a exportação dos manufaturados.

Nesse sentido, a mudança de perfil do Brasil no sistema econômico internacional (de periferia para potência média regional), tendo como horizonte a diminuição da desvalorização dos termos de troca, confirmou-se a partir das localidades e regionalidades integradas ao projeto nacional brasileiro. A mudança de perfil econômico do Brasil aconteceu nas escalas local-regional-global, por intermédio da escala nacional, considerada a lógica primária da expansão capitalista e suas assimetrias.

Na produção manufatureira do calçado, considera-se que a escala local-regional contribuiu de maneira sistemática, diversa e profunda para a construção do perfil de potência regional do Brasil, a partir do momento em que Novo Hamburgo e Franca fabricaram o produto manufaturado, fundamental para o perfil exportador brasileiro, na década de 1970. Sua importância não reside somente na produção manufatureira e sua exportação em si, mas no fato de que houve uma integração econômica entre as escalas produtivas brasileiras, como já foi explicado.

O processo de industrialização focado na exportação do calçado, precisamente em Novo Hamburgo e no Vale do Rio dos Sinos, teve como alvo mercados diferenciados daqueles que os produtos de uma industrialização periférica comumente têm. A pauta de exportação brasileira, no período estudado, mostra que sua qualidade fazia com que o calçado abastecesse mercados ditos de primeiro mundo. Essa situação pode ser explicada pelas mudanças da divisão internacional do trabalho, a partir da década de 1950, já que, ao não se produzir mais esse tipo de produto no centro do sistema, a periferia passou a produzi-lo.

Como foi um dos principais produtos manufaturados na pauta de exportação brasileira em certo momento da década estudada[31],

[31] Em 1977 e 1978, 11% da exportação de manufaturados brasileiros consistiu em calçados. Ver: MARTINS, Rodrigo Perla. *A produção calçadista em Novo Hamburgo e no Vale do Rio do Sinos na*

o calçado brasileiro contribuiu para a construção de uma potência média recém-industrializada. Em outros termos, a construção de um país industrializado, o qual buscava amenizar a desvalorização dos termos de troca, passou pelas escalas local-regional e, também, pela venda externa do calçado.

Para finalizar, na figura abaixo, são representadas as relações escalares discutidas, observando-se os contatos entre elas, com suas respectivas mediações.

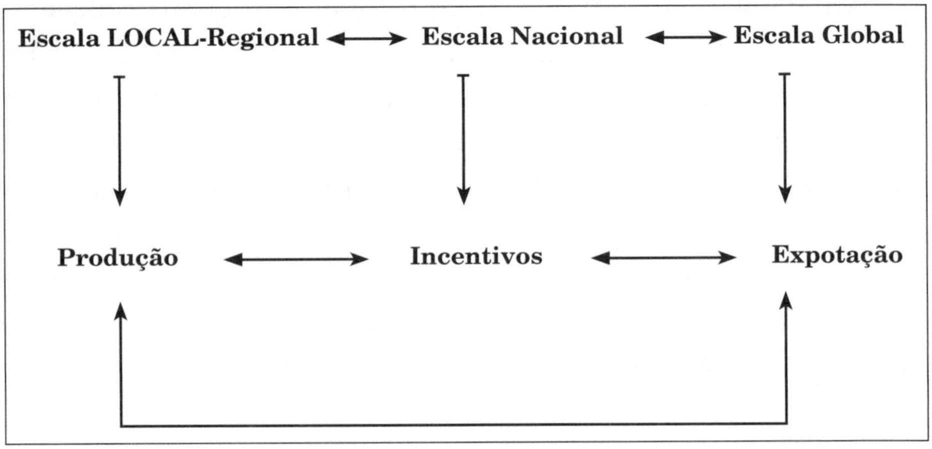

Figura 1: Diagrama de contribuições e escalas no processo industrial calçadista. Fonte: O autor.

Sugere-se que entre a escala local-regional e a nacional estão os interesses econômicos e políticos de uma parcela da burguesia local, interessada em aprofundar suas intenções com o centro econômico e hegemônico do país, "recebendo" dividendos da articulação com a escala nacional e com o global. Esta última, com sua expansão consolidada, relaciona-se de maneira a receber o produto necessitado, nesse caso o calçado. Nesse processo, a escala nacional não é somente a mediadora entre o global e o local-regional, mas também, e princi-

industrialização: exportação, inserção comercial e política externa: 1969-1979. Porto Alegre, 2011. Tese (Doutorado em História) - Programa de Pós-Graduação em História, Pontifícia Universidade Católica do Rio Grande do Sul.

palmente, consolida o perfil de potência regional do país, na relação com o capitalismo internacional.

Cada escala econômica tem sua "contribuição" nessa relação, porque a escala local-regional produz, a nacional incentiva e a global consome o produto. Assim, apontando a especialidade de cada uma, tenta-se representar o que foi interpretado como processo de expansão produtiva do calçado em Novo Hamburgo e no Vale do Rio dos Sinos, ao longo da ditadura civil-militar brasileira, e sua posterior exportação para o sistema econômico global, com a mediação da escala nacional e o projeto industrial do país, para a criação de um perfil de potência regional.

REFERÊNCIAS

ABICALÇADOS. *Estatísticas*. Disponível em: <http://www.abicalcados.com.br/estatisticas.html>. Acesso em: 19 jan. 2011.

ABREU, M. de P. (Org.) *A ordem do progresso*: cem anos de política econômica republicana. Rio de Janeiro: Elsevier, 1990.

ASSOCIAÇÃO Comercial e Industrial de Novo Hamburgo. Disponível em: <www.acinh.com.br>. Acesso em: 12 jan. 2011.

______. *Produção de calçados no sul*: censo da indústria de calçados do Vale do Rio dos Sinos – 1971. Novo Hamburgo: [s. ed.], 1972.

______. *Produção de calçados no sul em 1972*: censo da indústria de calçados do Rio Grande do Sul. Novo Hamburgo: [s. ed.], 1973.

______. *Produção de calçados no sul em 1973*. Novo Hamburgo: [s. ed.], 1974.

______. *Produção de calçados no Rio Grande do Sul em 1974*. Novo Hamburgo: ACI-NH; FEE, 1975.

______. *V censo do calçado RS*: 1975. Novo Hamburgo: ACI-NH; FEE, 1976.

______. *6º censo do calçado RS*: 1976. Novo Hamburgo: ACI-NH; FEE, 1977.

______. *7 censo do calçado RS:* 1977. Novo Hamburgo: ACI-NH; FEE, 1978.

______. *9º censo do calçado RS*: 1979. Novo Hamburgo: ACI-NH; FEE, 1980.

BAER, Werner. *A economia brasileira*. São Paulo: Nobel, 2009.

BANCO Central do Brasil. Disponível em: <http://www.bcb.gov.br/>. Acesso em: 7 out. 2010.

BANCO do Brasil. Disponível em: <www.bb.com.br>. Acesso em: 24 dez. 2010.

BANDEIRA, P. S. *O crescimento da indústria no Rio Grande do Sul na década de 70*: um estudo comparativo. Porto Alegre: FEE, 1988.

BARBOSA, A. de S. *Empresariado fabril e desenvolvimento econômico*: empreendedores, ideologia e capital na indústria do calçado (Franca, 1920-1990). São Paulo: Hucitec; FAPESP, 2006.

BIELCHOWISK, R. *50 anos de pensamento da Cepal*. Rio de Janeiro: Record, 2000

______. *Pensamento econômico brasileiro*: o ciclo ideológico do desenvolvimentismo. São Paulo: Contraponto, 1988.

BOSCHI, R. R. *Elites industriais e democracia*. Rio de Janeiro: Graal, 1979.

BRANDÃO, C. *Território e desenvolvimento*: as múltiplas escalas entre o local e o global. Campinas: Unicamp, 2007.

BRDE. *A indústria de calçados no Rio Grande do Sul*. Porto Alegre: BRDE, 1970 a.

______. *Perspectivas de exportação da indústria de calçados do Rio Grande do Sul*. Porto Alegre: BRDE, 1970 b.

BREDEMEIER, F. W. O trilho de transporte na indústria de calçados. *Vale dos Sinos*, São Leopoldo, n. 1, jan./jun. 1969.

CARNEIRO, L. G. *Trabalhando o couro*: do serigote ao calçado made in Brazil. Porto Alegre: L&PM: CIERGS, 1986.

COLISETE, R. P. A força das ideias: a CEPAL e o industrialismo no Brasil no início dos anos 50. In: SZMRECSÁNYI, T.; SUZIGAN, W. *História econômica do Brasil contemporâneo*. São Paulo: EDUSP; HUCITEC, 2002.

COSTA, A. B.; PASSOS, M. C. (Orgs.) *A indústria calçadista no Rio Grande do Sul*. São Leopoldo: UNISINOS, 2004, p. 9-98.

CYSNE, R. P. A economia brasileira no período militar. In: D'ARAÚJO, M. C. de; SOARES, G. A. D. (Orgs.) *21 anos de regime militar*: balanços e perspectivas. Rio de Janeiro: FGV, 1994.

D'ARAÚJO, M. C.; CASTRO, C. (Orgs) *Tempos modernos*: João Paulo dos Reis Velloso, memórias do desenvolvimento. Rio de Janeiro: FGV, 2004.

DALMAZO, R. A. *Planejamento estadual e acumulação no Rio Grande do Sul*: 1940-1974. Porto Alegre: FEE, 1992.

DINIZ, E. Empresariado, regime autoritário e modernização capitalista: 1964-1985. In: SOARES, G. A. D.; ARAÚJO, M. C. (Orgs) *21 anos de regime militar*: balanços e perspectivas. Rio de Janeiro: FGV, 1994, p. 198-231.

DOCKHORN, G. V. *Quando a ordem é segurança e o progresso é desenvolvimento*: 1964-1974. Porto Alegre: EDIPUCRS, 2002.

DREIFUSS, R. A. *1964, a conquista do estado*: ação política, poder e golpe de classe. Petrópolis: Vozes, 1981.

FENSTERSEIFER, J. E. (Org.) *O complexo calçadista em perspectiva*: tecnologia e competitividade. Porto Alegre: Ortiz, 1995, p. 97-181.

FICO, C. *Reinventando o otimismo*: ditadura, propaganda e imaginário social no Brasil. Rio de Janeiro: FGV, 1997.

FISHLOW, A. Algumas reflexões sobre a política econômica brasileira após 1964. In: *Estudos Cebrap 7*, São Paulo, jan./mar. 1974.

FONSECA, P. C. D. Desenvolvimento econômico e distribuição de renda. In: SALVO, M.; PORTO JR., S. da S. (Orgs.) *Uma nova relação entre Estado, sociedade e economia no Brasil*. Santa Cruz do Sul: UNISC, 2004, p. 269-292.

______. As origens e as vertentes formadoras do pensamento cepalino. *Revista brasileira de Economia*, Rio de Janeiro, v. 54, n. 3, p. 333-358, jul./set. 2000.

______. *Vargas*: o capitalismo em construção, 1906-1954. São Paulo: Brasiliense, 1989.

GERTZ, R. E. (Org.) *História Geral do Rio Grande do Sul, volume 4 – República*: da Revolução de 1930 à ditadura militar (1930-1985). Passo Fundo: Méritos Editora, 2007.

HAFFNER, J. A. H. *A CEPAL e a industrialização brasileira (1950-1961)*. Porto Alegre: EDIPUCRS, 1999, p. 9-78.

IBTeC. Disponível em: <http://www.ibtec.org.br/teaser/index.php.>. Acesso em: 20 jan. 2011.

IPEADATA. *Base de dad*os. Disponível em: <http://www.ipeadata.gov.br/>. Acesso em: 5 set. 2010.

JORNAL Correio do Povo. *Noticiário geral*. Porto Alegre: Empresa Jornalística Caldas Júnior, 1974, diversos números.

JORNAL Exclusivo. Novo Hamburgo: Grupo Editorial Sinos, 1970-1979, diversos números.

______. Disponível em: <http://www.exclusivo.com.br/>. Acesso em: 6 jan. 2011.

JORNAL NH. *Noticiário*. Novo Hamburgo: Grupo Editorial Sinos, 1960-1979. Diversos números.

KLEIN, E. E. *La cadena de distribución y la competitividad de las exportaciones latinoamericanas*: las exportaciones de calzado del Brasil. Santiago: CEPAL (Comisión Económica para America Latina y el Caribe), 1991.

KOONINGS, K. *Industrialization, industrialists, and regional development in Brazil*: Rio Grande do Sul in comparative perspective. Amsterdam: Thela Publishers, 1994.

LAGO, L. A. C. do. A retomada do crescimento e as distorções do "Milagre": 1967-1973. In: ABREU, M. de P. (Org.) *A ordem do progresso*: cem anos de política econômica republicana, 1889-1989. Rio de Janeiro: Campus, 1990, p. 233-294.

LAGEMANN, E. Imigração e Industrialização. In: DACANAL, J. H. (Org.) *RS*: Imigração e Colonização. Porto Alegre, Mercado Aberto, 1980.

______. O setor coureiro-calçadista na história do Rio Grande do Sul. *Revista Ensaios FEE*, Porto Alegre, v. 7, n. 2, p. 69-83, 1986.

LIMA, M. R. S. de. A economia política da política externa brasileira: uma proposta de análise. *Contexto internacional*, Rio de Janeiro, v. 6, n. 12, p. 7-29, jul./dez. 1990.

LOVE, J. L. *A construção do terceiro mundo*: teorias do subdesenvolvimento na Romênia e no Brasil. São Paulo: Paz e Terra, 1998, 643 p.

MACHADO, M. B. da C. Clóvis Noschang: um publicitário que fez escola e permanece na memória hamburguense. *Anais eletrônicos do V Congresso Nacional de História da Mídia – Intercom*. São Paulo: 2007.

MEURER, M. A. *O crescimento das exportações de calçados de Novo Hamburgo*: causas e consequências. São Leopoldo: UNISINOS – centro de Educação e Humanismo, 1989. Mimeo.

PETRY, L. *O município de Novo Hamburgo (Monografia)*. 2. ed. São Leopoldo: Casa Editora Rotermund, 1959.

PRADO, L. C. D.; EARP, F. S. O "milagre" brasileiro: crescimento acelerado, integração internacional e concentração de renda (1967-1973). In: DELGADO, L. de A. N.; FERREIRA, J. *O Brasil republicano*: o tempo da ditadura (regime militar e movimentos sociais em fins do século XX). Rio de Janeiro: Civilização Brasileira, 2003.

PREFEITURA de Novo Hamburgo. *Nossos símbolos*. Disponível em: <http://www.novohamburgo.rs.gov.br/>. Acesso em: 15 jan. 2011.

REICHERT, I.; MAGALHÃES, M. L. *Uma trajetória de valor*: os 90 anos da Associação Comercial, Industrial e de Serviços de Novo Hamburgo, Campo Bom e Estância Velha. Novo Hamburgo: Feevale, 2010.

RUAS, R. *Os efeitos da modernização sobre o processo de trabalho*: condições objetivas de controle na indústria de calçados. Porto Alegre: FEE, 1985. Série Teses.

SAUL, M. V. A. *Classe operária e sindicalismo no Rio Grande do Sul (Novo Hamburgo: 1945 - 1964)*. Santo Ângelo: Fundames, 1988.

SCHEMES, Claudia. *Pedro Adams Filho*: empreendedorismo, indústria calçadista e emancipação de Novo Hamburgo. (1901-1935). Porto Alegre, 2006. Tese (Doutorado em História) – Programa de

Pós-Graduação em História, Pontifícia Universidade Católica do Rio Grande do Sul (PUCRS).

______. *et al. Memória do setor coureiro-calçadista*: pioneiros e empreendedores do Vale do Rio dos Sinos. Novo Hamburgo: Feevale, 2005.

SILVA, H. C. M. *Da substituição de importações à substituição de exportações*: a política de comércio exterior brasileira de 1945 a 1979. Porto Alegre: UFRGS, 2004.

SCHNEIDER, S. *Os colonos da indústria calçadista*: expansão industrial e as transformações da agricultura no Rio Grande do Sul. Campinas, 1994. Dissertação (Mestrado em História) – Instituto de Filosofia e Ciências Humanas, Universidade Estadual de Campinas.

SUZIGAN, W. Origens do desenvolvimento industrial brasileiro: principais interpretações. In: SUZIGAN, W. (Org.) *Indústria brasileira*: origem e desenvolvimento. São Paulo: Hucitec; Campinas: Unicamp, 2000, p. 23-77.

O II PND NAS INTERPRETAÇÕES DE CARLOS LESSA E ANTÔNIO BARROS DE CASTRO:

PAROXISMO E ESGOTAMENTO DO ESTADO DESENVOLVIMENTISTA NO BRASIL[1]

Ronaldo Herrlein Jr.[2]

O modernismo do subdesenvolvimento é forçado a se construir de fantasias e sonhos de modernidade, a se nutrir de uma intimidade e luta contra miragens e fantasmas. Para ser verdadeiro para com a vida da qual emerge, é forçado a ser estridente, grosseiro e incipiente. Ele se dobra sobre si mesmo e se tortura por sua incapacidade de, sozinho, fazer a história, ou se lança a tentativas extravagantes de tomar para si toda a carga da história. Ele se chicoteia em frenesis de autoaversão e se preserva apenas através de vastas reservas de autoironia. [...] *[A] bizarra realidade de onde nasce esse modernismo e as pressões insuportáveis sob as quais se move e vive – pressões sociais e políticas, bem como espirituais – infundem-lhe uma incandescência desesperada* [...]

Marshall Berman, em Tudo que é sólido desmancha no ar.

---

[1] Ensaio dedicado à memória do professor Antônio Barros de Castro, com a esperança de que sua inteligência e fé no Brasil prossigam animando as novas gerações. A elaboração do ensaio integra os trabalhos de pesquisa realizados pelo autor como parte do projeto "Estado, Democracia e Desenvolvimento no Brasil Contemporâneo", realizado pela DIEST do IPEA. O autor agradece os comentários e sugestões de Francisco Lopreato e Pedro Cezar D. Fonseca a versões preliminares do texto e o apoio dos bolsistas de iniciação científica e acadêmicos de Ciências Econômicas da UFRGS João Pedro Macalós (Programa BIC) e Guilherme de Queiroz Stein (Programa ICV), eximindo a todos das imperfeições remanescentes.

[2] Professor da FCE-UFRGS e pesquisador do PPGE-UFRGS e do PNPD-IPEA.

O II Plano Nacional de Desenvolvimento (PND), lançado em 10 de setembro de 1974, foi um ambicioso conjunto de metas produtivas, econômicas e sociais, alicerçado em um grande programa de investimentos visando substituir importações ou formar capacidade exportadora de produtos industriais básicos (aço, alumínio, cobre, fertilizantes, produtos petroquímicos) e de bens de capital, além de expandir rapidamente a geração de energia hidrelétrica e nuclear, a produção de álcool combustível, bem como os sistemas de transportes e de comunicações. A estratégia do plano pode ser sintetizada em quatro eixos centrais: modificar a matriz industrial, ampliando a participação da indústria pesada; mudar a organização industrial, acentuando a importância da empresa privada nacional; desconcentrar regionalmente a atividade produtiva, visando reduzir a concentração espacial da produção; e melhorar a distribuição de renda (CARNEIRO, 2002, p. 60).

Os investimentos do II PND, a serem realizados até 1979, propunham-se a "cobrir a área de fronteira entre o subdesenvolvimento e o desenvolvimento" (BRASIL, 1974, p. 7). Os setores a que se dirigiam os investimentos eram identificados como os grandes "pontos de estrangulamento" que explicavam a restrição estrutural e externa ao crescimento da economia brasileira: infraestrutura, bens de produção (capital e insumos), energia e exportação (HERMANN, 2005, p. 100). No primeiro setor, o objetivo era ampliar a malha ferroviária, a rede de telecomunicações e de infraestrutura para produção e comercialização agrícola, visando ampliar a oferta para o mercado interno e para exportação. No setor de insumos produtivos, o foco da expansão física de capacidade pretendida pelo II PND estava na siderurgia e metalurgia (em 152%), química pesada (151%), cimento e celulose (52%) e minerais não metálicos. Na produção de bens de capital, as metas previam expansão da produção (metafísica) em 70%, considerando os segmentos de eletromecânica, tratores, construção naval e material ferroviário. No setor energético, os investimentos se dirigiam à pesquisa, exploração e produção de petróleo e derivados, à ampliação da capacidade de geração de energia hidrelétrica e ao desenvolvimento de fontes de energia alternativa aos derivados de petróleo (ênfase no álcool) (HERMANN, 2005, p. 100). A maior parte dos investimentos em infraestrutura e energia, que alcançavam mais de 70 bilhões de dólares, foi realizada por empresas estatais, enquanto os investimentos na indústria de bens de capital (cerca de 10 bilhões de dólares) ficaram sob responsabilidade do setor privado, com forte apoio financeiro do BNDE. Os investimentos no setores de bens intermediários eram projetados em cerca de 26 bilhões de dólares (PINTO, 2004, p. 57-8). Em vista da inexistência de mecanismos privados de financiamento de longo prazo, a viabilização do II PND dependia quase que totalmente de fontes públicas ou externas (HERMANN, 2005).

O II PND também se articulava à estratégia mais geral propugnada pelo grupo "castellista", vitorioso nas disputas internas ao regime militar, no sentido de rumar para a progressiva institucionalização do regime, transformando uma situação autoritária e instável – porque não consensual e baseada principalmente na força – em um regime autoritário (SALLUM Jr., 1996, p. 22). O plano cumpria um importante papel na preservação da legitimidade do regime, ao preservar o crescimento, ao buscar fortalecer o empresariado nacional, especialmente fora do eixo São Paulo-Rio de Janeiro, e ao promover alguma distribuição de renda com a reorientação da política salarial (incorporando ganhos reais) e programas sociais com foco nas populações de baixa renda (Idem, p. 48-50). O crescimento econômico era uma condição necessária para preservar a legitimação, por isso a realização dos projetos do II PND favorecia os propósitos de distensão e institucionalização do regime (FONSECA; MONTEIRO, 2008, p. 31; SALLUM Jr., 1996).

O presente ensaio consiste em uma apreciação do II PND, que se fundamenta basicamente nas visões de Carlos Lessa e Antônio Barros de Castro, que são, provavelmente, as principais e mais discrepantes visões sobre o II PND. Neste trabalho, faz-se um balanço crítico das duas perspectivas, recorrendo a outras duas fontes principais – os trabalhos do cientista político José Luís Fiori e do sociólogo Florestan Fernandes – e procurando integrá-las a partir de um marco comum de investigação histórica, discutindo aspectos econômicos, sociológicos e políticos.

A característica pluridisciplinar deste trabalho é uma exigência do objeto, em vista da insuficiência das teorias econômicas para fornecer uma interpretação do objeto em questão. Essa característica corresponde também à abordagem de economia política presente em trabalhos como os de Lessa e Fiori, que ampliam o quadro das determinações que configuram um objeto histórico, tal como a economia brasileira em qualquer um de seus períodos.[3]

O interesse por considerar o II PND no contexto da trajetória da industrialização brasileira decorre da sua relevância em dois sentidos: a) foi extremamente significativo para a montagem do atual parque industrial brasileiro e b) ensejou a desarticulação das bases e compromissos sociais que alimentaram o desenvolvimentismo desde os anos 1930.

Com base na abordagem de Fiori, tratou-se aqui de realizar uma apropriação crítica das visões de Castro e Lessa a partir de um marco comum, considerando-as essencialmente como visões datadas e com propósitos distintos, e sem incorrer nas avaliações de tipo agregativo ou eclético. Lessa estava presenciando o desenrolar da estratégia e buscou avaliá-la a partir das premissas em que ela se referencia-

[3] Essa extensão de propósitos limitou, por outro lado, a incursão no terreno das estatísticas econômicas do período, que foram apenas consultadas através de fontes secundárias, sem maior preocupação em transcrevê-las para o corpo do trabalho.

va: o projeto de Nação-potência da ditadura militar. Sua perspectiva de análise inseria-se num contexto de renascimento das aspirações democráticas em setores bem diversos da sociedade civil, percebendo todas as inconsistências da política econômica de um ponto de vista de oposição à ditadura. Castro pôde avaliar os resultados posteriormente, com os projetos maturados, já no contexto de superação da ditadura militar, em plena "transição democrática". Procurou, antes de tudo, avaliar os intrigantes resultados da balança comercial na primeira metade dos anos 1980 e o que eles indicavam em termos de mudança estrutural e possibilidades futuras da economia brasileira.

Na próxima seção, com base em Fiori (1990, 1995), o II PND é referenciado com base na trajetória e nas bases de sustentação do desenvolvimentismo brasileiro, resgatando seu significado histórico como momento derradeiro da funcionalidade do Estado como ator central de um certo modelo de desenvolvimento econômico capitalista. Na terceira seção, seguindo primeiro os passos de Lessa (1998)[4] e depois os de Castro (1983, 1985), faz-se uma avaliação do II PND em confronto com o sonho de Nação-potência, para depois avaliá-lo a partir das possibilidades que estavam colocadas para a economia brasileira em 1974. Na quarta seção, são discutidas as relações entre Estado, sociedade civil e mercado, em meio às circunstâncias que marcaram a condução do II PND, ao fim da ditadura militar através da "transição democrática" controlada, e à dissolução do pacto desenvolvimentista. Por fim, a conclusão resume os principais resultados da análise.

O Estado desenvolvimentista brasileiro e o II PND

Para as finalidades deste estudo, importa considerar o II PND desde um ponto de vista histórico, isto é, com referência à trajetó-

[4] Publicado originalmente em 1978.

ria do desenvolvimentismo no Brasil, percorrida a partir de 1930. Essa perspectiva histórica fornecerá o suporte necessário para que, na próxima seção, seja possível avaliar o II PND, quer do ponto vista do "sonho prussiano" do Governo Geisel, quer do ponto de vista dos desafios e das possibilidades concretas que se colocaram para a economia brasileira a partir do primeiro choque do petróleo.

Para tanto, essa seção percorre os caminhos já estabelecidos pelo cientista político José Luís Fiori (1990, 1995). Nessa perspectiva, o II PND pode ser visto como o momento final de um longo ciclo desenvolvimentista que, semeado com as transformações assinaladas pela Revolução de 1930, iria frutificar e determinar as características do desenvolvimento econômico brasileiro por um período de 50 anos. Como momento final de operação do modelo desenvolvimentista, o II PND correspondeu também ao último suspiro de funcionalidade do Estado desenvolvimentista existente. A efetivação do plano, combinada à crise internacional dos anos 1970-80, provocou a desarticulação dos pactos e compromissos que sustentaram aquele modelo e seu Estado condutor por tão longo período.

Foi a partir de 1930, quando se combinaram os efeitos da crise internacional e da revolução política, que o Estado passou a assumir ativamente o papel de regulador da economia e das relações sociais (DRAIBE, 1985). Consolidava-se então nas elites brasileiras a hegemonia de ideias que defendiam o envolvimento do Estado na organização da sociedade e na construção da economia nacional, opostas ao liberalismo político e econômico. Tratava-se de uma postura que cada vez mais aproximava-se do que depois dos anos 1950 passaria a ser identificado como desenvolvimentismo. Nas décadas de 1930 e 1940, esse ideário legitimou a defesa do setor agroexportador diante da crise, a reforma institucional de 1937, que permitiu a reestruturação do Estado e a implantação dos instrumentos de regulação do mercado de trabalho.

Por esses caminhos:

> O estatismo dos anos trinta prolongou-se na ideologia desenvolvimentista dos anos cinquenta, enquanto as instituições construídas pelo Estado corporativo e autoritário da primeira década transformaram-se no corpo institucional do Estado desenvolvimentista que irá comandar a industrialização brasileira entre 1950 e 1980 (FIORI, 1995, p. 128).

Nesse prolongamento, a "industrialização pesada", com seu salto qualitativo de expansão e diversificação no período 1955-61, articulada diretamente pelo Estado, constituiu um novo padrão de acumulação (MELLO, 1982). Apesar da fragilidade do sistema bancário, o salto industrializante foi possível através da criação de novos instrumentos, do estabelecimento de um plano global de ação e da instituição de uma burocracia paralela "enxuta" e impermeável às pressões "populista" e clientelista que eram um traço daquele sistema político democrático.[5]

A experiência democrática se encerraria com o colapso do "populismo" em 1964, quando instaura-se um novo regime autoritário, sob comando de uma aliança tecnocrático-militar de cunho desenvolvimentista, apoiada por uma coalizão socioeconômica e política que refreou sua retórica liberalizante para preservar seus interesses. Promoveu-se então uma profunda reforma institucional do aparato da política econômica e do setor público. Após seis anos de crescimento liderado pelos setores de bens de consumo durável e construção civil, a economia brasileira, com o II PND, foi chamada a realizar um

[5] Para uma discussão detalhada sobre o Plano de Metas, ver Lessa (1981). Para uma visão sobre a continuidade dos instrumentos das políticas públicas entre esse período e o anterior, ver Draibe (1985), e, resumidamente, Fiori (1990, p. 46-50). Esse traço de continuidade é rejeitado por Lessa (1981, p. 93), para quem os instrumentos existentes na década de 1950 "surgiram numa data em que, salvo no tocante às relações externas, preenchia o setor público as funções vegetativas do Estado liberal".

derradeiro esforço industrializante.[6] Sempre segundo Fiori (1995, p. 130):

> [O] II PND representou o último esforço integrado e ambicioso da política estatal voltada para a complementação da estrutural industrial. Sua implementação, na segunda metade dos anos 70, logrou, apesar das dificuldades aceleradas pela crise internacional, um avanço decisivo da indústria pesada, ampliando a capacidade de produção de insumos básicos e de bens de capital, além de estimular e subsidiar um poderoso drive exportador de manufaturas. De tal forma que, se os anos 80 representaram uma década de crise e de indefinição, é indiscutível que na segunda metade da década de 70 o Governo Geisel, navegando contra uma maré ideológica e econômica internacional desfavorável, foi o último dos desenvolvimentistas latino-americanos e, certamente, o mais acabado realizador da proposta industrializante da CEPAL do final dos anos 40.

O breve relato histórico dos parágrafos anteriores deixa transparecer apenas alguns traços do modelo de desenvolvimento capitalista, do Estado que conduziu sua realização e de suas bases de sustentação na sociedade. Cabe ampliar essa caracterização do desenvolvimentismo brasileiro. Sua característica formal mais aparente consiste no papel indispensável que conferiu ao Estado na superação do atraso econômico através da industrialização. Suas fontes de inspiração foram muito variadas, percorrendo desde o ideário positivista até a crítica cepalina à teoria convencional do comércio internacional e do desenvolvimento econômico. Além disso, enquanto um modelo concreto de desenvolvimento, geralmente contou com a adesão constrangida de grande parte das elites liberais.

[6] Convém assinalar que entre 1970 e 1973 o setor de bens de capital, em vista do esgotamento da capacidade de diversos setores produtivos e a consequente aceleração dos investimentos, passa a crescer em ritmo superior ao de bens de consumo durável (TAVARES, 1998, p. 94).

De fato, nesses 50 anos, a atuação do Estado foi decisiva para a industrialização. Atuou no financiamento dos grandes blocos de investimentos, na produção direta de insumos e na articulação e proteção dos capitais privados nacionais e internacionais, delimitando seus espaços de acumulação. Mais do que isso, o Estado brasileiro empreendeu um continuado uso heterodoxo de suas políticas fiscal e monetária, para incentivar o investimento e manter a lucratividade de todo o heterogêneo espectro de capitais industriais, que lograram assim a preservação política de sua rentabilidade, a despeito dos diferenciais de produtividade (FIORI, 1990, p. 127).

Esse modelo foi sustentado por uma sólida coalizão de interesses, essencialmente conservadora. Fiori (1995) descreve as características desse pacto social, econômico e político, que vigorou durante toda a trajetória desenvolvimentista e que vieram a ser desnudadas na crise que se iniciou após o II PND.

No que se refere às relações entre o Estado e os capitais, o pacto fundou-se em primeiro lugar na intocabilidade da estrutura fundiária, abrigando assim os interesses do capital agromercantil e bloqueando constantemente qualquer possibilidade de reforma agrária. Destacou-se a arbitragem do Estado sobre os espaços destinados aos capitais nacionais e estrangeiros na indústria, reservando para os primeiros as órbitas de seu interesse e assegurando sua rentabilidade. O protecionismo permitiu a rentabilidade mesmo na ausência de uma estratégia empresarial capaz de internalizar a geração das tecnologias produtivas. O Estado forneceu crédito público, aportando as massas de capital necessárias ao avanço da industrialização, mas não executou nenhum papel ativo na centralização financeira, sancionando interesses capitalistas fragmentados. Dessa forma, o financiamento da expansão industrial foi sempre problemático, sendo obtido seja pela via inflacionária, seja pela via do endividamento público, interno e externo. Ambas as formas revelaram-se precárias na sustentação do crescimento, indicando que o Estado não logrou articular organicamente finanças e indústria, algo que tampouco ocorreu por uma articulação espontânea no âmbito privado.

Os vários blocos de interesse componentes do pacto puderam exercer seu poder de veto sobre as políticas públicas, sempre que seu poder financeiro ou eleitoral fosse necessário para a reprodução política da ordem estabelecida. Essa possibilidade manifestou-se na tensão constante entre os poderes locais e as centralizações autoritárias. As oligarquias, controlando a economia e o poder nas regiões atrasadas, lograram obter favores na extensão do seu poder eleitoral, caracterizando-se aí um compromisso conservador do pacto desenvolvimentista, que operou no sentido de fragilizar a vontade modernizante das elites tecnoburocráticas e militares ligadas à administração central do Estado.

Interesses privados, capitalistas e oligárquicos se apropriaram de centros de decisão estatal para proteção de seus interesses políticos e econômicos. A composição heterogênea e o amplo leque de interesses constitutivos do pacto desenvolvimentista cercearam a autonomia das burocracias econômicas e restringiram a liberdade de ação e a iniciativa estratégica do Estado. Nos momentos de crise, nunca foi possível recuar, pois os interesses empurraram o Estado numa constante "fuga para frente", pela qual eram vetadas as políticas de contenção, encontradas novas formas de endividamento, às custas da crescente fragilização fiscal. Decorre daí a dimensão política da inflação como mecanismo para compatibilização de interesses. Por suas características, o pacto conservador impediu a realização de reformas que permitiriam cenários macroeconômicos mais estáveis, tornando recorrentes na trajetória do desenvolvimento as crises fiscais e cambiais e submetendo a industrialização a dificuldades financeiras crônicas.

Sob o domínio da coalizão que definiu o pacto desenvolvimentista, o processo de desenvolvimento se realizou como *subdesenvolvimento*. Esse padrão implicou os traços *excludente* e *autoritário* das relações sociais engendradas pela industrialização e pela intervenção do Estado no mercado de trabalho, marcadas pela gestão coercitiva dos salários e dos sindicatos e pela participação cada vez mais restrita dos trabalhadores na renda nacional. A industrialização notabilizou-se também pela utilização extensiva e rotativa da mão de obra, cuja qualificação jamais foi vista como fator de competitividade microeconômica. A enorme dispersão salarial foi concomitante à heterogeneidade dos mercados de trabalho. O modelo desenvolvimentista alimentou as desigualdades sociais, individuais e regionais, que nunca foram firmemente enfrentadas pelo Estado em frente aos interesses de capitalistas, grandes proprietários fundiários e monopolizadores do espaço urbano.[7]

O poder das elites, ao impedir a constituição da cidadania dos brasileiros, bloqueou a construção da Nação e impediu a separação entre o privado, o público e o estatal. A privatização da esfera pública diluiu assim qualquer dimensão genuinamente nacional do desenvolvimentismo, pois o Estado revelou-se geralmente submisso àqueles interesses no confronto com os setores subalternos da sociedade civil.[8]

---

[7] É importante notar aqui o sentido da caracterização do pacto desenvolvimentista como predominantemente autoritário, sob pena de perdermos a noção dos conflitos reais que marcaram, em cada conjuntura, a definição das políticas e dos rumos do desenvolvimento. A caracterização da "coalizão social que definiu o pacto desenvolvimentista" como determinante de um subdesenvolvimento, excludente e autoritário, assim como a caracterização do *desenvolvimentismo* com base nas realizações do modelo de desenvolvimento, apoia-se na visão de Fiori e procura fazer jus aos *resultados* do desenvolvimento ao longo de 50 anos, já como síntese dos embates ocorridos (sem referência específica às formas políticas democráticas ou ditatoriais). Convém não ignorar que houve permanente tensão entre elites dirigentes e divergências entre as frações burguesas que dão conta do caráter contraditório das perspectivas em disputa (sobre o desenvolvimento e o papel do Estado), bem como da amplitude e heterogeneidade que marcaram um pacto cuja composição e tonalidade ideológica variaram ao longo do período, sem desfazer as características gerais resultantes do modelo de desenvolvimento, tais quais descritas no parágrafo.

[8] Segundo Fiori (1990), são essas características que conferem especificidade à industrialização

As limitações impostas pelo pacto desenvolvimentista à ação do Estado, simbolizadas pelo paradoxal antiestatismo da maioria das frações burguesas, impediram o exercício da arbitragem do Estado na centralização do capital, inibiram sua capacidade tributária e fragilizaram suas bases financeiras. O projeto desenvolvimentista jamais contou com um empresariado solidário e disposto a conceder em favor de um projeto de formação de uma sociedade nacional integrada.

Como veremos na próxima seção, todas essas limitações culminaram na realização do II PND, a qual conduziu o modelo desenvolvimentista e o respectivo compromisso do Estado com a endogeneização da acumulação capitalista ao paroxismo e posterior esgotamento das capacidades estatais.

Limites e Virtudes da "Estratégia de 74"

É preciso esclarecer em que sentido utiliza-se a noção de uma "estratégia de 74", pois os dois autores cujas ideias serão aqui discutidas atribuem conotações distintas à expressão. Isso decorre dos diferentes propósitos de suas análises, os quais afetam suas abordagens e particularmente seus juízos de valor quanto ao II PND. Assim, para Lessa (1998), a ideia de uma estratégia de 74 corresponde ao sonho da Nação-potência que deveria emergir em pouco tempo como uma economia desenvolvida, sonho que transborda no tom e na letra do II PND, com suas diretrizes estratégicas e as medidas destinadas a consecução do sonho compondo o significado atribuído à "estratégia". É sempre a partir dessa perspectiva que Lessa empreende sua análise e valora o plano, em confronto com as realizações. Saliente-se

brasileira, quando comparada às experiências de industrializações atrasadas da Alemanha e do Japão, que foram também empreendidas com decisiva participação estatal, mas que representaram a consecução de um legítimo projeto nacional. O mesmo poderia ser dito no confronto da experiência brasileira com o caso da Coreia do Sul (ver Santos F., 1994).

que Lessa não tem qualquer pretensão normativa com sua análise, abstendo-se de discutir "o que deveria ser feito".

Exatamente oposta é a perspectiva analítica de Castro (1985), que expressa sua percepção do contexto e das possibilidades concretas dadas como opção de política econômica diante do primeiro choque do petróleo. Para ele, a "estratégia de 74" constitui-se assim na opção de não deter, mas sim redirecionar, a expansão em curso na economia e as medidas concretas adotadas com esse propósito. Essa última conotação, mais palpável, é a que se adota a seguir como significado da expressão "estratégia de 74", tratando-se então as observações e críticas de Lessa como sendo referidas fundamentalmente às inconsistências do projeto de Nação-potência e à pretensão de suas diretrizes estratégicas.

A estratégia em confronto com o sonho da Nação-potência

Carlos Lessa procura avaliar o II PND a partir dos ousados propósitos e metas estabelecidos por seus formuladores. O sonho prussiano da "potência emergente" desdobrar-se-ia, segundo sua leitura, em duas diretrizes estratégicas (LESSA, 1998, p. 19). A primeira (que parece a mais importante) consiste na implantação de um "novo padrão de industrialização", entendendo-se por isso a instalação definitiva de uma nova dinâmica intersetorial para a indústria, na qual o setor de bens de produção (intermediários e de capital) se tornasse o setor líder da dinâmica industrial, à diferença dos surtos de industrialização pesada anteriores, de fôlego curto, quando a liderança foi dada pelo setor de bens de consumo durável.

O autor descreve assim o novo salto industrializante pretendido.

> Esta articulação [de um novo padrão de industrialização] exigiria que houvesse "espaço" político-econô-

> mico para que, num golpe concentrado no tempo, fosse implantado um grande bloco integrado pelos projetos de insumos básicos e nova capacidade ampliada e diversificada na indústria nacional de bens de capital. Este bloco interarticulado garantiria a demanda para a indústria de bens de capital e o suprimento de insumos básicos. A constituição destas novas capacidades, significando uma descontinuidade, um salto pelo lado da oferta, cristalizaria um pacto entre estes dois setores. O peso e a necessidade da sustentação dinâmica deste pacto imporia uma nova diretriz ao movimento ulterior da industrialização. E teríamos então instalado um novo Padrão (1998, p. 150).

Como se vê, se o objetivo era realizar o "salto", tornava-se decisivo definir, financiar e implantar rapidamente os projetos de investimento para lograr um "novo padrão de industrialização" em seis anos (LESSA, 1998, cap. 2).

A questão de instaurar um "novo padrão", na forma apresentada pela leitura de Lessa do II PND, remete à autodeterminação do processo de acumulação de capital no interior do espaço econômico nacional. Ou, se quisermos, à implantação do modo de produção capitalista em sua forma integral e autossustentada (dito por Marx, "modo de produção especificamente capitalista"). Para Cardoso de Mello (1982), essa autodeterminação já teria se consubstanciado com a industrialização pesada no período 1955-61, quando se teria atingido um novo padrão de acumulação (MELLO, 1982, p. 118). "A industrialização chegara ao fim e a autodeterminação do capital estava, doravante, assegurada" (idem, p. 122).[9] Há uma grande semelhança dessa visão com a de Lessa sobre o "salto", envolvendo um "bloco de investimentos altamente complementares". Entretanto, a despeito das esperanças surgidas com a industrialização pesada, ao esgotar-se o surto de industrialização em 1973, a autodeterminação da acu-

[9] Registre-se que o autor mais tarde reviu sua posição.

mulação do capital no âmbito das fronteiras nacionais ainda exigia que se completasse o processo de industrialização pesada, notadamente quanto ao segmento de bens de produção. Mais do que isso, a história posterior viria a indicar que as bases para essa autodeterminação não são estáticas. Uma vez conquistadas, parecem repor-se, sob a forma de novas defasagens e desafios, atrás dos quais o capitalismo nacional periférico tem de correr, se aspira alguma soberania no concerto das nações.

De qualquer sorte, o II PND explicitava uma mudança na política industrial, no sentido de favorecer as indústrias de insumos básicos (siderurgia, metais não ferrosos, petroquímica, fertilizantes, papel e celulose, matérias-primas para a indústria farmacêutica, minerais não metálicos), de bens de capital e eletrônica de base, "para corrigir desbalanceamentos na estrutura industrial e para poupar divisas" (BRASIL, 1974, p. 37). Paralelamente, o plano almejava intensificar a prospecção de petróleo e a realização de metas ambiciosas quanto à infraestrutura, envolvendo grandes obras nas áreas de energia elétrica, telecomunicações e transportes, as quais estariam articuladas com a localização descentralizada de novas plantas e novos polos de desenvolvimento industrial.[10]

A busca de um "novo padrão de industrialização" (NPI) colocava no coração da estratégia a ampliação da oferta de insumos básicos, a ser realizada pela empresa estatal (LESSA, 1998, p. 105). Essa tornava-se o agente principal no encadeamento do NPI, pois eram os projetos de insumos básicos que gerariam o horizonte supostamente

[10] A descentralização do processo de desenvolvimento permitia ao regime militar obter apoio também das elites econômicas regionais e não apenas das elites políticas, o que tornava o II PND um dos elementos centrais da estratégia de institucionalização do regime (SALLUM JR., 1996). Contudo, ainda que alguns projetos de investimento (como o III Polo Petroquímico) tivessem sua localização determinada fundamentalmente por motivos políticos, é imperativo reconhecer que a descentralização da produção correspondia a uma racionalidade econômica. Para diversificar a matriz energética e ampliar a produção de insumos básicos, as novas cadeias de produção deveriam instalar-se perto das fontes de recursos naturais, como as reservas de minérios no Pará, Nordeste e Minas Gerais, as reservas de carvão mineral no Sul e a instalação de Itaipu, por exemplo.

firme e programado de demanda ampliada para a empresa privada nacional no setor de bens de capital, permitindo-lhe expansão, diversificação e aquisição de tecnologia. Assim, a estratégia se desdobrava através de um elenco de projetos-chave diretamente formulado pelas estatais e que se confundiam com as metas setoriais. Mudar o "padrão" equivaleria a instaurar com um peso elevado na dinâmica da economia brasileira a articulação empresa estatal/indústria nacional de bens de capital (idem, p. 140).

No bojo do salto industrializante, o país deveria atingir autossuficiência quanto aos insumos básicos e em muitos segmentos da produção de bens de capital. A estratégia pretendia, portanto, confrontar a vulnerabilidade da dependência externa de bens de capital, diante da qual não se sustentaria o desenvolvimento a longo prazo. Nesse processo, estar-se-ia realizando a constituição de uma indústria moderna, alterando sua composição setorial de então, de modo a completar a malha industrial. Almejava-se, enfim, a conquista de um perfil maduro para a indústria nacional, como fator essencial para conquistar o estatuto de Nação plenamente desenvolvida.

A segunda diretiva estratégica identificada por Lessa e explicitamente formulada no plano consistia na busca da correção do desbalanceamento da "organização industrial" brasileira, devendo-se entender isso como sendo a procura do fortalecimento da empresa privada nacional (BRASIL, 1974, p. 50). O fortalecimento do capital privado nacional fazia-se necessário para que se assumisse uma posição de equilíbrio perante os dois outros componentes do tripé, o setor público e a empresa transnacional. A empresa nacional teria a oportunidade de participar em setores importantes, notadamente na indústria de bens de capital, que teriam uma ponderação crescente na futura dinâmica da economia brasileira. Vislumbrava-se aqui a aspiração pela hegemonia do capital nacional no processo de desenvolvimento, uma característica indispensável ao estatuto de economia plenamente desenvolvida.

Segundo Lessa, essas duas diretivas estratégicas conformavam, juntas, o núcleo central da estratégia que deveria levar o país a ingressar no rol das economias desenvolvidas (1998, p. 12). Elas se completavam com uma terceira diretiva importante, que, com manifesto otimismo, pretendia aprofundar a inserção externa da economia brasileira, mantendo e redobrando o esforço exportador e alterando a composição das importações. O otimismo materializava-se na ideia de que a crise, se criava o problema do estrangulamento do balanço de pagamentos, abria a oportunidade para o "salto". Avaliava-se a nova situação internacional imaginando-se que ela tornaria possível ao país desfrutar de uma suposta posição favorável, como sendo uma "ilha de prosperidade" e segurança num mundo em crise. Isso facilitaria o ingresso de capitais de risco e empréstimos, o enquadramento da empresa estrangeira e a absorção de tecnologia e capacidade gerencial, fatores necessários para transformar o país numa potência industrial moderna em curto prazo. De acordo com essa avaliação, seria possível mover-se externamente aproveitando as oportunidades abertas pelo contexto de multipolarização das relações internacionais (BRASIL, 1974, cap. VII).

Se essas eram as principais diretivas do II PND, o plano continha ainda múltiplos aspectos e objetivos, cuja simples enumeração, como se verá, torna-se quase exaustiva.[11] Atribuía-se importância ao desenvolvimento científico e tecnológico, visto como força motora e dinamizadora capaz de universalizar o consumo. Pretendia-se assim a distribuição social dos frutos do desenvolvimento, como decorrência natural da estratégia, rejeitando-se formalmente a "tese do bolo". A

[11] Lessa não resiste à oportunidade da observação irônica: "O menor plano do mundo - no sentido físico - com o maior programa, em um mundo em crise. Em suas 134 páginas estão contidos todos os programas e recíprocas articulações imagináveis. Desafio o leitor a localizar algum ponto relevante que tenha escapado à capacidade de síntese dos formuladores" (1998, p. 84).

ideia era crescer distribuindo. Mas não havia a proposição de nenhuma política ativa de distribuição. Essa seria o subproduto da estratégia, através da pressão de demanda que o crescimento provocaria no mercado de trabalho. O "forte conteúdo social" do modelo "neocapitalista" proposto estaria manifesto pela transferência de ganhos produtividade para o consumidor, pela constituição de um mercado de massa, pela elevação do emprego e dos salários, desconcentração regional, difusão da propriedade, preservação da concorrência (apoio à pequena e média empresa). A correção de desequilíbrios regionais seria buscada através da preferência pela localização periférica de projetos-chave, que promoveria a integração nacional, ocupando-se territórios e recursos até então inexplorados. Buscava-se modernizar a agropecuária, implantar regiões metropolitanas e uma política de desenvolvimento urbano, além do controle da poluição e a preservação do meio ambiente.

O programa de investimentos do II PND propunha-se então a ajustar a estrutura econômica do país à nova conjuntura mundial de escassez de petróleo e matérias-primas. Em simultâneo, propugnava-se uma política de curto prazo, no mais das vezes subordinada à estratégia, no sentido de conter a inflação sem provocar contenção da liquidez, preservar o equilíbrio do balanço de pagamentos, enquanto mantinha-se o crescimento acelerado. Assim, como assinalou Castro (1985, p. 33), "o II PND se propunha superar, conjuntamente, a crise e o subdesenvolvimento [...]". Ou então, como escreveu Lessa (1998, p. 84): "Preservar metas quantitativas [crescimento de 10% ao ano] e operar conversões de 'qualidade' não é pouca tarefa [e], quando são sumariadas as mudanças de qualidade, verifica-se a extensão do cometido".

Não se tratava apenas de um “agora vamos”, como ironiza Lessa (1998, p. 26), mas também de um “tudo ao mesmo tempo agora”[12], para constituir a Nação-potência, economicamente desenvolvida. A estratégia considerava a questão da seguinte forma:

> Trata-se de verificar qual o máximo que a sociedade brasileira, devidamente motivada e inteligentemente orientada, com planejamento dinâmico e flexível, poderá realizar, em termos econômicos. Esse enfoque, ultrapassando em alcance os conceitos tradicionais de pleno emprego e plena capacidade, preocupa-se em, pela mobilização nacional, realizar o máximo de desenvolvimento viável para o período, em todos os campos, com seriedade técnica mas também com intuição econômica e vontade política (BRASIL, 1974, p. 28).

Revela-se aqui não apenas a disposição de flexibilidade nas metas, que comentaremos adiante, mas também a vontade política como o fundamento da opção (CASTRO, 1985, p. 35). Segundo Lessa, o otimismo e a pretensão desmedida do sonho fundavam-se na confiança da ditadura em poder implementar a vontade soberana do Estado sobre a sociedade e a economia sem obstáculos. Para esse autor, o II PND tratou-se de “Uma Estratégia que perseguiu seu redesenho segundo um modelo de referência ideal e fundada em pouco mais que a própria vontade de seus formuladores” (1998, p. 12). No que se segue, pretendemos deixar claro por que a apreciação de Lessa de uma “Estratégia meramente voluntarista” deixa de perceber importantes transformações estruturais, que se revelam quando a “estratégia” é avaliada na acepção definida por Castro.

Antes disso, porém, e seguindo a trilha traçada neste ensaio, convém assinalar que Lessa mostra corretamente a inconsistência

[12] A referência às canções "Vámonos" (S. Britto) e "Uma coisa de cada vez [Tudo ao mesmo tempo agora]" (A. Antunes *et al.*) do grupo de rock Titãs é uma coincidência parcial, pois não existiam quando Lessa escreveu.

dos sonhos prussianos do Governo Geisel diante da estrutura e do movimento da economia brasileira. Mas era precipitado afirmar que a estratégia teria sido perseguida até o primeiro semestre de 1976, para desde então acabar reduzida ao terreno da retórica.[13]

Seguindo o raciocínio de Lessa, fica claro como, na projeção do salto do desenvolvimento em seis anos, foram desconsideradas as "articulações estruturais que presidem e dão sentido ao processo político-econômico". Tais articulações impossibilitavam o salto pretendido, ao cercearem o arbítrio do Estado e demarcarem suas possibilidades. Nesse sentido, as "duras realidades estruturais se fizeram valer".

A tese de Lessa descortina em primeiro lugar os "pactos" estruturais que, pelo seu peso econômico, determinam limites para compressão ou mudança de composição do investimento público. Destacam-se os pactos que se formam em torno da grande engenharia nacional e do capital mercantil e financeiro vinculado à construção civil. O primeiro é dinamizado pela demanda gerada pelo investimento público tradicional e das estatais em grandes obras civis. Aglutina frações do capital nacional e estrangeiro que fornecem materiais e equipamentos, aceitando a realização de importações, caso necessário para obter financiamento. Esse pacto, assim como o segundo, também articula, através do emprego gerado, a produção de bens de consumo final. O segundo pacto vincula-se ao investimento público através das obras públicas realizadas nos perímetros urbanos (redes viárias, infraestrutura, construção imobiliária), polarizando também os capitais envolvidos na produção de materiais. Seu peso econômico,

[13] É provável que Lessa tivesse razões objetivas para sustentar essa afirmativa, em razão do momento em que estava escrevendo (1977). Pode-se observar nesse momento uma mudança efetiva dos rumos da política econômica, cujo resultado ficou claro na queda da taxa de crescimento da economia no momento em que o trabalho era realizado, pois o crescimento do PIB declinou de 10 para 5% em relação ao ano anterior. O ministro Mário Henrique Simonsen assumiu um papel de destaque como condutor da política econômica e defendia uma proposta contracionista. Esse momento particular da trajetória do plano pode ter influenciado a análise do autor, levando-o a "carregar nas tintas" ao decretar a morte prematura da estratégia. Devo ao colega Francisco Lopreato a observação dessas circunstâncias.

quanto aos níveis de atividade e emprego, constrange o Estado a tornar interessante a atividade de construção imobiliária, pois, dado o caráter mercantil do capital aí aplicado, o mesmo reflui facilmente para outras aplicações especulativas. Esses pactos, agregados à necessidade de fornecimento de certos insumos industriais não passíveis de importação, determinam limites estruturais à composição do investimento público, aparecendo como segmentos pouco sujeitos à compressão energia elétrica, obras de transporte e investimentos urbanos.

Outra limitação estrutural, que bem demonstra até onde se pode mover o Estado desenvolvimentista, consubstancia-se na fragilidade das empresas estatais para conduzir a implantação do "novo padrão de industrialização". Esse ponto é decisivo, pois seriam os projetos-chaves implantados pelas estatais que gerariam a demanda derivada para a indústria nacional de bens de capital. Os constrangimentos impostos pelos interesses privados limitavam as possibilidades de financiar os vultosos investimentos das estatais. Tais empresas estavam desprovidas de fundos próprios, pois seus preços eram comprimidos de modo a transferir lucros potenciais para o setor privado e favorecer o combate à inflação. Tampouco tinham acesso a fundos do Tesouro, prioritariamente destinados ao setor privado, que, para evitar o "gigantismo" das empresas públicas, também vetou integrações verticais e horizontais, impedindo a redução de custos pelo barateamento de insumos, que continuaram a ser adquiridos com os produtores privados.

Encurraladas, as estatais frequentemente foram forçadas a buscar financiamento externo e a retardar seus cronogramas de investimento. Após um exaustivo relato da demorada "marcha dos insumos básicos", Lessa conclui que houve poucas áreas de harmonia, em poucos setores reinou paz e eficácia na obediência às diretrizes estratégicas e em poucos casos a constituição de empresas estatais ocorreu de forma mansa e pacífica (1998, p. 116). O recurso ao financiamento externo e a correlata (e inesperada) dificuldade em dobrar os parceiros externos determinaram atrasos e desvio da demanda de bens de capital para fornecedores também forâneos. A diluição no tempo e a redução na magnitude dos projetos implicaram a frustração do salto, impedindo a decolagem do "novo padrão de industrialização". Perdeu-se a simultaneidade ("de um só golpe") que promoveria a nova dinâmica intersetorial da indústria.

A redução e/ou atraso das metas "flexivelmente" programadas, que teve seu marco inicial em 1976, pegou a indústria nacional de bens de capital no contrapé. Suas empresas haviam se endividado e ampliado sobremaneira sua capacidade produtiva. Sua rentabilidade estava asfixiada. Além disso, os cortes semearam incerteza, "dissolvendo a confiança na certeza autoritária", e desgastaram a ditadura com um setor empresarial que ainda hesitava em fazer coro à grita antiestatal. Como bem assinalou Lessa, "O corte foi na dimensão do sonho de 1974, chegar ao Brasil-Potência, um novo Japão no início dos 80 [...] [O] descompasso entre a Estratégia e a história econômica possível; isto sim foi cortado em fins de 1976" (idem, p. 174).

Entretanto, a crítica ao superdimensionamento de metas deve ser relativizada. O texto do II PND informava então que:

> Evidentemente qualquer previsão está fortemente condicionada à evolução da situação mundial. [...] Está o Governo cônscio da dificuldade de manter taxas de crescimento da ordem de 10%, a partir de 1975, em face, principalmente, da plena capacidade alcançada no setor industrial, dos problemas relacionados com a crise de energia e escassez de matérias-primas, e de seus efeitos sobre o balanço de pagamentos. [...] Será necessário, conseguintemente, manter atitude flexível, avaliando ano a ano os resultados alcançados, para os ajustamentos indicados. Sem embargo, preferiu-se a preservação do crescimento acelerado, como política básica: para um

> país que ainda está construindo seu empresariado e sua estrutura industrial, um recuo pode significar violento traumatismo para a organização empresarial e a viabilização nacional para o desenvolvimento (BRASIL, 1974, p. 29).

É forçoso reconhecer, se admitimos o primado das expectativas e das decisões capitalistas sobre a dinâmica econômica, que "a crise que muitos pressentiam poderia ser deflagrada por um simples indício de que as expectativas do período anterior não se cumpririam" (CASTRO, 1985, p. 39). Nesse sentido, a sinalização ostensiva do II PND no sentido da continuidade do crescimento econômico provavelmente contribuiu para manter o estado de confiança empresarial.

Se essas considerações, por um lado, diluem o equívoco do superdimensionamento de metas, não devem obscurecer que a quebra do estado de confiança fora apenas retardada. Além disso, a assunção explícita da flexibilidade das metas parece deixar claro que desde logo estaria inviabilizado o salto para um "novo padrão de industrialização", na forma descrita por Lessa, pois qualquer flexibilização determinaria assincronias comprometedoras, como acabou ocorrendo.

Desorientada, endividada, penando com os elevados custos do dinheiro e "traída" em suas expectativas, a indústria nacional de bens de capital também não teve atendida duas principais reivindicações suas. A de "especialização" da produção por empresas, que lhes garantiria mercado a médio e longo prazo, com exclusividade, permitindo a adoção de maiores escalas e investimentos mais seguros em tecnologia. Foram forçadas a concorrer entre si para vender às estatais, que, encurraladas, fizeram valer suas posições monopsônicas. A outra reivindicação, de "unificação da política industrial", significava uniformizar as parcelas de equipamentos nacionais nas compras das estatais. Mas, como vimos, essas foram obrigadas, pelo constrangimento de outros interesses privados, a recorrerem ao financiamento externo, que trazia como contrapartida compras também externas de equipamentos, cujo montante variava em cada caso. Quanto à reivindicação anterior, é difícil acreditar que seu não atendimento se devesse apenas à tolice ideológica do "neocapitalismo", que deveria "preservar a concorrência". Contudo, parece não haver outra explicação.

A principal limitação estrutural que bloqueou a execução das metas almejadas foi a inadequação e a insuficiência do esquema de financiamento, a despeito das reformas realizadas e do fortalecimento do sistema de bancos de desenvolvimento, por ocasião do PAEG nos primeiros anos do regime militar. Sobretudo, a manutenção do arcabouço institucional do sistema financeiro privado, estabelecido na década anterior, tornou extremamente custosa a consecução dos projetos, consistindo na raiz da profunda crise financeira do Estado nos anos 1980. O "banquete" da especulação financeira foi preservado e potencializado. Articulando-se à política de curto prazo de elevação dos juros para o combate à inflação e à atração de capitais externos de empréstimo para equilibrar o balanço de pagamentos, gerou uma liquidez financeira volátil, avessa ao controle de políticas convencionais, e um passivo público tendencialmente explosivo.

A lógica perversa do "banquete" atuava no sentido de desvirtuar o horizonte de cálculo capitalista[14] e enfraquecia a (superestimada) capacidade do BNDE em induzir a alocação de recursos do sistema financeiro privado para as prioridades estratégicas. Além

[14] Assim, a despeito das condições que o FINAME estabeleceu, igualando os fornecedores nacionais de máquinas e equipamentos aos estrangeiros com os compradores, e não obstante também o fato de que a EMBRAMEC, assumindo participações acionárias nas empresas do setor de máquinas e equipamentos, reduzia a participação do investidor a 21% do investimento total - ainda assim, empresários reclamaram da falta de estímulo e apoio financeiro ao setor. De fato, o estímulo para investir será sempre relativo aos ganhos possíveis sem risco na especulação financeira, donde se conclui que a manutenção do "banquete" tornava ineficazes os instrumentos forjados para afetar o cálculo privado de valorização.

disso, o esquema de financiamento montado não cobriu a fonte mais importante de poupança privada, os lucros não distribuídos, fossem eles de empresas nacionais ou estrangeiras. Essa fonte não foi orientada para as prioridades estratégicas, enquanto permanecia posta e extremamente convidativa a mesa do banquete, não apenas para essa fonte, mas também para o ingresso especulativo de capitais externos, inviabilizando o controle da base monetária, senão através da emissão de títulos e da ampliação da dívida pública. Para evitar as desastrosas consequências do endividamento externo para o Estado desenvolvimentista teria sido necessário desmontar o banquete, o que não foi feito, refletindo as articulações socioeconômicas estruturais que sustentavam o pacto de poder.[15]

Do que foi dito, já é possível depreender as dificuldades enfrentadas pela empresa nacional, geralmente endividada, para atingir a grandeza almejada pelo II PND. Mas as dificuldades não se restringiram ao elevado custo do endividamento. O apoio à empresa privada nacional através da participação acionária do BNDE foi no mais das vezes rejeitado, na medida em que cerceava a política da empresa quanto ao controle acionário, seu grau de endividamento, sua administração e apropriação dos ganhos de produtividade. A tentativa de estimular a abertura do capital da empresa nacional também viria a demonstrar-se inconsistente com as condições reais dessa empresa. Tal abertura era na verdade desinteressante, pois implicava riscos à manutenção da posição vantajosa do controlador, já que a nova lei das S.A.s fortalecia os acionistas minoritários.[16] Além disso,

[15] Comentando a questão, Lessa considerou: "Não quero insinuar que os autores da Estratégia tenham pensado em tal banquete. A mesa já estava posta quando o II PND foi formulado. Seu equívoco foi pensar que por um ato de vontade poderiam colar seu austero projeto de Nação com o clima de banquete. A austeridade do II PND contrasta terrivelmente com a pangruélica acumulação financeira" (1998, p. 192).

[16] Conforme Lessa, os dirigentes do Estado pareciam crer que o motivo para o restrito crescimento das empresas privadas nacionais era a falta de capitalização. Por isso, passou a incentivar o mercado de capitais e a entrada de capitais de risco, "premiando" os investidores minoritários. O governo presumia que haveria interesse da empresa nacional em se capitalizar no mercado e

do lado dos aplicadores, inexistia a figura suposta do pequeno poupador, enquanto as importantes massas de recursos financeiros dos estratos de renda alta e dos setores superavitários dirigiam-se às cadernetas de poupança e à especulação financeira com títulos públicos, sem riscos.

A curto prazo, encurralou-se a empresa nacional. Tendo que rolar suas dívidas a custos crescentes, dispondo de crédito restringido e vendo estreitada a possibilidade de diluição de seus custos fixos, a empresa nacional ainda estava sujeita ao controle do Conselho Interministerial de Preços (CIP), que dificultava os repasses integrais de custos, em nome da distribuição dos ganhos de produtividade ao consumidor. Nesse quadro, lograva-se o oposto ao pretendido pelo sonho de grandeza do Governo para a empresa nacional, que, enfraquecida diante da concorrência de empresas estrangeiras, debatia-se para superar os percalços de um sonho vivido como pesadelo.

Por fim, as limitações estruturais também se fizeram sentir no tocante às relações com a empresa estrangeira e à inserção externa. Em geral, não foi possível "enquadrar" a empresa estrangeira, revelando-se ilusória a pretensão de dispor das "qualidades" do capital externo, como se pudessem ser internalizadas através de associações ou através da implantação de núcleos de P&D no país. A inserção externa, em que pese sua substancial alteração quanto a pautas e quantidades, manteve sua característica subordinada, passando a dívida externa a consistir o nexo fundamental.

---

que haveriam pequenos investidores dispostos a investir no mercado de capitais. Entretanto, não eram bem recebidos pelos empresários os "interesses sociais" que, em nome do "neocapitalismo", o governo impunha às empresas que se capitalizavam com recursos oriundos da FIBRASE, IBRASA e EMBRAMEC - empresas públicas criadas para agirem como investidores minoritários -, limitando os reajustes de preços para promover a distribuição dos ganhos de produtividade aos consumidores. Por outro lado, a criação da Comissão de Valores Mobiliários (CVM) e da nova lei das Sociedades Anônimas, com o intuito de potencializar o mercado de capitais, fez-se de modo a empoderar os acionistas minoritários, que estavam longe de ser pequenos investidores, pois eram fundos de pensão e conglomerados financeiros. Isso, segundo Lessa, contribuía para fomentar o sentimento de "estatização" da economia e a descrença em relação ao mercado de capitais como fonte de capitalização.

A avaliação de Lessa, quanto aos constrangimentos que o movimento da economia colocava às possibilidades de êxito na consecução de um "novo padrão de industrialização", parece correta, desde que se evite a caracterização do período 1974-1980 como sendo de reversão cíclica. É inegável que houve desaceleração do crescimento e que a reversão tornava-se inevitável, mas precisamente o fato de terem mantido-se significativas taxas positivas de crescimento do PIB, particularmente na indústria, refletiu o impulso gerado pelo conjunto de investimentos ensejados pelo II PND, que tiveram a virtude de retardar a reversão cíclica.[17]

As forças de reversão não deixaram, contudo, de se fazerem presentes na forma de desaceleração do crescimento, estreitando a margem de manobra na conciliação dos interesses socioeconômicos sustentadores do pacto desenvolvimentista e na condução da política de curto prazo. Os investimentos realizados ao final do "milagre" alcançavam sua maturação, inibindo novas inversões. As expectativas empresariais não poderiam mais ser sustentadas por muito tempo, de modo que, fora do raio do investimento público, as forças econômicas jogavam para a recessão, determinando uma instabilidade na taxa de crescimento e o surgimento de pressões inflacionárias típicas de uma economia oligopólica. As forças da reversão pressionavam no sentido de dificultar a compatibilização do equilíbrio externo e do combate à inflação com a manutenção do investimento público, a qual era realizada a custos crescentes, gerando um nível insuficiente e instável de compras das empresas estatais.

Os limites estruturais tendiam a aparecer como uma incompatibilidade entre tática e estratégia na condução da política econômica. Para conter a inflação, operavam-se cortes fiscais e a contenção dos reajustes dos preços públicos. A contenção de importações

[17] Entre 1968 e 1973, o PIB cresceu numa taxa real média de 11% a.a., alcançando 12 e 14% nos anos 1972 e 1973, respectivamente. Nos anos de 1974 a 1980, o crescimento médio foi de 7% a.a.

era dificultada pelas demandas implícitas na estratégia, o que, combinado ao serviço da dívida, passava a dificultar o equilíbrio externo. A busca dessa última meta tendia a provocar o retardo dos investimentos, a contenção das importações, comprometendo as metas estratégicas. Sobretudo, a busca de uma compatibilização desses objetivos, por meio da elevação da taxa de juros, alimentava em espiral a dívida externa-interna, expandindo a liquidez financeira, apontando para o desequilíbrio financeiro do Tesouro e a virtual inutilização dos mecanismos convencionais de política econômica.

Diante das articulações estruturais da economia e das forças latentes da reversão cíclica, o projeto da Nação-potência revelou-se inconsistente com a realidade da economia brasileira. Desse modo, em relação aos sonhos prussianos do Governo Geisel, é licito concluir com Lessa que "a mera vontade do Príncipe, não importa quão poderosa seja, não se sustenta em si mesma" (idem, p. 211). Não poderemos concluir da mesma forma, quando levarmos em conta, a seguir, as possibilidades colocadas para economia brasileira e, em relação a elas, avaliarmos a estratégia de 1974 e seus resultados. Além disso, não é certo que a ditadura militar possa ser considerada como "o Príncipe", nem tampouco parece aceitável que não importasse o quão poderosa fosse.[18]

Antes de abordar essa perspectiva, cabe assinalar ainda duas questões sobre a crítica de Lessa ao II PND. O fato é que a ideia de um "novo padrão de industrialização", do salto em seis anos é, antes de tudo, uma leitura que o autor faz do plano. Se observarmos o capítulo II do documento do II PND, veremos que não é injustificada a proposição de uma outra leitura, que tomasse como meta do plano nesse campo apenas a "consolidação de uma economia industrial moderna".[19] Nesse sentido, seria difícil negar o caráter moderno, in-

[18] Veja-se a respeito em Fernandes (1981). O tema será retomado na seção 4 deste trabalho.

[19] Isso representaria a presença dos setores pesados da indústria de bens de capital e de insumos

dustrial e consolidado da economia brasileira em 1980. A menos que se pretenda que completar a malha produtiva referente ao padrão da segunda revolução industrial seja muito pouco, diante da emergência da terceira. Mas então estaríamos voltando ao campo dos sonhos. A leitura de Lessa ainda assim é pertinente, porque acreditou-se que o país poderia conquistar o desenvolvimento socioeconômico através da implantação do II PND. Mas não cabia, em meados da década de 1980 e sem consideração com as estruturas da sociedade brasileira, considerar concretizado o pleno desenvolvimento do capitalismo industrial no país.

A outra observação diz respeito ao que parece ser um paradoxo, cuja compreensão pode lançar alguma luz sobre o ponto de vista de Lessa e suas limitações. Se o sonho do desenvolvimento e da Nação-potência era simples produto da vontade do Príncipe, seria ele, o sonho, uma referência adequada para julgar a efetividade macroeconômica e os impactos sobre a estrutura produtiva decorrentes de um acentuado esforço investidor que logrou preservar o crescimento por seis anos após o esgotamento do surto do "milagre"? Na verdade, essa é uma referência questionável para um julgamento tão definitivo sobre o II PND ainda em 1978. Presta-se à demonstração de toda sorte de inconsistências e, particularmente, ao desnudamento das bases do poder e dos limites que elas lhe impuseram, justificando-se à época, sobretudo como meio de desmascarar e enfrentar uma ditadura que debatia-se para subsistir, sufocando as manifestações sociais e suas aspirações genuinamente nacionais e democráticas, em nome de ideais mistificadores.

básicos, além dos demais ramos existentes, em condições tecnológicas atualizadas, porém sem a conotação, sugerida pela ideia do "novo padrão", no qual a liderança daqueles setores no processo de acumulação de capital assegura uma endogeneização plena dos determinantes da dinâmica capitalista pela economia nacional.

A estratégia em confronto com a realidade da economia brasileira

Vimos que o país não logrou a consecução dos "sonhos prussianos" mais ou menos explícitos do II PND. Estabelecer um "novo padrão de industrialização", atingir o desenvolvimento, articular um novo padrão de financiamento, endogeneizar o desenvolvimento tecnológico e rebalancear a "organização industrial" eram metas intangíveis no contexto da crise internacional e nos marcos do pacto desenvolvimentista. De fato, a consecução (ou pelo menos seu início) de algumas dessas metas implicava rupturas que não foram buscadas pelos governos militares e que confrontavam abertamente suas bases na sociedade civil. Se levarmos em conta as possibilidades da economia brasileira naquele momento, em meio à crise e aos problemas por ela suscitados, passamos a refletir num terreno evitado pela tese de Lessa: o normativo – isto é, o que deveria ser feito?

Nessa perspectiva, é possível vislumbrar que o II PND, bem ou mal, guardava correspondência com as necessidades reais da economia brasileira, tanto do ponto de vista da estrutura como da conjuntura.[20] Isso corresponde ao que Castro chama de "racionalidade econômica" da estratégia de 74. Ela funcionou como política anticíclica, encaminhando a indústria brasileira para uma nova configuração estrutural, ao enfrentar o atraso na constituição da indústria pesada, até então majoritariamente assentada nos bens duráveis.

O II PND trazia também uma percepção razoável da crise do petróleo e do novo contexto internacional, no qual se desenhavam os primeiros traços da desagregação da ordem econômica do pós-guerra, baseada na hegemonia norte-americana.[21] Sem negar que tivesse, na

---

[20] Do ponto de vista estrutural, chama a atenção o paralelismo entre os planos desenvolvimentistas do Governo de João Goulart e o II PND, como é destacado em Fonseca e Moreira (2012).

[21] Ver Teixeira (1993, parte I). Para esse autor, "o choque do petróleo assinala, no plano do significado, a reviravolta nas tendências de crescimento a longo prazo da economia mundial" (p. 41), mas suas

percepção da crise, uma justificativa para redirecionar o desenvolvimento industrial sem abalar a "sagrada" continuidade dos governos da "Revolução", parece que Lessa exagera ao desdenhar da crise do petróleo e ironizar a analogia com a crise dos anos 30[22], como se sua visão estivesse ofuscada pelo empenho em desmistificar o que seria apenas uma justificativa para a proclamação do projeto de Nação--potência nascido no interior do aparelho de Estado. Sem negar a eficácia da justificativa e a necessidade de sua desmistificação, o fato é que a ordem econômica mundial, como é sabido, sofreu graves abalos a partir de então, sendo a economia brasileira profundamente afetada.

O trabalho de Lessa traz interessantes transcrições e comentários a respeito da percepção da crise dos 1970 pelos governos militares. Há a identificação de muitos traços do contexto internacional que seriam a marca dos anos seguintes e que estavam apenas prenunciados.[23] O então ministro Severo Gomes pensava à época:

> Não é difícil reconhecer os sinais indicadores do fim de um longo ciclo econômico ou os prenúncios de uma época diferente. Na verdade, parece extinguir-se um período na vida da humanidade, iniciado no pós-guerra, em que o intercâmbio entre países, sobretudo os desenvolvidos de um lado e o mundo subdesenvolvido de outro, repou-

consequências "devem ser vistas no âmbito de um movimento de desestruturação mais amplo e mais profundo" (p. 46).

[22] Lessa (1998, p. 42) nos informa que Abreu e Malan captaram criticamente a identificação, subjacente ao II PND, entre a crise do petróleo e a crise de 29. A seguir, confirma essa identificação citando um artigo de Reis Velloso, de novembro de 1974, quem estaria "provavelmente lembrando trabalhos seus em Yale University". Fiori (1993, p. 142) faz uma analogia entre as situações externa e interna por volta dos anos 1930 e aquelas vigentes a partir dos anos 1970.

[23] Assim, a percepção do cenário mundial ainda antes da formulação da estratégia de 74 identificava: distensões no campo da política internacional e multipolarização econômica, que agregava ao antigo esquema bipolar EUA/URSS, o Mercado Comum Europeu, o Japão, a China e o Leste Europeu em desligamento da órbita soviética; essas duas dimensões emergiam ao final de um longo ciclo de prosperidade que "adensou" a economia internacional; subjacente a essa prosperidade teriam se acumulado indicadores de uma possível reversão, como a crise monetária internacional e os desequilíbrios no balanço de pagamentos dos Estados Unidos (LESSA, 1998, p. 39). Ver também no II PND (BRASIL, 1974, p. 25-7).

> sava na estabilidade monetária de um sistema comandado pelo dólar, e na disponibilidade de matérias-primas baratas, calcada num consenso de abundância de recursos naturais (Palestra do ministro da Indústria e do Comércio na Escola Superior de Guerra, 27.08.74, citado por LESSA, 1998, p. 27).

Da mesma forma, o discurso de Geisel anunciando o II PND ponderava sobre as dificuldades do planejamento num

> mundo que ainda não soube se refazer do complexo de crises que o assaltaram ao mesmo tempo, quase que inopinadamente: crise do sistema monetário internacional, crise de energia e de matérias-primas essenciais, crise de uma inflação endêmica, crise no comércio exterior [...] (BRASIL, 1974, p. 3).

O fato é que, mesmo tateando, sem saber ainda onde tudo aquilo iria levar, a percepção percorria o caminho certo. Naquele contexto externo, adotar uma política industrial que completasse a industrialização pesada, almejando maior autonomia ou autossuficiência energética e de insumos básicos era evidentemente um acerto. Era contudo um erro supor que a desagregação daquela ordem econômica traria facilidades. A multipolarização não abriu oportunidades, pois os "polos" (os novos "blocos econômicos") se fecharam para o mundo subdesenvolvido num duplo sentido: acentuando suas relações internas e suas relações recíprocas, num movimento de internacionalização com regionalização.[24]

Não será demais insistir acerca da dimensão do impacto a que foi submetida a economia brasileira a partir do primeiro choque dos preços do petróleo. O Brasil tinha 40% do seu balanço energético dependente do petróleo importado e seu preço havia quadruplicado. O poder de compra das exportações brasileiras (termos de troca) caíra

[24] Ver a respeito Santos Filho (1994, seção 5.1).

em 18%, simultaneamente ao crescimento da quantidade das importações em 35% e à retração de nossos mercados externos (SOUZA, 1985, p. 122). "Em última análise, estavam sendo questionados a estrutura produtiva, a inserção no comércio internacional e o próprio estilo de crescimento da economia" (CASTRO, 1985, p. 36).

Emergia a questão das opções a serem tomadas diante da nova realidade. Antônio Barros de Castro avalia essa questão de forma pertinente, segundo as possibilidades postas diante da conjuntura adversa. O simples financiamento ou ajustamento diante do desequilíbrio externo representavam saídas passivas, de efeito imediato e sem maiores ambições. No caso de simples financiamento, as soluções seriam evitadas e as consequências adiadas de modo irresponsável, sem nenhum ganho de longo prazo para o avanço industrial do país. No caso de ajustamento e contenção, as soluções seriam imediatas e o custo virtualmente catastrófico a curto e longo prazos. Diante do transtorno das contas externas, não se adotou um mero financiamento. Manteve-se o crescimento, financiou-se o "hiato de divisas", para lograr metas de reestruturação industrial que correspondiam a uma resposta de longo prazo à crise e ao avanço da industrialização. A curto prazo, a opção tomada tendia inclusive a agravar os problemas do balanço de pagamentos, que, nesse sentido, não pode ser considerado apenas como "problema tático".

Como já se indicou, o II PND cumpria também papel importante na estratégia de legitimação e institucionalização do regime militar. Ao evitar a retração da demanda mediante o ajuste recessivo clássico ou comprimir o consumo para sustentar o investimento, a opção pelo crescimento com endividamento preservava ao máximo os interesses domésticos que lhe davam sustentação (CARNEIRO, 2003, p. 56). A percepção de uma lógica política clara articulada à estratégia de 74, no sentido de garantir a legitimidade do regime, para que promovesse a transição lenta, gradual e segura para a democracia, não deve obscurecer a racionalidade econômica do II PND, consubstanciada na maior parte dos seus programas de investimento (FONSECA; MONTEIRO, 2008).

Considerando especificamente a opção pelo crescimento quanto aos impactos sobre o consumo de energia, não apenas o desenvolvimento da metalurgia e da petroquímica implicavam maior consumo de energia como também a manutenção dos padrões de consumo dos derivados de petróleo em nome da preservação do dinamismo da economia, com vistas ao êxito da estratégia, visando uma solução de longo prazo. Sem pretender avaliar tais questões "no varejo" e mesmo admitindo que teria sido melhor combinar algum tipo de contenção de consumo dos derivados, avaliando nos dias de hoje, as indicações são de que a política acertou "no atacado". A economia pôde crescer, as elevações de preços contiveram o consumo e financiaram a Petrobras. A política de pesquisa e prospecção de petróleo foi exitosa e ainda resultou em importantes conquistas tecnológicas na extração petrolífera em plataformas marítimas, pavimentando o caminho que levou às descobertas na camada pré-sal.

Admitindo que a estratégia de 1974 tornou possível a continuidade do crescimento e o desenvolvimento industrial em áreas até então não ocupadas pelo modelo desenvolvimentista, é forçoso reconhecer que, além de "olimpicamente desconsideradas" no plano do sonho, as articulações estruturais foram também enfrentadas pelos novos impulsos que a estratégia sobrepôs à estrutura socioeconômica e à dinâmica da economia. Como escreveu Lessa, as "medidas atritaram com blocos de interesse de peso na economia". Dentro de certos limites, a lógica das forças "espontâneas" de mercado, que até então impediam a complementação da indústria pesada e que no momento operavam no sentido da reversão cíclica, foi enfrentada pela estratégia.

No que se refere ao "descenso cíclico" presumível, não se tratava de assisti-lo. Se ele tornava impossível o salto pretendido, trazia também perspectivas sombrias que foram evitadas. O fato principal a partir do qual o II PND deve ser avaliado não é a limitação imposta pela reversão cíclica ao "agora vamos" com "tudo ao mesmo tempo agora". Hoje é possível observar que o fato principal foi que a reversão cíclica foi contrarrestada e retardada pela estratégia, que, por isso mesmo, colocava a economia brasileira em "marcha forçada".

Mesmo quando consideramos os cortes nos programas de investimento como reflexo das limitações impostas pela conjuntura ou, por outro lado, admitimos o conflito entre os "objetivos táticos" e a estratégia, algumas considerações se impõem. O programa de investimentos foi, na sua maior parte, preservado, apesar das dificuldades conjunturais, da oposição empresarial e a despeito da demora que seus resultados teriam. A estratégia não "submergiu" aos ditames de uma política de curto prazo, que significaria frear a expansão para ajustar o balanço de pagamentos e conter a inflação através de restrições monetárias globais, provocando a recessão. Ao contrário, no mais das vezes, a estratégia subordinou a política de curto prazo.

Referindo-se aos cortes de 1976 e ao desempenho da economia brasileira naquele período, Lessa (1998), numa das raras concessões que faz no seu texto e justamente quando avalia os resultados diante das possibilidades, admite que os desempenhos setoriais resultavam

> numa taxa positiva (se bem que declinante) do PIB, que em boa medida tem que ser imputada ao patamar de crescimento mantido pelo investimento público (LESSA, 1998, p. 174).
>
> Convenhamos que para um descenso cíclico interno num marco internacional de crise até que a economia brasileira neste período [1976-78] se saiu bem, medida pelos indicadores das frações dominantes na sociedade e na economia [?] (Idem, p. 176).

Para que isso se tornasse possível, o esquema de financiamento montado dobrou o montante de recursos do BNDE para financiar o setor privado, enquanto o setor público recorreu principalmente ao endividamento externo. As medidas inspiradas pela estratégia voltaram todo o sistema de incentivos do governo para a consecução das metas programadas, operando-se uma profunda reorientação dos fundos públicos e subsidiando-se em larga medida o investimento privado.

Vimos as críticas pertinentes de Lessa ao esquema de financiamento montado para o II PND, mas caberia acrescentar, que

> se o esforço de investimento para sustentar a estratégia geiseliana multiplicou e exponenciou as dificuldades financeiras da economia, o fez constrangido, em última instância, pelos parâmetros definidos nas reformas institucionais que pautaram, a partir dos anos 60, a política monetário-financeira do regime militar (FIORI, 1990, p. 55).

Se esse aparato já estava montado e o pacto desenvolvimentista – vale dizer, a força dos interesses dominantes constituídos – vetava o seu desarme e o fim do "banquete", deve-se admitir que, por melhor que fosse o emprego das divisas no período 1974-78, sua obtenção estava sendo financiada de modo muito prejudicial à saúde financeira do Estado. O recurso instrumental ao endividamento externo das estatais para a obtenção de divisas nesse período garantiu seu emprego segundo as prioridades estratégicas, mas tornou-as vulneráveis ao choque dos juros, tanto mais que, no período seguinte, continuaram sendo utilizadas as estatais para a obtenção de empréstimos externos que viabilizassem o equilíbrio do balanço de pagamentos, já então ameaçado pela conta dos juros.

É quase ocioso assinalar que, dentre as metas factíveis da estratégia, o "desenvolvimento social" foi negligenciado. Manteve-se o padrão socialmente excludente de crescimento econômico e de inserção subordinada dos subalternos na sociedade. A concentração da renda viu-se agravada. Demonstrava-se também aqui, mais uma vez, a natureza do pacto que sustentou o desenvolvimentismo.

Por outro lado, os projetos que envolviam a exploração de recursos naturais incorporaram efetivamente tais recursos à economia brasileira, porém não às regiões. Apenas difundiu-se um padrão de crescimento industrial excludente, como se São Paulo estendesse seus laços e seus traços pelos cantos do país, onde se instalaram "ilhas de modernidade" em meio a regiões descentradas do crescimento econômico.

Para concluir, cabe assinalar ainda um aspecto importante da estratégia que foi apontado por Castro. Trata-se do impacto da reorientação do crescimento industrial sobre a estrutura produtiva, no que se refere aos seus efeitos duradouros sobre a balança comercial e, como sugere Fiori (1993), no tocante à capacidade de resistência que conferiu à economia brasileira diante das tendências desindustrializantes que devastaram economias outras latino-americanas. É quanto a esse último aspecto que podemos considerar exitosa a meta estabelecida pelo II PND de "consolidar" uma estrutura industrial moderna. Essa conquista revelou-se, na década de 1980, uma "pedra no sapato" neoliberal. Se a forma de financiamento adotada fragilizou a economia e, diante do choque dos juros, tendeu a destruir o Estado desenvolvimentista, foram os avanços logrados na estrutura industrial que permitiram à economia brasileira transferir renda líquida ao exterior em escala inusitada. Todavia, essa transferência reflete também decisões de política econômica que lhe são contemporâneas e não pode ser imputada integralmente aos contratos de dívida firmados nos anos 1970.[25]

[25] Nesse sentido, cabe assinalar que uma opção soberana de política econômica deveria ter considerado a possibilidade da moratória e de articulação entre os devedores. Ver a respeito Castro

As novas substituições de importação propiciadas pela maturação dos grandes projetos, à diferença do processo clássico do pós-guerra em que se repunha o estrangulamento externo, realizam-se de uma vez por todas. Dada a característica dos bens substituídos, o ganho de divisas se consolida, permitindo que se possa perceber os novos traços da estrutura econômica nos superávits comerciais que o país colheu desde os anos 1983-84 até meados da década seguinte e, mais recentemente, com o *boom* das commodities na primeira década do século XXI.[26]

Os resultados positivos que assinalamos estão longe de atenderem as diretivas centrais identificadas por Lessa. Desse ponto de vista, o dos "sonhos prussianos", o II PND pode efetivamente ser qualificado como um "fracasso". Entretanto, não é exagero considerar os resultados concretos obtidos como sendo o máximo que a sociedade brasileira poderia atingir, dados os contextos internacional e sociopolítico interno da época. Se esse "máximo" aparece como um "mínimo" diante do salto pretendido, isso se deve ao exagero das pretensões. É descabido, portanto, considerar como mera retórica a última experiência brasileira de política articulada de desenvolvimento industrial e que atingiu expressivos resultados.

A identificação desses resultados não autoriza, entretanto, a avaliação de Castro segundo a qual "A indústria deste país, além de apresentar sinais ostensivos de competitividade internacional, teve as suas deficiências estruturais literalmente superadas" (1985, p. 81) e sua ideia de que "o parque manufatureiro aqui existente não mais cabe – sequer como caso-limite – dentro do perímetro do subdesenvolvimento" (idem, p. 82). Essa avaliação, limitando-se a

(1983).

[26] Isso não autoriza, contudo, o conceito equívoco de "superávit estrutural" através do qual a visão de Castro se vulgarizou. Mesmo que a estrutura da economia tenha se alterado, qualquer superávit irá depender sempre das características mutáveis do conjunto dos mercados internacionais em que o país transaciona, quanto ao seu volume de negócios, sua composição e sua organização.

considerar apenas "o potencial das forças produtivas que estão aí" (idem, p. 9) – e mesmo nesse terreno superestimando a internalização da geração tecnológica –, desconhecia a profundidade da crise financeira do Estado e a necessidade de levar em conta as articulações sociais que podem fundar ou solapar a possibilidade do desenvolvimento econômico.

Ao ignorar tais aspectos, essa avaliação não consegue identificar a falência do pacto social que sustentou até 1980 o desenvolvimento e desobriga-se de investigar a viabilidade de uma nova articulação de forças socioeconômicas que permitiria a reforma do Estado e a retomada do desenvolvimento. Tudo se passa então como se a retomada do crescimento pudesse brotar das "forças produtivas que estão aí" sem a mediação das classes sociais. Torna-se então impossível compreender porque o "potro em veloz arrancada"[27] acabou se saindo um "trôpego pangaré" na chamada "década perdida" da economia brasileira.

Estado, sociedade civil e mercado na implosão do "pacto desenvolvimentista"

A tese de Lessa demonstrou o deslocamento do Estado em relação às suas bases de sustentação na economia e na sociedade, ao buscar a implantação do II PND. Na verdade, ao confrontar-se com essas bases, que constituem o pacto desenvolvimentista e definem o campo das possibilidades de ação do Estado, a ditadura não as enfrentou radicalmente. Isso não lhe era possível, como demonstra Lessa ao narrar as limitações que se impuseram à implantação do II PND. Portanto,

[27] Expressões utilizadas em Castro e Souza (1995, p. 9).

> [O Regime] não percebeu que seu autoritarismo era consentido pelos grandes pactos, não percebeu que a empresa estatal é um dos instrumentos dos pactos soberanos, não percebeu que ele mesmo, Estado, é um instrumento do movimento maior da economia. Nem o Estado, nem as empresas estatais têm a autonomia pensada pelo II PND (LESSA, 1998, p. 154).

Na medida em que se debateu contra esses "pactos", a ditadura perdeu apoio na tope da sociedade civil. Contudo, as contradições dessa relação indicam que as frações dominantes na sociedade civil devem ser referidas tanto à democracia como à ditadura (FERNANDES, 1981).

O Estado, sob o Governo Geisel, ao levar o modelo de desenvolvimento ao extremo, conduzindo fielmente o propósito desenvolvimentista, desgastou-se num duplo sentido: (i) quanto às suas capacidades de gestão macroeconômica e de condução do processo de acumulação nacional, em vista da preservação dos inadequados instrumentos fiscais e monetário-financeiros, que propiciaram a dinâmica autodeterminada e retroalimentada da dívida pública externa/interna, conduzindo à falência do instrumento maior, o próprio Estado desenvolvimentista; e (ii) quanto às suas capacidades políticas de legitimação e comando sobre a sociedade, pelo deslocamento relativo do Estado de suas bases na sociedade civil, as quais percebiam-no escapando de suas mãos. Assim, as circunstâncias que forjaram o "fracasso" identificado por Lessa eram as mesmas que enunciavam o esgotamento de um modelo de desenvolvimento, a falência do Estado desenvolvimentista e a desagregação de seu pacto de sustentação.

Esse autor, desvelando as inconsistências do II PND, descreveu adequadamente a maneira como a ditadura se enxergava:

> [...] aqui está uma visão do Estado construtor e doador à Sociedade de um modelo denominado Neocapitalista. Uma clara especialização: o Estado como sujeito e a So-

> ciedade como objeto. O estado é um escolhedor de uma taxa de crescimento, de um sistema de preços relativos, da gradual constituição de um mercado de massas, etc.; é um protetor (dos fracos e pequenos); é portador de uma ética e um juiz (diferenciando bons de selvagens comportamentos); é um demiurgo (constituindo ou fortalecendo a grande empresa nacional); é o sujeito racional e de visão (produtor das estratégias de médio e longo prazo) (1998, p. 29).

Eis aqui a descrição de uma visão do Estado conforme o positivismo político, uma visão cuja crítica perpassa toda a tese de Lessa. Essa visão esteve, com maior ou menor força, presente em todo o período de vigência do modelo desenvolvimentista, notadamente com Vargas e Geisel, quando assumiu as dimensões de um sonho prussiano de genuína construção nacional (FIORI, 1990). Uma visão que se conjugou perfeitamente com a particular autonomia que o Estado desenvolvimentista deteve em todo o período, desde seus primórdios, quando da crise de hegemonia social aberta em 1930 (DRAIBE, 1985).

A crítica a essa visão não deve encobrir a eficácia que teve para a condução desenvolvimentista do Estado e, portanto, da economia. Como das matrizes ideológicas do desenvolvimentismo, o positivismo político exerce um papel construtivo, pois contribui para os fundamentar e legitimar a condução pelo Estado do processo de desenvolvimento, assumindo sempre um papel decisivo, que muitas vezes lhe conferiu efetivamente uma dimensão demiúrgica nesse processo, atuando para realizar objetivos situados além dos horizontes das classes dominantes. Nesse sentido, foi positivo para o desenvolvimento capitalista no país que certas elites conservadoras, inclusive os militares, nunca tenham sido liberais, e sim autoritárias, positivistas.

Lessa critica essa visão porque ela coloca a sociedade como objeto, enquanto o autor assume a perspectiva da democracia, do primado da sociedade sobre o Estado. Rejeitando a centralização autoritária, Lessa formula uma crítica irônica do autoritarismo, denunciando a adoção do paradigma militar na relação do Estado com a sociedade civil.[28] A ditadura aparece aí como "Príncipe", o "Alto Comando", o "comandante supremo". Entretanto, em nenhum momento, o Estado e seu comando ditatorial estiveram "pairando no ar". Não se tratava, pois, do "Príncipe". Era na própria sociedade, que Lessa pretende defender, que se encontravam as bases sociais do poder do Estado.

Antes de fundamentar essas proposições, cabe considerar a crítica formulada por Castro à visão de Lessa, já que, salvo melhor juízo, ela padece dos mesmos problemas na percepção das relações entre Estado-ditadura e sociedade civil. Castro afirma que

> a caracterização feita por Lessa, segundo a qual a estratégia de 74 coloca "o Estado como sujeito e a sociedade como objeto" é enganosa. Há aqui um deslize através do qual a sociedade vem a ser identificada com o mercado. O Estado surge na estratégia de 74, inegavelmente como sujeito – mas o objeto é, antes que nada, a economia, ou se se quiser, o mercado. O equívoco seguramente provém de que naquele momento o Estado também era – ostensivamente – o sujeito no plano político. E, aqui sim, o objeto era a sociedade (1985, p. 46-7).

Embora essa crítica pareça estar na pista certa, quanto às relações entre Estado e mercado, ela apresenta os seguintes problemas.

Primeiro, como fica claro na discussão que faz sobre os "pactos" que limitam a ação do Estado, Lessa diferencia sociedade e mercado, identificando na inspiração positivista do regime uma "visão da História como um projeto do Estado que tem controle sobre a Sociedade e a Economia" (1998, p. 82). Tratam-se, nessa perspectiva, de "objetos" distintos a serem comandados pelo mesmo "sujeito". Assim,

[28] Veja-se suas *Reflexões sobre o estilo do II PND* (LESSA, 1998, cap. 1.7).

o problema básico da percepção de Lessa não é confundir sociedade e mercado. Quanto a isso, ele somente se confunde quando sua percepção é ofuscada por um outro erro, esse sim básico.

Segundo, em primeira instância não é Lessa que está fazendo a referida caracterização, mas esse é o modo como a ditadura se enxerga. Lessa denuncia essa visão, mas, e esse seu erro básico, aceita a dicotomia formulada, parecendo querer inverter seu sentido: a sociedade deveria ser o sujeito.

Terceiro, Castro, mesmo destacando corretamente a dicotomia entre Estado e mercado e assinalando as virtudes da intervenção estatal, também aceita essa dicotomia ilícita entre Estado e sociedade. Em consequência, o que Castro nos informa na sua crítica a Lessa é o seguinte: no plano político, o Estado é sujeito e a sociedade objeto. Já no plano econômico, o Estado é sujeito e o mercado objeto. Se não fosse um equívoco, seria apenas um truísmo.

Para restabelecer alguma inteligibilidade às relações em questão, cabe seguir o pensamento de Florestan Fernandes (1981). Segundo ele:

> Não se pode dissociar o Estado, o governo e a sociedade. Se isso fosse feito, não se poderia entender as origens, os limites e as funções do Estado, e como este, enfim, é determinado socialmente e se transforma historicamente, e como o governo surge e cresce como uma forma política destinada a reproduzir, a defender e a impulsionar a evolução progressiva (ou regressiva) de certo tipo de Estado (p. 10).

A posição assumida por Lessa conduz a uma correlação de mão única: sociedade civil e exigência da democracia. No entanto, as forças sociais dominantes na sociedade civil gerada pelo desenvolvimento capitalista no século passado, puseram em marcha uma contrarrevolução prolongada e, através dela, forjaram um "Estado autocrático burguês" e sua forma de ditadura política. São forças que até então não se dissociavam de modo pronunciado daquela contrarrevolução e da ditadura, à qual continuavam a dar aval político, suporte de classe e sentido histórico. Por isso, a correlação de mão inversa – sociedade civil e ditadura – não pode nem deve ser negligenciada (FERNANDES, 1981, p. 15-6).

Para Florestan Fernandes, a forma ditatorial, recorrente na trajetória do desenvolvimentismo, encontra sua explicação na circunstância de que as frações dominantes das classes burguesas resistem à aceitação dos fatos históricos. Ou seja, querem impedir que as transformações que o próprio desenvolvimento capitalista provocou na composição e estrutura da sociedade civil contem historicamente. No pós-64, essa tentativa redunda na concessão à esfera estatal da condição de porta-voz "acima das classes" da sociedade civil.

Enquanto os estratos burgueses que têm peso e voz na sociedade civil lograram manter, através da ditadura, sua dominação de classe,

> a ditadura encontrou um "consenso nacional" (claro que se trata de um "consenso" que se forma no tope da sociedade civil, isto é, na média dos referidos estratos burgueses) bastante sólido e duradouro para que ela funcione "acima das classes", ou seja, para que a ditadura conte com autonomia suficiente para arbitrar e comandar no lugar daqueles estratos e segundo seus interesses (idem, p. 15).

É esclarecida assim a fonte histórica e a natureza ilegítima da autonomia relativa da ditadura. Ela não pairava realmente "acima das classes" e sua autonomia relativa oscilara de tal modo que passava a ameaçar o tipo de "consenso nacional" do qual surgira. Pois a ditadura compensara a falta de apoio num efetivo consenso nacional pelo crescimento anômalo de seu poder absoluto. Segundo Fernandes

(1981, p. 17-8), isso significava que "o controle burguês da ditadura escapou, de várias formas, dos grupos dirigentes mais ativos da sociedade civil e que a autonomia relativa da ditadura cresce sem cessar".

A crise dessa forma de dominação burguesa manifestou-se nas reprovações plebiscitárias da classe média e na impossibilidade de circunscrever o crescente protesto operário. A expansão e diferenciação do regime de classes forjou uma realidade histórica nova, indicando que a ordem burguesa não podia mais ser mantida à força dentro dos parâmetros traçados entre o escalão militar e o escalão civil dos "círculos empresariais".

Diante disso, crescia o desgaste político da ditadura dentro de seus próprios muros,

> como se sua queda, como uma "necessidade política racional", fosse algo tácito para os setores dirigentes das classes dominantes que sempre a apoiaram e ainda prolongam sua existência. Esses setores se acham confusos. Devorados pelo monstro que inventaram e produziram, não têm ao alcance da mão outra saída segura. Veem-se compelidos a selar uma segunda aliança, na esperança de que da costela da ditadura nasça o seu complemento político, a apregoada "democracia pela qual sempre ansiamos" (FERNANDES, 1981, p. 7-8).

Assim, o empresariado, por mais descontente que estivesse com a ditadura, ainda dependia dela para ter garantias de estabilidade social. Almejava-se então a "volta à normalidade", segundo um padrão de transformação lenta, gradual e segura.

Desse ponto de vista, o II PND não foi a vontade do Estado que buscou se impor sobre a sociedade, uma vez que esse Estado se assenta aí mesmo, na sociedade civil. Dadas as suas bases e a autonomia que lhe conferiam, pôde formular e executar políticas que contrariaram a lógica do mercado e que, reversivamente, o colocaram em confronto com suas próprias bases. Confronto que não obscurece o sentido histórico, seja do Estado desenvolvimentista, seja da própria ditadura, pois nem o "sonho prussiano" efetivou-se como construção nacional, nem houve ruptura democrática, e a ditadura pôde conduzir a sua transição, para a tranquilidade do grande empresariado nacional.

Lessa percebe bem a natureza original do que chamou de "rebelião empresarial" contra a presença do Estado na Economia: "na verdade, refletia a insatisfação de distintas frações de interesses quanto ao manejo do Estado" (1998, p. 137). De fato, se a presença do Estado na condução da economia é maior ou menor pouco importa, desde que seja manejado para esses interesses. Da mesma forma, não se trata de um súbito interesse democrático do empresariado nacional. "O arbítrio é aceitável e com frequência bem-vindo, se colado aos interesses concretos" (idem, p. 157).

Tendo estabelecido isso, é surpreendente que venha a afirmar que a campanha empresarial foi mudando de natureza: "Do tema da Estatização caminha-se para a crítica ao autoritarismo". Bastaria uma singela consideração dos principais episódios políticos no país na segunda metade dos anos 1970 para atestar que o autoritarismo era posto em xeque por outros atores que entravam em cena e que não era a campanha empresarial que mudava de natureza, tratando-se já de outra campanha. Portanto, a partir do equívoco original em aceitar a dicotomia entre Estado-ditadura e sociedade civil, Lessa confunde agora os atores e suas aspirações. A ideia da campanha empresarial que muda de natureza para questionar o autoritarismo sugere que os setores burgueses de inclinação autocrática, que eram a base de sustentação social da ditadura, estavam se tornando democráticos.

Na verdade (e a tese de Lessa não favorece a compreensão desse aspecto), a estratégia desenvolvimentista com o II PND estava, até certo ponto e como reflexo da autonomia consentida à ditadura, conduzindo a economia à revelia das decisões dos capitais individuais, ao aprofundar a industrialização pesada. E somente até certo ponto, justamente porque esbarrava nos interesses constituídos que lhe conferiam seu sentido histórico. Se havia indignação não era porque o grande empresariado nacional descobrira que o regime era uma ditadura, mas porque essas frações se viram perigosamente deslocadas, penalizadas em sua rentabilidade, levadas pela política econômica e não senhoras dela. O desgaste da ditadura com as suas bases no empresariado se acumula e se acelera justamente quando se está buscando, num momento muito difícil e sob inúmeras restrições externas, interferir no processo de acumulação, reorientar o investimento, atuar sobre o arbítrio do capital – daí a grita contra a "estatização".

A perspectiva de uma crítica democrático-liberal à ditadura, ou (se quisermos) o ponto de vista do liberalismo político, obscurece a percepção dos interesses em jogo e não permite que se faça o "corte" adequado. A clivagem não era entre Estado-ditadura e sociedade civil, mas, sim, dentro da própria sociedade civil, em que os setores dominantes, parteiros e beneficiários da ditadura, viam-se perplexos diante de sua crescente autonomização e sua ineficácia para conter a manifestação dos interesses da outra parte da sociedade civil.

A questão, portanto, é que Lessa, ao separar sociedade civil e ditadura e colocar-se do lado da primeira contra a segunda, tem sua visão ofuscada. Só percebe a mística do "milagre" nas atitudes do "Príncipe benevolente e arrojado considerando sua opção magnífica" (1998, p. 124). Vê o "Príncipe" ditando à sociedade as diretrizes do desenvolvimento e trata de mostrar a fragilidade e a inconsistência dos ditames. Envolvido pela dicotomia Estado/sociedade, não consegue reconhecer que o Estado também submeteu o mercado, muito menos avaliar de que forma e em que medida. Em suma, não se permitia reconhecer o êxito corrente do desenvolvimentismo em contrapor-se às tendências históricas da atrofia industrial e às correntes da reversão cíclica.

Entretanto, seu ponto de vista favorece a compreensão da relação inversa, em que o Estado permanece limitado pelas estruturas sociais. Assim, enuncia na última página de sua tese

> [o] mais basilar dos equívocos dos quais o II PND é pródigo: a expansão da base industrial e os poderes à disposição do Estado não são pré-condições para, por um ato soberano, infletir o padrão. A industrialização brasileira se processa dentro de um padrão de desenvolvimento associado. [...] Base industrial e Estado são criaturas do próprio padrão (LESSA, 1998, p. 291).

Desse ponto de vista, pode-se concluir que o principal equívoco da estratégia não reside em suas diretrizes econômicas, tratando-se de um equívoco de percepção política. Isto é, ao contrário do que presumira o II PND, o Estado não teria capacidade política, vale dizer, poder sobre os agentes internos e externos que determinam a acumulação de capital que conduziria à transformação do próprio padrão industrial existente. Equívoco que se presta ao desenlace da coalizão política predominantemente conservadora que por longos anos sustentou o modelo desenvolvimentista.

Segundo Fiori (1995), as críticas liberais ao Estado desenvolvimentista desconsideram que essa coalizão contou sempre com o apoio dos partidários do liberalismo econômico.

> Como também parece desconsiderar-se o fato de que, antes da crise dos anos oitenta, o desenvolvimentismo alcançou extraordinário sucesso em seu objetivo industrializante. E com isto consegue-se desviar a atenção teórica e política de que a crise final percorreu entropicamente o mesmo caminho do sucesso, como acabou atingindo, paradoxalmente, o seu próprio demiurgo, em um movimento cuja complexidade objetiva dificulta distinguir causas e efeitos (FIORI, 1995, p. 125).

Se o Estado desenvolvimentista foi predominantemente autoritário, não foi forte o suficiente para escapar da condição de prisioneiro dos interesses do pacto sociopolítico que lhe deu sustentação e que acabou por conduzir à sua destruição. A fragilidade desse Estado manifesta-se na sua debilidade financeira e fiscal, mas tem raízes políticas, resultando dos limites impostos pelos interesses à autonomia decisória do próprio Estado. Ele sempre foi fraco diante das demandas econômicas e políticas das oligarquias vinculadas ao atraso e dos grandes capitais, que adquiriram vantagens monopólicas sem se comprometer com a produtividade ou a qualificação da mão de obra. "Esta fragilidade política do Estado obrigou-o a fugir permanentemente para frente e pelos caminhos de menor resistência, criando uma estrutura industrial altamente desenvolvida, porém sem autossustentação financeira e tecnológica" (idem, p. 137).

A implantação do II PND correspondeu à antessala da dissolução do pacto desenvolvimentista. Os arranjos institucionais e os compromissos financeiros necessários para levar a cabo os propósitos industrializantes vulnerabilizaram de tal modo o Estado que, após o choque dos juros em 1979 e a moratória mexicana em 1982, observou-se a crise fiscal do setor público e a virtual ingovernabilidade macroeconômica, sem que houvesse então alguma possibilidade de fuga para frente. Além disso, a emergência de novos atores sociais – como o "sindicalismo autêntico", questionando de forma radical e moderna a continuidade do padrão de industrialização com baixos salários e não aceitando mais a tutela sindical e salarial do Estado –, a radicalização democrática das classes médias urbanas e o veto antiestatista dos empresários, sobretudo paulistas, representavam transformações da estrutura social e política, bem como novas aspirações culturais que desarticulavam as bases do modelo desenvolvimentista.

Nesse sentido, o II PND explicita o dilema do Estado desenvolvimentista brasileiro: faltou-lhe força suficiente e, desde logo, uma base social que lhe permitisse executar suas tarefas sem comprometer sua preservação material e institucional.

> Premido entre a necessidade de comandar a "fuga para frente" necessária à soldagem de um conjunto extremamente heterogêneo de interesses e a necessidade de se submeter ao veto que esses mesmos interesses faziam à "estatização", propiciou, por um lado, a ordem, os subsídios, os insumos e a infraestrutura, sendo impedido, por outro lado, de realizar a monopolização e a centralização financeira. Foi a manutenção das regras desse pacto que [...] obrigou o endividamento responsável pela forma financeira da crise vivida nos anos 80 pelo Estado desenvolvimentista (FIORI, 1990, p. 58).

Considerações finais

O II PND deve ser considerado como a mais importante experiência de planejamento lograda pelo modelo desenvolvimentista no Brasil. Representou também o momento derradeiro da funcionalidade desse modelo. Momento no qual todas as possibilidades da economia brasileira diante da crise foram exploradas, dentro dos limites estabelecidos pelas relações de poder que sustentavam o desenvolvimentismo.

A crise econômica, cujas dimensões estavam apenas parcialmente colocadas em 1974, pôs em xeque a ordem econômica internacional. Esse processo articulou-se internamente com o esgotamento de uma sólida e excludente articulação de interesses que suportou o desenvolvimento industrial brasileiro, impulsionado pelo Estado desde os anos 1930. Enquanto esses dois processos ainda eram incipientes, a implantação do II PND permitiu um passo derradeiro na industrialização pesada tardia brasileira, conferindo-lhe um êxito que a distingue de todas as experiências latino-americanas e bloqueia o retrocesso da desindustrialização. Esse mesmo êxito, contudo, só tornou-se possível por meio da aniquilação do principal agente de toda trajetória industrializante: o Estado desenvolvimentista. O avanço daqueles dois processos culminou na grande crise histórica da sociedade brasileira, que se inicia nos anos 1980.

No passo derradeiro que representou o II PND, o Estado desenvolvimentista brasileiro atingiu o paroxismo, conduzindo à realização da maior parte dos objetivos do plano, em especial a transformação da estrutura produtiva nacional. O fracasso do plano em superar a condição brasileira de subdesenvolvimento não deve obscurecer que o II PND permitiu o aproveitamento de oportunidades rentáveis de expansão e acumulação capitalista em setores novos ou pouco desenvolvidos.

> Do ponto de vista dos benefícios alcançados pela indústria nacional, o setor de papel e celulose encontrou condições de aproveitamento de oportunidades no mercado externo e desenvolveu-se tecnologicamente. A indústria química/petroquímica deu saltos de produtividade, permitindo levar a industrialização à periferia do território econômico brasileiro. A siderurgia estendeu sua atuação para segmentos de maior valor adicionado, como os laminados. A indústria de bens de capital diversificou-se e nacionalizou-se, mostrando inventividade na busca de soluções para atendimento da demanda dos projetos prioritários (PINTO, 2004, p. 77-8).

Apesar da ambição das metas então concebidas, boa parte dessas oportunidades foram efetivamente aproveitadas. O que somente foi possível pela ação do Estado desenvolvimentista, que viabilizou, mediante a centralização de recursos públicos de longo prazo e de um eficiente aparato administrativo, um pequeno conjunto de grandes projetos de investimento (PINTO, 2004). O governo de Geisel fez o que se propusera: manter taxas de crescimento elevadas e redirecionar o desenvolvimento da indústria nacional. Politicamente, havia imobilizado os setores "linha dura" do regime e conduzira o General Figueiredo à Presidência. Havia selado assim o caminho para a distensão política preconizada por ele quando assumira o poder.

> A solução "heterodoxa" empreendida pelo Governo Geisel – mas típica do Estado desenvolvimentista, de ajuste pelo crescimento, pela diferenciação produtiva e pela desconcentração regional do sistema produtivo (esta não tão usual) – funcionou como um colchão de proteção, que reduziu o impacto político negativo do desequilíbrio externo sobre a estratégia de institucionalização do reme autoritário. A heterodoxia evitou o acirramento das tensões políticas que resultaria de uma reação "de mercado" ao estrangulamento externo (SALLUM JR., 1996, p. 5-51).

As reflexões anteriores permitiram uma apropriação crítica das avaliações formuladas por Lessa e Castro a respeito do II PND, de modo a indicar acertos e limitações de cada perspectiva. Nesse sentido, a posição de Lessa falha pela ausência de uma percepção do II PND na perspectiva da história da industrialização brasileira, afastando o autor de uma avaliação realista da estratégia de 74, para além dos "sonhos prussianos" do Governo Geisel. Ao medir o "fracasso" com a régua do "sonho", consegue descortinar toda sorte de inconsistências, o que faz com brilhantismo (e fôlego!). As limitações de seu posicionamento decorrem principalmente de sua posição contemporânea ao processo e de sua crítica democrático-liberal à ditadura, que não lhe permitem perceber o caráter "positivo" – aprofundamento da industrialização – da resposta dada à crise do petróleo, induzindo-o a isentar-se de julgamentos normativos.

A posição de Castro consegue avaliar, do ponto de vista do desenvolvimento capitalista nacional, a estratégia econômica implantada pela ditadura militar, não em suas ambições, mas em sua concretude. Embora perceba, por essa via, o caráter "positivo" da resposta formulada pela estratégia de 74 às novas condições do contexto internacional, fixa-se apenas nas potencialidades do aparato produtivo, ignorando a questão das bases sociais que condicionam o desenvolvimento econômico. Primeiro, ao não perceber que a subordinação do mercado pelo Estado foi limitada pela amplitude e heterogeneidade do pacto desenvolvimentista, o que implicou um terrível ônus à consecução dos êxitos do desiderato industrializante, materializado na crise financeira do Estado. Segundo, ao supor que as potencialidades materiais do aparato produtivo seriam capazes de suprir a inexistência de um novo arranjo social capaz de sustentar o retorno do crescimento econômico, imaginando uma resolução relativamente simples e rápida para a desestruturação do setor público. Parece que os problemas desse posicionamento decorrem em larga medida do caráter normativo das proposições do autor, que busca assim fazer crer na viabilidade material do retorno ao crescimento econômico.

Percebe-se, assim, que ambos os autores incorrem em alguma forma de idealismo. Lessa porque julga o II PND apenas a partir do "sonho". Castro porque julga os resultados do II PND e as potencialidades da economia brasileira tendo em vista apenas o aparato produtivo. As considerações realizadas neste ensaio buscaram revisitar as grandes análises de Lessa e Castro e pretenderam ir além tanto do ceticismo profundamente irônico do primeiro quanto do otimismo eventualmente ingênuo do segundo.

O esgotamento do desenvolvimentismo e de seu pacto de sustentação traduziu-se na falência econômica e política do Estado, o que se manifestou numa situação prolongada de ingovernabilidade (FIORI, 1995, p. 124). A crise dos anos 1980 continha, portanto, uma dimensão histórica, não conjuntural, resultando de um longo processo de transição entre uma forma de organização e desenvolvimento capitalista que se esgotou e um novo modelo a ser construído.

Se o II PND conseguiu realizar em larga medida suas metas e transformou a estrutura da indústria nacional, isso ocorreu devido à ousadia da estratégia de ajuste com endividamento externo que o viabilizou. Mas essa opção pelo crescimento, nas condições financeiras em que se realizou, agravou os problemas monetários e financeiros, relativos à inflação e às dívidas pública interna e externa (HERMANN, 2005, p. 107). A opção e sua forma possível de realização revelam a força e a fraqueza do Estado desenvolvimentista brasileiro.

Seguindo as proposições de Sallum Jr. (1996), podemos afirmar que o regime militar e, com ele, o Estado desenvolvimentista brasileiro, de perfil autoritário, encontraram seus limites, de um lado, nos movimentos originados nos centros dominantes da economia internacional – que, em sequência, facilitaram o endividamento de países periféricos, determinaram a elevação da taxa de juros e suspenderam o acesso desses países ao crédito externo – e, de outro, nas manifestações nítidas da massa dos assalariados e da classe média em favor da democratização (SALLUM JR., 1996, p. 61), concomitante à completa dessolidarização dos principais grupos empresariais da indústria nacional em relação ao regime militar.

As evidentes dificuldades de articulação do Estado com os principais setores do empresariado industrial, em especial aqueles que eram considerados os principais parceiros privados nacionais na estratégia (indústria de bens de capital), revelam os limites da capacidade política do Estado. Da mesma forma, revelam-se os limites das capacidades técnica e administrativa, bem como política, do Estado nas suas contradições internas, no entrechoque de políticas de estabilização e metas de desenvolvimento, no descompasso das ações entre as esferas federal e estadual e entre as diretrizes gerais e as decisões "autônomas" das empresas estatais. As limitações desse Estado desenvolvimentista também dizem respeito à sua (in)capacidade (política) de regular a sociedade, na medida em que o novo padrão de organização da sociedade civil e suas práticas colocavam diretamente em xeque essa capacidade, ao flexibilizar os controles corporativos tradicionais (SALLUM JR.; 1996, p. 54-58). Tais limitações indicam o que Sallum Jr. definiu como o "anacronismo do Estado desenvolvimentista" (e do regime militar), em vista do descompasso entre a complexidade crescente da sociedade brasileira e os mecanismos de representação e cooptação políticas então existentes (1996, p. 58), descompasso que também se evidenciou nos mecanismos e procedimentos de formulação e execução das políticas macroeconômicas e de desenvolvimento, especialmente da política industrial.

A autoridade do regime militar e o caráter predominantemente autoritário do Estado desenvolvimentista brasileiro não foram capazes de impor ou construir um efetivo consenso entre as forças sociais em condições de redefinir a economia e transformar a sociedade brasileira. A complexidade dessa sociedade e o florescimento de novas aspirações culturais, que incluem os direitos individuais e a democracia, mas também o desenvolvimento e a justiça social, determinaram o anacronismo do Estado desenvolvimentista autoritário. Desde então, o amadurecimento desses processos veio a colocar à sociedade brasileira, desde o final dos anos 1980, o desafio de construir um novo tipo de Estado desenvolvimentista, de caráter democrático, capaz de operar como instrumento de ação coletiva da sociedade, conduzindo a formação de consensos e organizando as capacidades coletivas e individuais para a consecução de finalidades nacionais de desenvolvimento humano.

REFERÊNCIAS

BRASIL, República Federativa. *II Plano Nacional de Desenvolvimento, 1975-1979*. (s.n.t.), 1974.

CARNEIRO, R. *Desenvolvimento em crise*: a economia brasileira no último quarto do século XX. São Paulo: Editor UNESP, IE-UNICAMP, 2002.

CASTRO, A. B. *A viabilidade da moratória unilateral*. Rio de Janeiro, IEI/UFRJ, 1983. (Texto para discussão nº 33.)

_____. Ajustamento X Transformação. A economia Brasileira de 1974 a 1984. In: CASTRO, A. B.; SOUZA. F. E. P. Ob. cit., 1985.

CASTRO, A. B.; SOUZA. F. E. P. *A economia brasileira em marcha forçada*. Rio de Janeiro: Paz e Terra, 1985.

_____. No limiar do crescimento: problemas e pseudoproblemas. In: _____. Ob. cit., 1985a.

DRAIBE, S. *Rumos e metamorfoses*: um estudo sobre a constituição do Estado e as alternativas da industrialização no Brasil, 1930-1960. Rio de Janeiro: Paz e Terra, 1985.

FERNANDES, F. Crise ou continuidade da ditadura? In: _____. *A ditadura em questão*. São Paulo: T. A. Queiroz, 1981.

FIORI, J. L. Sonhos prussianos, crises brasileiras – leitura política de uma industrialização tardia. *Ensaios FEE*, Porto Alegre, 11(1): 41-61, 1990.

_____. Ajuste, transição e governabilidade: o enigma brasileiro. In: TAVARES, M. C.; FIORI, J. L. *(Des)ajuste global e modernização conservadora*. Rio de Janeiro: Paz e Terra, 1993.

_____. Para uma economia política do Estado brasileiro. In: _____. *Em busca do dissenso perdido*: ensaios críticos sobre a festejada crise do Estado. Rio de Janeiro: Insight, 1995.

FONSECA, P. C. D.; MONTEIRO, S. M. O Estado e suas razões: o II PND. *Revista de Economia Política*, 28(1), janeiro/março 2008, p. 28-46.

FONSECA, P. C. D.; MOREIRA, C. S. O projeto do Governo Goulart e o II PND: um cotejo. *Revista da SEP*, Rio de Janeiro, n. 31, 2012.

HERMANN, J. Auge e declínio do modelo de crescimento com endividamento: o II PND e a crise da dívida externa (1974-1984). In: GIAMBIAGI, Fábio *et al.* (Orgs.) *Economia brasileira contemporânea (1945-2004)*. Rio de Janeiro: campus, 2005.

LESSA, C. *A estratégia de desenvolvimento 1974-1976*: sonho e fracasso. Campinas: UNICAMP, 1998.

______. *Quinze anos de política econômica*. São Paulo: Brasiliense, 1981.

MELLO, J. M. C. *O capitalismo tardio*. São Paulo: Brasiliense, 1982.

PINTO, M. A. C. O BNDES e o sonho do desenvolvimento: 30 anos da publicação do II PND. *Revista do BNDES*, Rio de Janeiro, v. 11, n. 22, p. 51-79, 2004.

SALLUM JR. B. *Labirintos*: dos generais à Nova República. São Paulo, Hucitec, 1996.

SANTOS FILHO, O. C. *Coreia do Sul* versus *Brasil:* a industrialização tardia e periférica. São Paulo: Nobel, 1994.

SERRA, J. Ciclos e mudanças estruturais na economia brasileira do pós-guerra. In: BELLUZZO, L. G. M.; COUTINHO, R. (Orgs.) *Desenvolvimento capitalista no Brasil:* ensaios sobre a crise, v. 1. São Paulo: Brasiliense, 1982.

SOUZA, F. E. P. Metamorfoses do endividamento externo. In:

CASTRO, A. B.; SOUZA. F. E. P. Ob. cit., 1985.

TAVARES, M. C. *Ciclo e crise*: o movimento recente da industrialização brasileira. Campinas: IE-UNICAMP, 1998.

TEIXEIRA, A. *O ajuste impossível*: um estudo sobre a desestruturação da ordem econômica internacional e seu impacto sobre o Brasil. Tese de Doutoramento. Campinas, IE/UNICAMP, 1993.

CULTURA POLÍTICA Y REPRESIÓN POLÍTICA:
EL CASO DEL PARTIDO COMUNISTA DE CHILE[1]

Rolando Alvarez Vallejos[2]

Desde fines de la primera década del siglo XXI, el Partido Comunista de Chile ha recuperado progresivamente parte de su tradicional protagonismo político que tuvo durante gran parte del siglo XX. En la actualidad, sus dirigentes estudiantiles han estado a la cabeza de las movilizaciones que los años 2011 y 2012 han demandado el fin de las agudas injusticias sociales generadas por el sistema educacional chileno. En el movimiento sindical tiene una sólida presencia en la Central Unitaria de Trabajadores (CUT), principal órgano de los trabajadores del país, la cual encabeza desde el año 2012. Además, es la primera fuerza en gremios muy poderosos, como el Colegio de Profesores y la Confederación de Trabajadores del Cobre. El año 2010, luego de 36 años de exclusión, el PC volvió a tener presencia parlamentaria, gracias a la elección de tres diputados comunistas. Todo esto se complementa con su papel en la articulación de un amplio referente opositor al actual gobierno de derecha encabezado por el empresario Sebastián Piñera. Esto le ha permitido importantes acuerdos unitarios con las principales fuerzas de izquierda y centro.

[1] Este texto sintetiza las principales hipótesis que hemos desarrollo en nuestros libros *Desde las sombras. Una historia de la clandestinidad comunista, 1973-1980*, Stgo, Lom, 2003 y *Arriba los pobres del mundo. Identidad y cultura política del Partido Comunista de Chile entre democracia y dictadura. 1965-1990.* Stgo., Lom 2011. Doctor en Historia, académico de la Universidad de Santiago de Chile.

[2] Doctor en Historia, académico de la Universidad de Santiago de Chile.

De esta forma, sin renunciar a su simbología tradicional (su nombre, la bandera roja, la hoz y el martillo) y a su historia ligada a la suerte del movimiento popular chileno, el PC chileno se las arregló para celebrar el año 2012 cien años de existencia.[3] Durante su existencia, ha sobrevivido a tres períodos de clandestinidad, incluyendo la brutal represión de la dictadura del general Pinochet (1973-1990), que desplegó un aparato represivo destinado a exterminar físicamente a los dirigentes comunistas. Además, ha sufrido fuertes derrotas políticas, como la caída del régimen de la "Unidad Popular", encabezado por el socialista Salvador Allende entre 1970 y 1973 y el fracaso de la estrategia que intentaba derrocar a la dictadura de Pinochet. Asimismo, debió hacer frente al cisma que significó para la izquierda marxista mundial, la caída del socialismo real y el fin de la Unión Soviética. Con una larga tradición de adhesión a la URSS, el PC chileno parecía que perdía su sentido histórico cuando a comienzos de 1990 el campo socialista se desplomó como un castillo de naipes. En fin, el PC debió enfrentar un aislamiento político durante casi 20 años (1990-2010), en donde sus críticas al modelo neoliberal parecían no hacer mella al sistema político y económico imperante en el país.

En este contexto, ¿cómo se explica la vigencia política del Partido Comunista de Chile?, ¿cómo logró sortear la traumática experiencia de la dictadura militar de Pinochet, en donde la muerte y la tortura puso en jaque su destino?; además, ¿cómo se explica su vigencia a pesar que ciertas decisiones políticas a fines de la década de los ochenta y principio de los noventa, los relegó del escenario político nacional?. De acuerdo a nuestra hipótesis, la cultura política del PC chileno, a pesar de ser corrientemente caricaturizada como rígida, dogmática e inflexible, en momentos críticos de su historia, ha

[3] En junio de 1912 se fundó el Partido Obrero Socialista (POS), que diez más tarde cambió su nombre por el de Partido Comunista de Chile. El POS nació en la nortina localidad de Iquique, puerto de salida del salitre, actividad económica que originó a la clase obrera chilena. Ver Sergio Grez, *Historia del comunismo en Chile. La era de Recabarren (1912-1924)*. Santiago de Chile, Lom, 2011.

sufrido modificaciones significativas, que le han permitido adaptarse a nuevas condiciones políticas y sociales. Es decir, desde nuestro punto de vista, el PC chileno se caracterizó durante el siglo XX por una poseer una arraigada y característica cultura política. Sin embargo, y al contrario del supuesto conservadurismo comunista chileno, su cultura política ha sido lo suficientemente plástica como para cambiar cuando las circunstancias así lo demandan. De esta manera, el PC chileno ha combinado a lo largo de su historia continuidad y cambio, más allá de la etiqueta de dogmatismo político que siempre se le ha asignado.

En este artículo ejemplificaremos esta dinámica transformadora de la cultura política comunista, analizando la experiencia de la resistencia del PC durante la dictadura militar del general Pinochet. Durante aquellos, en particular desde 1980, los comunistas chilenos pasaron de ser el partido más moderado de la izquierda chilena, a intentar encabezar la tarea de derrocar al dictador, creando para ello el más grande y sofisticado aparato militar que haya tenido la izquierda chilena en todo el siglo XX. En efecto, hasta 1973, el PC había sido la organización que rechazaba con mayor rigor la vía insurreccional y la lucha armada como vía para alcanzar el socialismo. Esto le valió que la "nueva izquierda" inspirada por la Revolución Cubana, los tildara, tal como ocurría en otros países, con la despectiva denominación de "reformismo". Mucho menos de una década después, hombres y mujeres comunistas se enrolaban en la llamada "Tarea Militar", que abarcó desde la formación de militares profesionales en los países socialistas, pasando por el desarrollo de un brazo armado, llegando hasta la conformación de milicianos populares entre los habitantes más pobres de las principales ciudades del país.

La perspectiva de este artículo busca alejarse de las versiones de la historia política que miran desde una óptica rígida y mecánica las decisiones y opciones de los partidos políticos. En este sentido, descartamos los supuestos automatismos y disciplinas ciegas de los militantes, o la también supuesta decisiva intervención de potencias extranjeras, como Cuba, la RDA o la Unión Soviética. Estimamos que estos planteamientos no pueden dar cuenta de la inmensa complejidad del drama que vivió la izquierda chilena – y dentro de ella el PC- luego del golpe de estado de 1973. Fue un drama político, humano y existencial, que remeció los cimientos de su cultura política y generó las bases para "pensar de otra manera" la forma de ser comunista en Chile. Comprendiendo de manera amplia y multifacética la crisis que padeció la izquierda chilena después del golpe de 1973, se pueden entender de mejor manera sus transformaciones y decisiones durante los álgidos años de la dictadura militar.

I

Para entender la profundidad del cambio político que el PC de Chile realizó a partir de 1980, al reivindicar la violencia como instrumento protagónico de su accionar político, es necesario indagar sobre el papel que jugó este partido en el sistema político chileno. En primer lugar, luego de su fundación, marcada por las persecuciones y la primera ilegalidad (1927-1932), el PC se incorporó al nuevo sistema de partidos que surgió en el país a partir de esta última fecha. Como ha sido señalado, la estructura de este sistema fue triádico, en donde la derecha y la izquierda estaban claramente delimitadas, compuestas por dos partidos cada uno de ellos. Con fuerte acento ideológico, marcado en el caso de la izquierda por la definición marxista de los partidos Comunista y Socialista, nunca realizaron alianzas o alguna forma de co-gobierno. Por ello, el centro se convirtió en el eje político que dotaba de gobernabilidad al sistema, pactando alianzas, en momentos distintos, con la derecha o la izquierda.[4] Este esquema

[4] En esta parte nos hemos basado en Tomás Moulian, *La forja de ilusiones. El sistema de partidos, 1932-*

permitió que las fuerzas de izquierda tuvieran un importante protagonismo a nivel parlamentario y social. Esto se tradujo en que el país vivió un proceso progresivo, aunque no lineal, de profundización de la democracia política y social, junto con el despliegue de una amplia influencia cultural de las fuerzas progresistas y de izquierda. En este aspecto, la influencia comunista fue muy importante. Es más, a pesar de que el PC fue proscrito y sus militantes perseguidos y encarcelados entre los años 1948 y 1958, no abandonó su línea institucionalista. Las tendencias radicalizadas, que plantearon formas de lucha armada, fueron purgadas a principios de la década de los cincuenta.[5] Así, la segunda ilegalidad comunista no significó una ruptura con la línea moderada y de masas de los comunistas chilenos.

En segundo lugar, los comunistas chilenos tuvieron desde principios de la década de 1930 y 1973, la típica línea política etapista, característica en gran parte de los partidos comunistas durante el siglo XX. Desde esta óptica, las principales tareas de la izquierda eran cumplir las tareas de la "revolución democrático burguesa", en alianza con el supuesto sector "progresista" y "nacional" de esta fracción de la clase dominante. Por este motivo, los "enemigos principales" del desarrollo nacional eran el imperialismo norteamericano, los terratenientes y los grandes monopolios nacionales. Estos planteamientos fueron importantes al conectarse a la propuesta del dirigente socialista Salvador Allende Gossens, lo que permitió articular en 1969 el programa de la coalición izquierdista "Unidad Popular" (UP), triunfadora en las elecciones presidenciales de 1970.

Sin embargo, como ha sido señalado por algunos investigadores, en este aspecto no radicó la principal novedad política aportada por

---

1973. Santiago de Chile, ARCIS-FLACSO, 1993.

[5] Sobre este período, María Soledad Gómez, "Factores nacionales e internacionales de la política interna del Partido Comunista de Chile (1922-1952), en Augusto Varas (compilador), *El Partido Comunista en Chile*. Santiago de Chile, CESOC-FLACSO, 1988 y Manuel Loyola, "Los destructores del partido. Notas sobre el reinosismo en el Partido Comunista de Chile", en *www.izquierdas.cl*.

los comunistas a la sociedad chilena. Por el contrario, el PC, a pesar de que su "vía pacífica" triunfó electoralmente en 1970, no profundizó en los problemas teóricos del socialismo. En efecto, los comunistas no desarrollaron una teoría propia sobre cómo resolver positivamente la relación entre socialismo y democracia. A pesar de su indesmentible papel a favor del desarrollo de la democracia en Chile, los comunistas no profundizaron, cegados por su pro-sovietismo, sobre como vincularían su existencia en la nueva sociedad socialista.[6]

En tercer lugar, la principal singularidad de los comunistas chilenos se relacionó con su fuerte inserción de masas, lo que los convirtió en integrantes indispensables no solo de la política nacional, sino que de la cultura, las artes, las ciencias y la música del país. La vocación de masas del PC tuvo un momento clave en 1964, año en que el candidato de las fuerzas de izquierda, Salvador Allende, fue derrotado por el demócrata cristiano Eduardo Frei Montalva. En contra de la moda impuesta por la Revolución Cubana y sectores radicalizados de la izquierda en Chile, los comunistas chilenos optaron, a pesar de la dolorosa derrota electoral, reafirmar su línea política institucionalista. A partir de 1965 comenzaron a hablar de la "vía no-armada" al socialismo, que consistía en profundizar su inserción en las luchas sociales, no descartando participar en huelgas y tomas de terrenos ilegales. Eso si, siguieron descartando enfáticamente cualquier tesis política que planteara formas de lucha armadas, por considerarlas inviables para la realidad del país.

Es así como durante el ciclo comprendido entre 1965 y 1973, el Partido Comunista de Chile vivió su mejor etapa en la historia polí-

[6] Al respecto, ver Augusto Samaniego, "Origen de una larga política. Informe de Carlos Contreras Labarca al X Congreso del Partido Comunista de Chile, 1938", en Manuel Loyola y Jorge Rojas, *Por un rojo amanecer. Hacia una historia de los comunistas chilenos*. Stgo, Impresora Valus, 2000; Jorge Vergara, "El pensamiento de la izquierda chilena en los sesenta. Notas de investigación", en A. Varas (compilador), op.cit. y Tomás Moulian, "La vía chilena al socialismo: Itinerario de la crisis de los discursos estratégicos de la Unidad Popular", en Julio Pinto (editor), *Cuando hicimos historia. La experiencia de la Unidad Popular*. Stgo, Lom, 2005.

tica, social y cultural del país. Fue el período en donde el PC alcanzó mayor hegemonía tanto al interior del sistema político, como en la sociedad chilena. En las elecciones parlamentarias de marzo de 1973, alcanzaron el porcentaje electoral más alto de su historia (17,1%), aumentado su número de parlamentarios. Consolidó su hegemonía al interior del movimiento sindical y estudiantil, en donde sus militantes eran algunos de los presidentes de las principales organizaciones de estos sectores. Disputaba palmo a palmo la conducción del movimiento campesino y de los "sin casa" a otras fuerzas políticas, tanto de centro como de izquierda. Contaba con un periódico cotidiano, capaz de competir en tiraje con los medios de comunicación tradicionales. Poseía una red nacional de emisoras, con numerosos auditores. Destacaba por su fuerte hegemonía en el mundo de la cultura: en la música, los cantantes Violeta Parra y Víctor Jara o grupos como Inti Illimani y Quilapayun, transformaron para siempre la canción folclórica chilena. En las letras, el vate Pablo Neruda obtenía el Premio Nobel de Literatura en 1971, convirtiéndose en el gran símbolo de la cultura comunista. En las artes plásticas, el teatro, la literatura, el periodismo, la presencia comunista era destacada. Esta influencia se vio coronada cuando el 4 de septiembre de 1970, en su cuarta postulación, el candidato de la UP Salvador Allende logró acceder a la presidencia de la nación. Este triunfo electoral pareció darle la razón histórica a las posiciones comunistas, consolidándolos como un actor político y cultural fundamental en el país.

En cuarto lugar, el golpe de estado de 1973, tal vez el hecho político más importante de la historia de Chile en el siglo XX, finalizó abrupta y dramáticamente la experiencia de la UP. La dictadura militar que se instauró a partir de esa fecha, prometió, según sus propias palabras, "extirpar el cáncer marxista", es decir, terminar con la influencia política de la izquierda y su proyecto anticapitalista. Para ello, combinó a lo largo de su mandato dos herramientas. Por un lado, desarrolló un complejo aparato represivo, a través de los que desarrolló el terrorismo de estado para exterminar físicamente a los dirigentes y militantes de izquierda y a través del fomento del terror colectivo, desmovilizar a la sociedad. La peor etapa de la represión fue la que protagonizó la Dirección de Inteligencia Nacional (DINA) entre los años 1974 y 1977, que se caracterizó por el empleo de brutales técnicas de tortura, el asesinato, la desaparición de los cuerpos, la infiltración y la delación como técnicas represivas. Este organismo fue responsable del secuestro y desaparición de dos direcciones clandestinas del PC, ocurridas en mayo y diciembre de 1976. Según cálculos del propio PC, el 80% de los integrantes de las direcciones clandestinas fueron secuestrados y hechos desaparecer. Paralelo a estos sucesos, fue secuestrada e infiltrada la dirección de las Juventudes Comunistas (JJ.CC.) Fueron los peores episodios represivos de la historia del PC chileno. Los años siguientes no volvería a recibir golpes tan severos, pero la vida clandestina se hizo permanente y la represión siempre representó un peligro muy latente.

Derrotada rápidamente la izquierda, el supuesto peligro subversivo que esta representaba dejó de ser un factor que justificara la prolongación del régimen militar. Por este motivo, se buscó una nueva base legitimante, la que se basó en la implementación del proyecto neoliberal. Este, a nivel celular, intentó resocializar a la sociedad chilena, extirpando la política y despolitizando a los chilenos. Los principales enemigos del nuevo modelo eran las organizaciones sociales, sindicales y políticas. Se creó una institucionalidad que los debilitaba y así, en base a una sociedad de consumo e individualista, se trató de crear una nueva cultura hegemónica, la cultura neoliberal.[7]

Dentro este marco histórico se desenvolvió la historia del Partido Comunista desde la década de los sesenta y hasta fines de los ochenta. La cambiante radicalidad de las experiencias vividas en un

[7] Verónica Valdivia, "¡Estamos en guerra, señores!". El Régimen Militar de Pinochet y el "pueblo", 1973-1980", en *Historia* nº 43, 2010.

lapso de tiempo tan corto, ayuda a comprender las modificaciones de su cultura política.

II

Para captar la magnitud y los alcances de la metamorfosis que vivió el Partido Comunista de Chile en tiempos de la dictadura militar, es necesario entender las características de la cultura política comunista antes de 1973, cuando se iniciaron los aciagos años del régimen de Pinochet. La estructura partidaria funcionaba alrededor de algunos principios fundantes, que la articulaban dogmáticamente de manera permanente.

El "marxismo-leninismo" era considerado una verdad revelada, preñado de una concepción metafísica, que lo visualizaba como un "conocimiento científico", que por lo tanto nunca cambiaba. Tenía un núcleo "científicamente verdadero", infalible, por lo tanto las discusiones sobre teoría eran desde los bordes de ese núcleo hacia fuera. Por su parte, la línea política del partido, como había sido elaborada en base a una teoría supuestamente infalible desde el punto de vista científico, nunca estaba equivocada y por lo tanto, nunca cambiaba. Si existían discordancias entre la realidad y las tesis políticas de "la línea", no era culpa de ésta, sino que de sus aplicadores. Respecto a los dirigentes, casi nunca cambiaban, porque como eran expresión de una línea siempre correcta, sus posiciones eran incuestionables. Hacerlo significaba cuestionar "la línea" y "al partido". La actividad de los intelectuales se remitía a una boba pedagogía, basada en ser meros difusores de la "verdad revelada". Su papel estaba lejos de ser polemistas o debatir o elaborar teoría. Por último, la "unidad del partido" era el principio rector que movía a todo militante comunista, por lo que las disidencias no eran toleradas. Como lo señalara el dirigente Luis Corvalán, quien fuera Secretario General (máximo dirigente) del PC chileno entre 1958 y 1989, los comunistas preferían "estar unidos en el error que separados por la verdad". En este esquema, no se concebía dudar que la Unión Soviética y los países integrantes del bloque socialista constituían el modelo de sociedad socialista para el futuro de la humanidad.

Pero junto a estas verdades dogmáticas, comunes al Movimiento Comunista Internacional, el PC chileno poseía unas características que lo hacían singular respecto a sus llamados "partidos hermanos". Destacaba su origen histórico, que lo unía a la génesis del movimiento obrero chileno, en los primeros años del siglo XX. El movimiento popular chileno hunde sus raíces a mediados del siglo XIX, cuando el sector artesanal dio origen a las organizaciones de "socorros mutuos" o "mutualistas". Estas encarnaron el núcleo inicial de las futuras organizaciones obreras, heredándole un proyecto democratizador y de regeneración del pueblo. La clase obrera chilena surgió en la década de 1880, luego que el Estado chileno se anexionara, gracias a la llamada "Guerra del Pacífico" contra Perú y Bolivia, las regiones salitreras de Tarapacá y Antofagasta. Las organizaciones sindicales que surgieron en esta zona fueron receptoras del anarco-sindicalismo y el socialismo, decisivos en la politización del "bajo pueblo" chileno. [8]

De esta forma, a principios del siglo XX se produjo una síntesis de la experiencia de politización obrera, que ha sido denominada como la "cultura obrera ilustrada" chilena. Esta se caracterizó por plantear una "civilización para todos", más incluyente que la restrictiva fórmula oligárquica. Se basaba en el fomento de la educación popular, expresada en diversas actividades, como el teatro, bibliotecas,

---

[8] Sergio Grez, *De la "Regeneración del pueblo" a la huelga general. Génesis y evolución histórica del movimiento popular en Chile (1810-1890)*, Stgo, DIBAM-RIL, 1997; Sergio Grez, *Los anarquistas y el movimiento obrero. La alborada de "La Idea" en Chile, 1893-1915*. Stgo, Lom, 2007; María Angélica Illanes, *Chile Des-Centrado. Formación socio-cultural republicana y transición capitalista (1810-1910)*, Stgo, Lom, 2003 y Julio Pinto, *Desgarros y utopías en la pampa salitrera. La consolidación de la identidad obrera en tiempos de la cuestión social (1890-1923)*. Stgo. Lom, 2007.

periódicos, imprentas y, en general, a métodos de lucha pacífica. Así, se "regeneraría" el pueblo, arrancándolo de la enajenación a los que lo sometía el alcohol, los juegos de azar y los prostíbulos. Luis Emilio Recabarren, fundador del Partido Obrero Socialista (POS) en 1912 y que diez años después cambió su denominación por la de Partido Comunista de Chile, fue uno de los principales representante de esta cultura obrera ilustrada, común a las organizaciones populares chilenas, independientemente que su ideología estuviera más o menos cercana a corrientes anarquistas o socialistas. [9]

Como ha sido señalado, esta perspectiva de buscar el cambio social desde la base, con un método que privilegiaba el convencimiento individual de las personas, basado en un amplio activismo pedagógico y politizador, fue la principal originalidad histórica del Partido Comunista de Chile.[10] La raíz democrática de su accionar, nacido en la práctica concreta del movimiento obrero, marcó su vocación de masas, unidad amplia y búsqueda de consensos sociales y políticos. El contacto permanente con la base social, obligó al comunismo chileno a desarrollar importantes dosis de pragmatismo en su relación con las demandas de las personas, lo que matizó la rigidez proveniente de su dogmatismo teórico.

A lo largo del siglo XX, la vinculación entre el mundo social y el mundo político fue lo que caracterizó al movimiento popular chileno. La imbricación entre partidos políticos de izquierda y de centro con las organizaciones sociales (sindicales, estudiantiles, territoriales), originaron un particular modo de relación entre lo social y lo políti-

[9] Ver Eduardo Devés Valdés, "La cultura obrera ilustrada y algunas ideas en torno al sentido de nuestro quehacer historiográfico", en *Mapocho* nº 30, 1992.

[10] En este sentido, Jaime Massardo señala que el carácter revolucionario del comunismo chileno radicó en su intento de "cambiar la vida", contra el sentido común dominante de la elite, por medio de instancias culturales alternativas y no en su ideología, calcada al marxismo economicista y evolucionista de la II Internacional. Jaime Massardo, *La formación del imaginario político de Luis Emilio Recabarren. Contribución al estudio crítico de la cultura política de las clases subalternas de la sociedad chilena*. Stgo, Lom, 2008.

co. Lo importante, en este sentido, fue que la izquierda chilena tuvo una estrecha relación, no exenta de dificultades y problemas, con la génesis y desarrollo de los movimientos sociales que surgieron a lo largo del siglo XX.

III

Con el golpe de Estado de 1973, el Partido Comunista de Chile se sumió en la más profunda y larga crisis política y cultural de su centenaria historia. El fin de la "experiencia chilena", la llamada "vía chilena al socialismo", no solo generó cuestionamientos a la línea política del PC, sino que también otros problemas de índoles existenciales, relacionados con la subjetividad del militante comunista. Aspectos que estaban muy arraigados en la cultura comunista hasta 1973, fueron puestos en tela de juicio.

La fulminante derrota de la Unidad Popular pilló desprevenidos a los militantes comunistas, confiados en pertenecer a una entidad que sostenía contar con la "razón histórica" de su lado. El golpe de Estado demostró la existencia de unos dirigentes falibles y de un partido derrotado. Como lo señalara un integrante de su Comité Central en una reunión realizada en 1977, a raíz de la traumática experiencia vivida, "nunca más me quedaré callado" ante dudas u opiniones que discordaban de la línea oficial.

Por su parte, la represión política contra el PC tuvo múltiples efectos. La mencionada desaparición física de gran parte de sus dirigentes nacionales durante los primeros años de la dictadura, provocó un obligado recambio generacional. Así, entre los años 1977 y 1978 dirigentes comunistas de base, desconocidos para los organismos represivos y para la opinión pública del país, se hicieron cargo de la Dirección Interior del Partido Comunista. Durante esos años, todos los dirigentes nacionales que habían sobrevivido a la represión pinochetista, se encontraban en el exilio, especialmente en las ciudades de Berlín y Moscú. En este contexto, surgió una abierta crítica contra la Dirección en el exilio del PC, porque desde dentro del país se les cuestionaba que "mandaban desde lejos", sin conocer la realidad concreta que vivían los chilenos. En ese sentido, se les reprochaba que los comunistas, luego de años de feroz represión, no eran capaces de responder de manera "más activa" a los organismos de seguridad del régimen militar. Fue a través de esta experiencia concreta, de la cotidianeidad de la represión, de la conciencia de la cercanía de la muerte, que se desarrolló la justificación del uso de la violencia en la política. Una materia que estaba lejos del horizonte político de los comunistas hasta septiembre de 1973, unos pocos años más tarde, la experiencia de la vida cotidiana clandestina la puso a la orden del día. Por ello, estimamos que parte significativa de la reflexión que provocó la metamorfosis de la línea política del PC bajo la dictadura militar, respondió sobre todo a un momento emocional, marcado por la traumática experiencia de la clandestinidad y la represión, más que a uno más propiamente intelectual.

Mientras esto pasaba en el interior del país, en el exilio se registraba una serie de hechos y situaciones que serían fundamentales para el cambio de línea del PC. A los pocos meses del golpe de Estado, el Movimiento Comunista Internacional, especialmente desde Moscú y Berlín, criticaron lo que llamaron "la excesiva confianza del PC chileno en la institiucionalidad". Altos dirigentes soviéticos plantearon a los chilenos que "toda revolución debe saber defenderse", criticando la pasividad del proceso chileno. Con estas críticas, el PC quedaba a la derecha del M.C.I. Por otro lado, la militancia comunista repartida por el mundo, experimentó la humillación del exilio. Por primera vez les tocaba vivirlo, pues en períodos represivos anteriores no habían sido tan permanentes como en esta ocasión. Así, el peso de la conciencia obligaba a los comunistas a luchar cada día contra la dictadura. [11]

A nivel internacional, durante el ciclo comprendido entre 1974 y 1980, la lucha armada aparecía como una fórmula eficaz para derrotar a los gobiernos dictatoriales. La caída del Imperio Portugués y la "Revolución de los Claveles" en Portugal, mostraba a un Partido Comunista a la cabeza de los sectores más radicalizados. El triunfo de Vietnam en 1975, la participación de las fuerzas armadas cubanas en conflictos armados en África, la Revolución Iraní en 1979, el triunfo de los sandinistas en Nicaragua el mismo año y el nacimiento del Frente Farabundo Martí para la Liberación Nacional (FMLN) – con destacada participación del PC salvadoreño- ponían lo militar en el centro de gravedad de la política. En otro plano, durante la década de 1970 surgió entre los poderosos partidos comunistas occidentales, encabezados por los de Italia, Francia y España, el llamado "eurocomunismo". Este se caracterizó por su fuerte crítica al socialismo real y en particular a la Unión Soviética, fundamentalmente por ser gobiernos dictatoriales, que habían impedido el desarrollo democrático de sus respectivas sociedades. Para un sector del exilio comunista chileno, significó la ratificación de que los países socialistas estaban lejos de ser las sociedades ideales que la propaganda difundía. Por el contrario, sus rasgos autoritarios iban en sentido contrario a la democracia, principal bandera que alentaba la lucha social y política en Chile. Además, el "eurocomunismo" fue importante porque constituía una impostura a la matriz tradicional del ideario comunista, que no toleraba críticas a la Unión Soviética.

Por último, a comienzos de 1975, el gobierno cubano le ofreció al Partido Comunista de Chile que algunos de sus militantes se incorporaran a la escuela de oficiales de las Fuerzas Armadas Revolu-

[11] Sobre los comunistas chilenos en el exilio, la novela de Carlos Cerda *Morir en Berlín*. Stgo, Seix Barral, 1987.

cionarias de Cuba. A diferencia de la década de los años sesenta, en donde la formación ofrecida por Cuba era de guerra irregular, la propuesta de Fidel Castro al PC consistía en que se formaran oficiales profesionales, con cursos de Estado Mayor incluido. La perspectiva, según Castro, era la necesidad que tendrían las fuerzas democráticas chilenas cuando, supuestamente, fueran descabezados los "mandos fascistas" de las fuerzas armadas chilenas. Los futuros oficiales comunistas estarían disponibles para refundar el nuevo ejército chileno. Los inicios de la llamada "Tarea Militar" no tuvo nada que ver con lucha armada o salidas insurreccionales. De esta forma, el PC inició la formación militar de un núcleo de militantes sin tener ninguna elaboración teórica al respecto. No se tenía claro qué objetivos cumplirían ni que sucedería con estos militantes una vez graduados de las escuelas matrices cubanas. De este grupo, unido a un número menor formado en Bulgaria y la República Democrática Alemana, saldría la base de los futuros integrantes del brazo armado del PC, llamado Frente Patriótico Manuel Rodríguez (FPMR).

A estos sucesos internacionales, se sumaron dos factores fundamentales del contexto histórico chileno a fines de la década de los setenta y principios de los ochenta. En primer lugar, los pronósticos que realizaba la oposición a Pinochet, en el sentido que la dictadura tendría una efímera duración, se esfumaban. Por el contrario, gracias al fraudulento Plebiscito de 1980, Pinochet lograba institucionalizar su régimen, proyectándolo muchos años a futuro. Algunos sectores, como los comunistas, llegaron a la convicción que la dictadura no caería por sí sola, sino que "habría que botarla", como se comenzó a repetir a partir de ese momento. Así, se abría el camino para que se utilizaran "nuevas formas de lucha" en contra de la dictadura. En segundo lugar, los intensos esfuerzos que el PC había realizado durante casi siete años para lograr una alianza con la centrista Democracia Cristiana, habían sido infructuosos. El partido dirigido por el ex Presidente Eduardo Frei Montalva, se había negado sistemáticamente a alcanzar un acuerdo programático con los comunistas, preocupados de no perder su identidad más centrista y base social más moderada y anticomunista. Esto provocó que hacia 1980, la línea de alianzas amplias promovida por el Partido Comunista, llegara a un callejón sin salida.

En medio de la presión desde abajo generada por su propia militancia, un contexto mundial favorable y la urgencia de activar la lucha contra la dictadura, el PC anunciaba, por medio de un famoso discurso de Luis Corvalán emitido el 4 de septiembre de 1980 desde Moscú, que el Partido Comunista promovería "todas las formas de lucha" contra la dictadura, incluida formas de "violencia aguda". Debajo de este histórico llamamiento, una subterránea y rápida metamorfosis había ocurrido en la cultura política comunista.

IV

Parte significativa de las elaboraciones que dieron cuerpo teórico a la nueva línea política del Partido Comunista fue generado por militantes que no formaban parte de la Dirección del partido. Como expresión del clima que se vivía dentro del PC en la década de los ochenta, militantes que tradicionalmente no se habrían aventurado a cuestionar a la dirigencia, si lo hicieron, avanzando en una formulación que planteaba cambios profundos en la matriz de la estructura y el modo de ser comunista en Chile.

La propuesta que dio origen a la nueva línea del PC se resumía en tres puntos. El primero consistía derechamente en modificar la línea del partido. Esto se sustentaba en la tesis de que el Partido Comunista, hasta 1973, no había resuelto "el problema del poder", al olvidar que el avance de las fuerzas revolucionarias provocaría la reacción violenta de la contrarrevolución. Por ello, la gran novedad teórica de la nueva línea del PC era la incorporación de "lo militar en la política del partido", como se titulaba un importante documento que circuló desde mediados de los setenta entre la dirigencia y militancia comunista. Esto implicaba tener en cuenta el problema de la violencia como una variable política indispensable. Para el contexto de la dictadura, se estimaba que por medio de acciones audaces, las masas populares se atreverían a romper el miedo paralizante que impedía el estallido de la protesta social. Por este motivo, para muchos en el PC, lo militar fue visto como un factor que ayudaría a promover la movilización contra el régimen. Otros, en cambio, entendían que lo militar implicaba un cambio en el alma partidaria, al convertirse en una variable teórica permanente del PC. Estas diferencias desencadenarían las futuras divisiones en las filas comunistas.

El segundo punto de la nueva política comunista implicaba un cambio en la lógica de funcionamiento del partido. En efecto, se planteó la necesidad de la democratización de su estructura interna y la revalorización de la crítica como una actividad real y no solo formal dentro de la vida militante. En el fondo, una forma laica de ver la política, terminando la modalidad litúrgica de los comunistas.

En tercer lugar, en el marco del auge del "eurocomunismo", se planteó la necesidad de repensar un socialismo para Chile. Los pesados Estados del "socialismo real", con su burocracia privilegiada y regímenes políticos dictatoriales, estaban lejos de ser un modelo de sociedad o aproximarse a las tradiciones propias de la realidad política y cultural chilena. Se percibía que una de las grandes insuficiencias teóricas de la izquierda chilena, había sido su incapacidad de amalgamar en un solo momento histórico la democracia y el socialismo. El comunismo chileno, al igual que sus pares socialistas, también revalorizaron el sistema democrático en medio de la feroz dictadura pinochetista.

De estos tres aspectos, el que se desarrolló con mayor intensidad fue la cuestión militar. De acuerdo a las urgencias de la política, este factor influía directamente en la fórmula de cómo debía terminarse con la dictadura. La tesis de “todas las formas de lucha”, que había sido planteada de manera muy general desde Moscú, lo que permitía que fuera interpretada de diversas óptica, fue recibida sin grandes disensos internos. Por el contrario, la incorporación de lo militar en la política del PC, significó la recuperación del relato histórico de los comunistas. Dañado seriamente luego del colapso de la Unidad Popular y de la ofensiva represiva del régimen, los comunistas recuperaban su “orgullo partidario”, una nueva épica revolucionaria que dejaría atrás el discurso antidictatorial basado en la idea de la “resistencia”, para pasar a la ofensiva de la “rebelión”. Gracias a la nueva política, el PC levantaba a principios de la década de los ochenta una nueva esperanza de lucha contra el régimen. La iniciativa y la propuesta comunista de recuperar la democracia con las armas en la mano, los alejaba de la imagen ingenua y “reformista” que había dejado la experiencia de la Unidad Popular.

Entre 1980 y 1983 se construyó su brazo armado, que en diciembre de este último año nació a la luz pública bajo el nombre de “Frente Patriótico Manuel Rodríguez”. Hasta 1986, este organismo desarrolló acciones militares de alto nivel, convirtiéndose en un aparato de gran capacidad operativa y especialización. El ajusticiamiento frustrado de Pinochet en septiembre de 1986 fue su acción más conocida, pero también realizó numerosos cortes de luz, proclamas en las radios, acciones armadas contra organismos represivos, entre otras cientos de pequeñas acciones. Su nombre hacía alusión a un popular héroe de la gesta de la Independencia Nacional, que se caracterizó por desarrollar una guerra de guerrillas contra los españoles.

La nueva política comunista implicaba una perspectiva insurreccional, bajo el supuesto que por medio de cientos de miles de personas movilizadas en las calles, unido a la llamada "paralización técnica" del país – realizada por los destacamentos armados del partido- las fuerzas armadas se negarían a seguir sosteniendo a Pinochet en el poder. Así se abriría paso a un gobierno provisional, compuesto por "hombres buenos", de amplio consenso en la oposición, que convocarían a corto plazo a una asamblea constituyente que refundaría el sistema democrático chileno. A través de esta fórmula, la "Política de Rebelión Popular de Masas" – nombre que recibió la nueva orientación del PC – combinó las antiguas tradiciones comunistas, con las nuevas ideas que surgieron luego del golpe de Estado de 1973. Aspectos claves de la cultura comunista, como el activismo de masas en los centros laborales, estudiantiles y territoriales o la búsqueda de unidad amplia con otras fuerzas, especialmente del centro político, continuaron plenamente vigentes en la nueva etapa. Sin embargo, el desarrollo de la política militar también trajo una nueva radicalidad, tanto discursiva como práctica. En los hechos, la "Rebelión Popular de Masas" significó que el conjunto de la estructura partidaria se relacionara con las necesidades "técnicas" (militares) que esta demandaba. La nueva política dio origen a una nueva generación de militantes comunistas, los llamados "hijos de la Rebelión", que retonificaron el orgullo partidario, dispuestos a dar la vida en la lucha contra la dictadura.

Culminado el ciclo de grandes movilizaciones sociales contra la dictadura, conocidas como las "Protestas Nacionales" (1983-1986), que coincidió con el fracaso del atentado contra el general Pinochet, la vía insurreccional promovida por los comunistas quedó obsoleta. A partir de 1987, se impuso la salida pactada con la dictadura, que implicaba reconocer la institucionalidad creada por esta, incorporándose a su cronograma electoral. Este establecía un plebiscito que en 1988 debería aprobar o rechazar la continuidad del dictador. La óptica comunista, que rechazaba integrarse a la legalidad creada por el régimen, quedó en minoría. Aislado, el PC se sumó a regañadientes a la estrategia opositora. Derrotado Pinochet en el Plebiscito de 1988, las elecciones presidenciales de 1989 terminaron consagrando el retorno a la democracia en Chile. Así, la política de los comunistas quedó fuera del foco político. Este hecho, junto a las diferentes maneras como había sido entendida la "Política de Rebelión Popular de Masas", desencadenó a fines de la década de 1980 la peor crisis de la historia del partido.

La crisis se inició en 1987, cuando parte importante del FPMR se desprendió del partido, formando la organización que se conoció como "FPMR-Autónomo". Le criticaban al PC abandonar la perspectiva insurreccional y siguieron implementado la lucha armada incluso una vez recuperada la democracia en 1990. Ejecutaron a perpetradores de violaciones de derechos humanos y a Jaime Guzmán en 1991, un connotado senador de derecha y uno de los principales ideólogos del régimen militar. Entre 1989 y 1990, sectores que habían promovido la nueva política del partido, unidos a quienes se habían opuesto a ella por diversos motivos, estructuraron una "Oposición Unida" contra la Dirección del PC, acusándola de estalinismo y manejar equivocadamente al partido en distintas coyunturas de los ochenta. La crisis se resolvió con la salida de un numeroso contingente de militantes del partido y la continuidad del equipo de dirección que lo había encabezado durante la dictadura.

Esta crisis estalló en paralelo con la crisis terminal del socialismo real, por lo las comparaciones fueron inevitables y muchos agoreros anunciaron a principios de la década de 1990 la desaparición del Partido Comunista de Chile. Sin embargo, logró subsistir, porque en medio de muchas dificultades, supo atrincherarse en las organizaciones sociales, su tradicional espacio político. Asimismo, tal como había ocurrido en 1973, logró nuevamente modificar aspectos importantes de su cultura política, tanto en el plano teórico como práctico, lo que le permitió sobrevivir a un adverso período, que lo relegó a un espacio marginal de la política chilena. En el siglo XXI, reducido electoralmente, pero fuerte en los movimientos sociales, el Partido Comunista de Chile se las ha arreglado para volver ser un actor político relevante en el país.

REFERENCIAS

ALVAREZ, Rolando. *Desde las sombras. Una historia de la clandestinidad comunista, 1973-1980*. Stgo., Lom, 2003.

______. *Arriba los pobres del mundo. Identidad y cultura política del Partido Comunista de Chile entre democracia y dictadura. 1965-1990*. Stgo., Lom, 2011.

CERDA, Carlos. *Morir en Berlín*. Stgo., Seix Barral, 1987.

DEVÉS, Eduardo. "La cultura obrera ilustrada y algunas ideas en torno al sentido de nuestro quehacer historiográfico", en *Mapocho* n. 30, 1992.

GÓMEZ, María Soledad. "Factores nacionales e internacionales de la política interna del Partido Comunista de Chile (1922-1952), en Augusto Varas (compilador), *El Partido Comunista en Chile*. Santiago de Chile, CESOC-FLACSO, 1988.

GREZ, Sergio. *Historia del comunismo en Chile. La era de Recabarren (1912-1924)*. Santiago de Chile, Lom, 2011.

______. *De la "Regeneración del pueblo" a la huelga general. Génesis y evolución histórica del movimiento popular en Chile (1810-1890)*. Stgo, DIBAM-RIL, 1997.

______. *Los anarquistas y el movimiento obrero. La alborada de "La Idea" en Chile, 1893-1915*. Stgo, Lom, 2007.

ILLANES, María Angélica. *Chile Des-Centrado. Formación socio-cultural republicana y transición capitalista (1810-1910)*. Stgo, Lom, 2003.

LOYOLA, Manuel. “Los destructores del partido. Notas sobre el reinosismo en el Partido Comunista de Chile”, en *www.izquierdas.cl*.

MASSARDO, Jaime. *La formación del imaginario político de Luis Emilio Recabarren. Contribución al estudio crítico de la cultura política de las clases subalternas de la sociedad chilena*. Stgo, Lom, 2008.

MOULIAN, Tomás. *La forja de ilusiones. El sistema de partidos, 1932-1973*. Santiago de Chile, ARCIS-FLACSO, 1993.

______. “La vía chilena al socialismo: Itinerario de la crisis de los discursos estratégicos de la Unidad Popular”, en Pinto, Julio (editor), *Cuando hicimos historia. La experiencia de la Unidad Popular*. Stgo, Lom, 2005.

PINTO, Julio. *Desgarros y utopías en la pampa salitrera. La consolidación de la identidad obrera en tiempos de la cuestión social (1890-1923)*. Stgo. Lom, 2007.

SAMANIEGO, Augusto. “Origen de una larga política. Informe de Carlos Contreras Labarca al X Congreso del Partido Comunista de Chile, 1938”, en Loyola, Manuel y Rojas, Jorge, *Por un rojo amanecer. Hacia una historia de los comunistas chilenos.* Stgo, Impresora Valus, 2000.

VALDIVIA, Verónica. “¡Estamos en guerra, señores!”. El Régimen Militar de Pinochet y el “pueblo”, 1973-1980”, en *Historia* n. 43, 2010.

VERGARA, Jorge. “El pensamiento de la izquierda chilena en los sesenta. Notas de investigación”, en A. Varas (compilador), *op. cit*.